HOMENAJE

A

AUGUSTO ROA BASTOS

Editor
HELMY F. GIACOMAN

HOMENAJE A AUGUSTO ROA BASTOS

Variaciones interpretativas en torno a su obra

anaya • las americas

International Standard Book Number: 0-87139-032-9
Library Congress Catalog Card Number: 73-77891

L. A. Publishing Company, Inc.
40-42, 23rd. Street
Long Island City
New York, 11101
Producido por ANAYA
Depósito legal: M. 12475-1973
Printed in Spain

Impreso en
Artes Gráficas Ibarra, S. A.
Matilde Hernández, 31 - Madrid-19

ÍNDICE

Prefacio

Helmy F. Giacoman

Estas variaciones interpretativas en torno a la obra de Augusto Roa Bastos constituyen el merecido homenaje que los críticos aquí reunidos desean rendir a uno de los más auténticos y destacados autores hispanoamericanos.

De tener que esbozar la cosmovisión de nuestro autor, y de las múltiples dimensiones temáticas que se concretan en su narrativa, señalaría una reverencia litúrgica que se da en una especie de panteísmo cósmico: una sagrada preocupación vivencial por el hombre en sí y por lo que le rodea. Creo que su obra apunta certeramente hacia un ciclo que germina en lo esencial de la naturaleza, se concretiza en el hombre y —a través de un intenso humanismo— se proyecta universalmente.

Por otra parte, su búsqueda expresiva arranca de las vivencias lingüísticas entrañables de su mundo propio y alcanza su plenitud en una fusión fenoménica de los elementos válidos del sustrato y de la norma idiomática actual, por lo que se ha podido decir que la tarea que se ha impuesto en este plano es una de las más ejemplares de América.

Es, pues, con gran respeto y admiración que destacamos en este tomo las diversas manifestaciones de la preocupación crítica que ha concitado la obra de Augusto Roa Bastos.

«Cigarrillos Máuser»

Fernando Alegría

> El trueno cae y queda entre las hojas. Los animales comen las hojas y se ponen violentos. Los hombres comen los animales y se ponen violentos. La tierra se come a los hombres y empieza a rugir como el trueno. (Epígrafe, *El trueno entre las hojas.)*

En más de una ocasión me he referido a la obra narrativa de Roa Bastos haciendo notar dos factores que me parecen de especial significación: primero, el hecho de que hay en su visión violenta e historicista del mundo paraguayo —selva, ciudad, dictadura, revolución, guerra, pasión— un fondo humanista arraigado no en consignas ni en fáciles *slogans,* sino en una clara conciencia de la unidad fundamental de la experiencia del hombre contemporáneo, hecho que da una proyección social a sus narraciones por encima del dinamismo de las anécdotas; y segundo, el funcionamiento de una técnica que, siendo resultado de esa visión, viene a ser parte, entonces, de una concepción de la literatura como instrumento de conocimiento y vía de acción. Los cuentos de *El trueno entre las hojas,* publicados por primera vez en 1953 [1], muestran en mayor o menor grado la gestación de este arte literario de Roa Bastos que alcanzará su más alta expresión en la novela *Hijo de hombre.* De estos cuentos quisiera escoger uno, «Cigarrillos Máuser», para analizarlo en relación a los dos factores ya señalados.

La anécdota es mínima, pero su carga implícita de primitivismo y violencia la engrandece. Su proyección se alarga en el tiempo gracias a ese rebote de los actos en el interior de las categorías verbales, cualidad característica de la técnica narrativa de Roa Bastos. Se trata aquí, en un primer plano (superficie), de la iniciación de un niño en el conocimiento (adivinación, experiencia pura, bersogniana) de la mujer. Como toda iniciación, la de este niño encierra un fondo de misterio, una agitación sexual, un supremo acto de prueba, la prueba misma, sangre-muerte-renacimiento y, finalmente, sentido de identidad individual.

Así se inicia el hombre en las sociedades primitivas y así se inicia en las sociedades sofisticadas, en unas bajo la sombra del terror, el sufrimiento físico y la coerción que imponen una conducta ritual y un poder mitológico; en otras, dentro de normas que escamotean el terror y la brutalidad por medio de astutas reglas de juego, convirtiendo el *test* y el sacrificio en formas de vida común.

De acuerdo con este esquema el narrador ordena los hechos sin regirse por el orden lógico de la secuencia temporal, sino por la valoración subjetiva de los diversos momentos históricos de la experiencia del personaje principal. Estos momentos son cuatro. El primero implica una valoración desde el presente hacia el pasado: el párrafo inicial indica que estamos frente al fin de la iniciación. El narrador especula sobre la índole imprecisa de *toda* experiencia: se supone que, aun sin el paquete de cigarrillos ni la astucia de la negra que opera la iniciación del niño, «la historia hubiera acabado allí de cualquier manera». *Allí* se refiere al párrafo inicial. Es posible —y esta posibilidad inherente a todo suceder histórico es también característica del arte de narrar de Roa Bastos— que todo hubiera concluido «más tarde» y «por cualquier otro motivo». Esto no es de primaria importancia. Lo esencial es que, de todos modos, «hubiera concluido». Se trata, entonces, de una iniciación, de un *test,* que abre, cierra y vuelve a abrir un proceso de autoconocimiento a través de la experiecia directa de la mujer-mundo.

Todos los hechos principales de la historia aparecen en este movimiento inicial que es un presente-pasado: alguien recuerda («sobre todo cuando está por sucederle algo adverso») una mujer negra, un paquete de cigarrillos que casi le causó la muerte cuando él tenía doce años, un perro. Digo *todos* los hechos de la historia, pero de-

---

[1] Mis referencias son a la 3.ª ed., Losada, 1968.

biera decir *casi* todos: uno, el decisivo, se esconde detrás de una afirmación metafórica.

> Después ella también salió a buscarlo. Pero tomó otra dirección (p. 37).

El niño no tiene presencia física, la mujer tampoco. Se habla de voces, ropas, algunos gestos. La negra surge del pasado como un *acto,* no una persona, corriente turbulenta de ademanes y avances que le sucede al niño en plano anímico.

El segundo momento es claramente pretérito. En el trasfondo oímos el recuerdo del hombre, y super-impuesto lo que realmente sucedió. Los dos factores, memoria y realidad, son, por supuesto, engañosos. Ciertos hechos son inconfundibles: la ruina de una familia burguesa, la desintegración del hogar, el calvario del padre transformado en peón, el reencuentro patético. Se comenta la llegada de la negra a la casa. El niño no es ni siquiera un nombre, a lo sumo una sombra de la mano de su madre, otra sombra.

El tercer momento es un *co-pretérito,* es decir, el episodio central sucede metido dentro de un recuerdo: la historia de una mujer que va atrapando poco a poco a un niño, cercándolo como una serpiente, echándoselo adentro, pero sin devorarlo, guardándolo en «cueva blanda y tibia, palpitante, oscilante», preparándolo para una posesión que constituirá la prueba final de la iniciación. La «puerta de la vida» se abre prematuramente, en el umbral el héroe se duerme. La negra, que ya le ha enseñado a beber, le enseña ahora a fumar. Lo manda a un lugar remoto del río con un paquete de cigarrillos sin prescribir la dosis. El niño se los fuma todos, queda en el suelo «muerto o casi muerto». Una víbora aparece y se dispone a morderlo. Salta el perro y empieza una desesperada lucha. La víbora lo muerde en una pata, pero el perro la parte en dos. Moribundo, el perro camina hacia la casa. Los padres encuentran al niño. La negra oye que el niño se ha perdido y ve al perro morir envenenado.

El momento último del cuento nos trae de vuelta al presente del narrador que rememora en imprecisas imágenes una mañana, una tarde, una noche, el río, el perro, y «su infancia destruida», «no ya el dolor precisamente, sino el recuerdo del dolor». ¿La mujer? Otra imagen:

> Ve al tiempo huir y al espacio achicarse en torno al cadáver de un perro pudriéndose a la intemperie, entre la maleza, en torno al cadáver de una negra colgando ahorcada de una viga llena de humo (pp. 95-96).

Éste, el hecho metafóricamente aludido al comienzo de la historia —«después ella también salió a buscarlo. Pero tomó otra dirección», la muerte—, cierra el círculo de la iniciación del niño que da un paso hacia la virilidad, adelantado, violento, incomprensible, sangriento; paso, entonces, que no cierra nada pues los momentos de esa oscura tragedia irán repitiéndose a través de toda una vida, recuerdos que «son como copias que va tirando de una plancha inmutable», fragmentos de un *test* que no termina en definitiva jamás.

La maestría narrativa de Roa Bastos aparece nítida y lúcida, en todos sus poderes: un misterio es ese niño que, en verdad, no llegamos a conocer con precisión, un misterio esa negra que es, a su vez, encarnación de otro misterio abierto y sin fondo, el umbral de la adolescencia, y un misterio, finalmente, el hombre que evoca sin cesar, como una máquina fotográfica de infinitas placas, marcando inútilmente variaciones de un distorsionado recuerdo. Así se mueve Roa Bastos en la cámara oscura de su lejana juventud paraguaya. Las luces las da el lenguaje. Ni las cosas, ni los hechos, ni las gentes permanecen suficientemente apacibles para que las reconozcamos. Se calman un instante, lo mínimo, sólo para indicarnos que allí hubo vida y, naturalmente, muerte; todo vuelve a empezar y que la historia, sucediendo, se corrige a sí misma, imitando al hombre que no termina nunca de corregirla y de entenderla a ella.

Roa Bastos entre el realismo y la alucinación

Mario Benedetti

Augusto Roa Bastos es uno de los pocos nombres exportables de la actual literatura paraguaya. Aunque antes de 1953 ya había publicado varios libros (*Poemas,* 1942; *Fulgencio Miranda,* novela, 1942; *Mientras llega el día,* drama, 1945), es en ese año cuando asciende a la notoriedad continental con un libro de cuentos: *El trueno entre las hojas.* A pesar del deleite casi morboso con que Roa Bastos encaraba en ese volumen el espectáculo violento y caótico de su realidad paraguaya (de la que no se aparta jamás, como si estuviera cumpliendo una consigna), su estilo era lo suficientemente conciso, ágil y —en el mejor de los sentidos— efectista, como para que a través de los diecisiete cuentos no decayese el interés del lector.

Por lo general, la anécdota había sido extraída de la realidad y encuadrada en lo literario con verdadero sentido de las proporciones. Eran ejemplares, en este aspecto, cuentos como «Audiencia privada» (que podría haber sido firmado por Maupassant), «Galopa en dos tiempos» y «El Caraguá», seguramente los puntos más altos de aquel libro. La visible debilidad residía en la técnica despareja, en la repetición de efectos, en ciertos finales —como el de «Pirulí»— inútilmente confusos, pero ninguna de esas endebleces alcanzaba a sofocar la voz del narrador, cuya eficacia directa y fuerza temperamental sirvieron para inscribirlo, desde entonces, en la buena tradición.

Ahora, en *Hijo de hombre* (1960), Roa Bastos construye su relato con una hondura, una inventiva y un poder de comunicación muy superiores a los que mostraba aquel irregular intento de siete años atrás. Enraizando la peripecia en el viejo Macario, «hijo mostrenco de Francia», y llevándola hasta la miserable quietud de la posguerra chaqueña, el novelista usa a su protagonista Miguel Vera como lúcida e inhibida conciencia del drama de su país, ese Paraguay que (según opinó el propio Roa Bastos en conferencia pronunciada en Montevideo) «ha vivido siempre en su año cero».

Más que un protagonista, Miguel Vera es un testigo; la novela viene a ser el testimonio de su frustración, que es la típica del intelectual que vive pendiente del escrúpulo y cuya exacerbada clarividencia le impide estimularse con la pasión de los otros o con la propia. Pero Roa Bastos tuvo la rara habilidad de utilizar esa frustración como espejo, haciendo que en ella se reflejaran los rasgos más puros, las calidades más incanjeables del hombre paraguayo. «Mi testimonio no sirve más que a medias», dice el testigo; «ahora mismo, mientras escribo estos recuerdos, siento que a la inocencia, a los asombros de mi infancia, se mezclan mis traiciones y olvidos de hombre, las repetidas muertes de mi vida. No estoy reviviendo estos recuerdos, tal vez los estoy expiando». Semejante resignación consta en el comienzo del relato, pero las últimas palabras que escribe Miguel Vera son éstas: «Alguna salida debe haber en este monstruoso contrasentido del hombre crucificado por el hombre. Porque de lo contrario sería el caso de pensar que la raza humana está maldita para siempre, que esto es el infierno y que no podemos esperar salvación. Debe haber una salida, porque de lo contrario...» Entre una y otra angustia, entre una y otra conciencia de esa angustia, queda la difundida nostalgia que ese intelectual, ese «intoxicado por un exceso de sentimentalismo», experimenta hacia los hombres capacitados para la acción, hacia los que no tienen horror del sufrimiento, hacia los primitivos que no usan la desesperación ni sienten asco por la ferocidad del mundo.

La estructura de la novela tiene un signo experimental: Roa avanza y retrocede en el tiempo, deja y retoma el relato en primera persona, ve al protagonista desde dentro y desde fuera, da cuidadosa forma a determinados personajes y luego los abandona. Cada episodio es un caso curioso de independencia, y a la vez de conexión, con respecto al resto de la novela. Lo más fácil sería decir que esa suerte de archipiélago narrativo es sólo un refugio de cuentista para sortear el engorro dimensional de la novela. Sin embargo, es bastante más que eso. El lector tiene la impresión de asistir a un gran fresco de la vida y la historia paraguayas, un fresco de exaltación y patetismo que es mostrado por el novelista en base a un método muy personal de iluminaciones y enfoques parciales. La unidad esencial de la novela se halla resguardada en algo que el autor hace decir a Rosa Monzón, en el último párrafo de la obra, acerca de las páginas de Miguel Vera:

> Creo que el principal valor de estas historias radica en el testimonio que encierran. Acaso su publicidad ayude, aunque sea en mínima parte, a comprender más que a un hombre, a este pueblo tan calumniado de América, que durante siglos ha oscilado sin descanso entre la rebeldía y la opresión, entre el oprobio de sus escarnecedores y la profesión de sus mártires.

Sí, realmente, es el pueblo paraguayo el que aparece siempre vivo y debatiéndose por su salvación en cada uno de los enfoques parciales; es el pueblo paraguayo que unas veces se llama Cristóbal Jara, otras Gaspar Mora y otras Salu'í. La historia no acaba con la muerte de Vera, aunque la novela se detenga en ella; la historia sigue, porque el futuro es enorme, todavía se está haciendo, y a nadie le extrañaría que Roa Bastos, dentro de unos años, retomara todos los cabos y personajes sueltos y nos brindara una nueva instancia de su extendida, conmovedora metáfora nacional, en la que el destino de Alejo o de Cuchuí (niños que ofician de viñetas insustituibles en el relato) se viera redondeado, o se encendiera en símbolo.

Junto a la crudeza expresionista de la obra, junto a su naturaleza desbordada, solidaria, hay en *Hijo de hombre* un impulso alucinado que hace que el novelista se aleje a veces del contorno innegable y verídico, aunque, desde luego, no lo pierda de vista. Apenas si en algún pasaje consta el despliegue fantasmal («Aun después de muerto Gaspar en el monte, más de una tarde oímos la guitarra») que, por un instante, queda haciendo equilibrio en la frontera misma de la duda; claro que, inmediatamente, lo sobrenatural se convierte en metáfora y, más adelante, se inscribe asimismo en lo verosímil: «En el silencio del anochecer en que ondeaban las chispitas azules de los muäs, empezábamos a oír bajito la guitarra que sonaba como enterrada, o como si la memoria del sonido aflorase en nosotros bajo el influjo del viejo.» O sea, que la guitarra de ultratumba pasa a condensarse en cálido recuerdo.

Pero además, Roa Bastos demuestra poseer una habilidad excepcional para convertir intencionadamente en alucinación todo tramo de realidad que él quiere relevar como pasión irreductiblemente paraguaya. La alucinación es, para este novelista, una suerte de fijador, una legítima garantía contra el olvido. Recuérdese aquel vagón de ferrocarril que avanza lenta, clandestina, pesadillescamente por la selva, o el diario que pormenoriza la tortura de la sed, o la tétrica caravana de los camiones aguateros, que va pagando inútiles cuotas de muerte nada más que para que otros no perezcan.

Algún crítico ha señalado que Roa Bastos pierde varias oportunidades de levantar una leyenda que unifique la novela, pero no hay que olvidar que el autor de *Hijo de hombre* está novelando (no ordenando) el caos. Cada una de aquellas alucinaciones es en sí misma, con sus antecedentes y sus secuelas, una leyenda activa, parte alícuota del caos y, en pequeña escala, una suerte de esencia nacional, *ultima ratio* de lo telúrico. De modo que no importa demasiado que la Gran Leyenda, espléndidamente programada o elegida a tono con los mitos más célebres, no se desprenda como una prevista lección del dolor paraguayo. No hay dolor auténtico, insustituible, veraz, que le caiga de medida a una Gran Leyenda; quede eso para los fervorosos de *Ollantay*. Ningún dolor auténtico es otra cosa que una esencia, y una esencia dicta siempre su propia ley, su propia dimensión, su propio riesgo.

¿Defectos? Claro que los hay. Creo haber leído algo sobre distracciones de estructura, repetición de recursos, inclinación a lo macabro. A tales minuciosos me remito. En lo que me es personal, *Hijo de hombre* me ha significado una lectura entusiasmante. Me alcanza con recordar la descripción de la muerte de Salu'í y de Cristóbal, idilio heroico y condenado, desprovisto de palabras de amor, para saber que allí, Roa Bastos ha conseguido crear uno de los instantes más trémulos, más legítimamente poéticos y conmovedores de la narrativa latinoamericana. Claro, frente a esa proeza, los defectos se me caen del recuerdo. Y no quiero agacharme a recogerlos.

La condición humana en la narrativa de Roa Bastos

Clara Passafari de Gutiérrez

Augusto Roa Bastos es un escritor que posee pleno dominio de los medios estilísticos y, sobre todo, una fuerza viril intensa, capaz de crear, con poderosa sugestión, el ámbito adecuado para cada historia y el clima más sugerente para cada personaje.

Hijo de hombre, su novela premiada por Losada en 1959, evidencia que esa fuerza emana de una personalidad vigorosa con un claro sentido de la vida y con una concepción del hombre, de su misión y de su destino, elaborado a lo largo de los años.

Roa Bastos posee un estilo definido, utiliza un sentido moderno de la estructura novelesca. Palpita en él una elemental irracionalidad que le permite captar y transmitir, como trasfondo mágico, la vibración mítica de su tierra paraguaya. Pero une a todo lo antedicho un planteo ideológico denso y apasionante.

La temática que aborda en *El trueno entre las hojas* y en su reciente novela *Hijo de hombre,* lo arrastraban a comprometerse con la línea americana de la literatura social de alegato y de protesta.

En *El trueno entre las hojas* bordea peligrosamente esta posición y en algunos cuentos se inclina hacia ella. Pero en *Hijo de hombre* supera holgadamente esta solicitación. Es el escritor paraguayo que trasciende Paraguay para ser americano y que trasciende América para ser del mundo.

Quizá la idea central de su novela: la pasión por la libertad y su lucha renovada a cada instante, a pesar del martirio, de la persecución y de la muerte, le haya otorgado esta trascendencia tan difícil, precisamente porque no es el fruto de una abstracción fría, sino que está creada sobre una realidad muy concreta.

Las dos obras, a las cuales nos referimos, parten de una temática existencial, «vitalmente existencial», ya que se basan en el análisis de situaciones concretas, de conductas y acciones humanas, enmarcadas en una singular temporalidad histórica.

Y el autor es perfectamente consciente de este punto de partida y del mensaje implícito en su creación. Al finalizar *Hijo de hombre,* dice:

> Creo que el principal valor de estas historias radica en el testimonio que encierran. Acaso su publicidad ayude, aunque sea en mínima parte, a comprender más que a un hombre, a este pueblo calumniado de América, que durante siglos ha oscilado sin descanso entre la rebeldía y la opresión, entre el oprobio de sus escarnecedores y la profecía de sus mártires (p. 270)[1].

En efecto, Roa Bastos hace literatura social con mensaje y su obra está comprometida, pero comprometida con los grandes valores del hombre y es este compromiso el que le concede la trascendencia.

Al recibir el Premio Losada por *Hijo de hombre,* Roa Bastos explica claramente su pensamiento sobre el tan debatido tema del compromiso y lo ubica en sus justos términos:

> Algo más quiero destacar especialmente en esta ocasión; es el hecho de que la elección del jurado haya recaído sobre una novela de las llamadas sociales, sobre una novela que trae la opacidad visceral de una tierra convulsionada, de unos hombres y mujeres que avanzan con los nervios y las venas sobre la piel, de un paisaje que se quema esterilmente en la aciaga potencia de su fecundidad y de su hermosura, escenario grandioso e impasible donde el hombre afronta la muerte cada día, a cada instante, resignándose impávido al presente de su adversidad porque cree con fe inquebrantable en el futuro de su redención.

---

[1] Las páginas indicadas en el texto, corresponden a las siguientes ediciones: Augusto Roa Bastos, *El trueno entre las hojas,* Editorial Losada, 1953. Augusto Roa Bastos, *Hijo de hombre,* Editorial Losada, 1960.

Pienso entonces que se ha premiado el mérito de la sinceridad, no el de la belleza, que se ha reconocido el pujante clamor de un pueblo y no la destreza técnica ni la sabiduría de un novelista capaz de plasmar, por la sola fuerza de su pensamiento, el vertiginoso universo de una conciencia individual.

En esta etapa decisiva de la historia del mundo, los escritores latinoamericanos se insertan con vida y pensamiento en la gran tradición de nuestra literatura independiente, en una literatura militante de la realidad humana. Su pasión dominante es mostrar la rebelión del hombre en sociedad contra todo lo que lo aplasta y degrada. Sus obras se arraigan en la historia y en el destino de sus pueblos. Están templadas en la pasión de lo americano, pero su proyección y su aliento son universalistas, es decir, humanistas, los escritores de hoy trabajan sin reservas mentales de ninguna clase, atacan de frente los temas y problemas de nuestro mundo contemporáneo.Tratan, por encima de todo, de ser veraces, de dar sus obras como actos de afirmación, y cada uno contribuye con la nota profunda de vivencias colectivas e individuales, traza el rasgo físico y espiritual característico de esta expresión deslumbrante que está amaneciendo en el viejo rostro del mundo en perenne metamorfosis.

Esta literatura es, sí, una literatura comprometida: comprometida hasta los huesos con el destino del hombre, no con intereses o consignas circunstanciales [2].

El escritor ha penetrado en su tierra, en su hombre, en su pueblo y expone su lucha y su tragedia, que en última instancia es la tragedia del hombre en continuo debate con las fuerzas que tratan de violentarlo. El drama es de siglos, es desde que el hombre existe, pero está alojado y cumplido en un aquí y en un ahora concreto; está alojado en la entraña misma de América y en un momento de su historia.

Y resulta altamente significativo que Paraguay haya engendrado un escritor como Roa Bastos, de trasfondo épico en su narración, algo así como si el dolor colectivo de tanto tiempo hubiera encontrado la encarnación, madura de belleza, en uno de sus hijos.

La lucha continua, el sacrificio, la muerte y el dolor del pueblo paraguayo pasan a la inmortalidad temporal en una obra literaria que, desde su aparición, la crítica unánime señala como maestra y universal.

Trataremos de fundamentar estas apreciaciones, señalando la temática de las dos obras mencionadas.

El trueno entre las hojas, escrita en 1953, consta de diecisiete cuentos en los cuales se preanuncian los contenidos de *Hijo de hombre.* Esta última novela está construida sobre las fingidas memorias

---

[2] En *Negro sobre Blanco,* Boletín Bibliográfico de Editorial Losada, 1960.

de Miguel Vera, «un introvertido, intoxicado por un exceso de sentimentalismo». Son, en conjunto, nueve historias de dolor y de angustia, situadas en el Paraguay entre 1912 y la desmovilización después de la guerra del Chaco.

Todas las historias están vertebradas por la personalidad de Miguel Vera, que adquiere por momentos un vago carácter protagónico ya que el manuscrito de sus memorias es la base de la trama argumental.

Miguel Vera conoce lúcidamente la situación en que se debaten los hombres de su país, pero no tiene capacidad para emprender una acción redentora.

La doctora Rosa Monzón, al finalizar la novela, lo describe en la siguiente forma:

> Era alto y delgado, de hermosos ojos pardos. Hablaba poco y su exterior taciturno lo hacía aparecer huraño. Un introvertido, «intoxicado por un exceso de sentimentalismo», como me decía él mismo en una de sus cartas desde Itapé. Yo creo que era más, un ser exaltado, lleno de lucidez, pero incapaz en absoluto para la acción (p. 269).

Él mismo reconoce su falla esencial cuando dice en uno de los relatos, al contemplar el vagón arrastrado por Casiano y Natí en su huida:

> Me sentí hueco de pronto. ¿No era también mi pecho un vagón vacío que yo venía llevando a cuestas, lleno tan sólo con el rumor del sueño de una batalla? Rechacé irritado contra mí mismo ese pensamiento sentimental, digno de una solterona. Siempre esa dualidad de cinismo e inmadurez turnándose en los más insignificantes actos de mi vida! Y esa afición a las grandes palabras! La realidad era siempre mucho más elocuente (p. 129).

Al lado de Miguel Vera, algo así como la mente reflexiva de los hechos, acciona un mundo riquísimo y fascinante de criaturas auténticas y vitales. Roa Bastos evidencia una fuerza creadora que se adueña del lector y le hace vivir las peripecias de sus personajes. Sus hombres y sus mujeres tienen el atractivo del hecho que se vive y no de la abstracción que se piensa.

Macario Francia, el viejo mendigo que por unos días se convirtió en el verdadero patriarca de Itapé; Casiano Jara, obsesionado por escapar del yerbal; Cristóbal Jara, fuerte en su indiferencia y valiente hasta la muerte; Gaspar Mora, de bondad inacabable con sus hermanos; todos viven idéntica vida y todos expresan el mismo dolor y la misma rebeldía.

La sucesión de personajes reafirma la idea fundamental que el autor encierra en su creación: la lucha sostenida por el hombre contra el desorden de la naturaleza y contra la violencia desatada por el mismo hombre hacia sus hermanos.

Roa Bastos, en un juicio sobre *Hijo de hombre,* aclara:

> Su tema trascendente, al margen de la anécdota, es la crucifixión del hombre común en la búsqueda de solidaridad con sus semejantes; es decir, el antiguo drama de la pasión del hombre en lucha por su libertad, librado a sus solas fuerzas en un mundo y en una sociedad inhumanos que son su negación»[3].

¿Cómo ve al hombre? ¿Cuál es su situación?

En «Éxodo», Casiano y Natí, que huyen enloquecidos del yerbal, «parecen animales acosados, embretados en una trampa sin salida» (79).

La descripción es vivencial, la vida aparece como un absurdo. Este concepto está reforzado en el mismo relato cuando contemplamos el camino de los mensú hasta la ciudadela de Takurú-Pucú:

Algunos, agotados por las privaciones y el clima, quedaban por el camino,

> Los que marchaban delante oían de tarde en tarde, a sus espaldas, el tiro del despenamiento. Era un compañero menos, un mártir más, un anticipo que se perdía en un poco de bosta humana (página 83).

Y en «Hogar», Cristóbal Jara con un solo gesto indica a Miguel Vera la inconmensurable cantidad de esfuerzo y de sacrificio que pueden caber en las manos de un hombre.

Ese hombre, así concebido, está enfrentado a situaciones que lo reducen al extremo límite de su condición. Contra él se desata la fuerza de lo telúrico y del mismo hombre guiado por la ambición del poder y la lujuria desmedida.

Necesitamos referirnos a las fuerzas que engendran el desorden y el mal en el mundo y causan esta situación del hombre.

El punto de partida para esclarecer este aspecto lo da el epígrafe con el cual Roa Bastos inaugura *El trueno entre las hojas:*

> El trueno cae y se queda entre las hojas. Los animales comen las hojas y se ponen violentos. Los hombres comen a los animales y se ponen violentos. La tierra come a los hombres y comienza a rugir como el trueno.

---

[3] En *Negro sobre Blanco,* Boletín Bibliográfico de Editorial Losada, 1960.

Esta leyenda aborigen manifiesta con singular fuerza expresiva la decisiva *influencia de lo telúrico* que rodea al hombre y lo aprisiona, condicionándolo algunas veces y determinándolo las más, hacia un destino determinado que se cumple inexorablemente.

El lugar preponderante de la naturaleza indómita y bravía patentiza esta interpretación. Le atraen a Roa Bastos, la selva, los pantanos, los bosques gigantescos.

Intensamente dramática, acechante, es la naturaleza que palpita en «El Caraguá».

> La vegetación iba cambiando gradualmente de color. Se podía saber dónde comenzaban las ciénagas por el tono más vivo y oscuro del verde que se veía a lo lejos. Empecé a oler la emanación característica del pantano; un sabor áspero y agrio, como las miríadas de insectos machacados, que arañaban la nariz y la garganta y que al comienzo me produjo un ligero mareo con sabor a bascas. Allí reinaba implacable la humedad destructora y creadora, transformando continuamente la muerte en vida y la vida en muerte. Monstruosos torbellinos vegetales de helechos y macizos espinosos que se adensaban en la gelatina negra del barro, como en otra edad geológica; un reino caótico y vibrante de alimañas voraces, de víboras y pájaros de presa, donde no se sabía cómo podrían durar unos cuantos seres humanos (p. 114).

En el mismo cuento, la acción del pantano es tan intensa y alucinante que explica el desenlace de la narración y crea el ámbito sugestivo que ella necesita.

En «El regreso», el pantano cede su lugar al bosque de tanino, pero su influencia es tan nefasta sobre el hombre como la del tembladeral. El tembladeral ha devorado en su tumba semilíquida de betún un centenar de hombres y el pequeño villorrio de Yvyrá-Caigüé; el bosque sepulta a los peones del obraje.

«El trueno entre las hojas», último cuento del libro homónimo, presenta la naturaleza como protagonista que participa en el combate secular por la dignidad del hombre, abrumándolo con el despliegue de sus mil formas y matices.

La violencia telúrica, tan manifiesta en *El trueno entre las hojas,* reaparece en *Hijo de hombre.*

La huida de Casiano y Natí a través de la selva y los pantanos desespera y enloquece. Toda una noche avanzan sin tregua, para comprender al amanecer que han girado sobre el mismo lugar.

> Avanzan despacio en la maciega del monte. Más rápido no pueden. Empujados por el apuro, por el miedo ya puramente animal, se cuelan a empujones. Por momentos, cuando más ciegas son las embestidas, la maraña los rebota hacia atrás. Entonces el im-

> pulso de la desesperación se adelanta, se va más lejos, los abandona casi. El hombre machetea rabiosamente para recuperarlo, para sentir que no están muertos, para tajear una brecha en el entramado de cortaderas y ramas espinosas que trafilan y retienen sus cuerpos como los grumos del almidón en un cedazo, pese a estar tan flacos, tan aporreados, tan espectrales (p. 78).

Y cuando atraviesan el estero, carcomidos ya por el terror, «van chapoteando por dentro en un estero lleno de miasmas, con islotes poblados de víboras que hacen sonar sus colas de hueso» (p. 108).

La lucha del hombre contra esta violencia de la naturaleza crea, por momentos, un mundo alucinante, irreal. Según lo expresa la leyenda indígena mencionada, también los animales participan de este desorden y se oponen al hombre y a su acción.

El duelo mortal para ambos contendientes, en el cual un carpinchero trata de liberarse del ataque de un cocodrilo, evidencia esta situación permanente de conflicto (*El trueno entre las hojas,* p. 21).

Esta visión de la naturaleza que se impone en la creación de Roa Bastos lo ubica decididamente entre los grandes narradores de la tierra americana; Rómulo Gallegos con *Canaima* y Eustasio Rivera con *La vorágine.*

Sigamos adelante en este intento de aprehender la temática del escritor. Debemos hablar ahora de «la opresión y de la violencia del hombre contra el hombre». Enceguecidos por la ambición y las ansias desmedidas de poder y de dinero, algunos hombres apresan a los demás y les someten a la miseria, a las torturas y a la muerte horrible y sin sentido.

Forkel y Harry Way, en *El trueno entre las hojas,* encarnan la voluntad todopoderosa del patrón del ingenio que aplasta a los hombres y viola insaciable a las mujeres.

El yerbal de Takurú-Pucú y la Ogaguasú son cárceles enormes de las que nadie puede escapar y en las cuales mueren irredentos y olvidados los hombres que trabajan para que otros se enriquezcan.

Sólo los versos de un «compuesto» pudo escapar a los perros, a los capangas, a los muertos y a los esteros; fue el único «juido» del yerbal y en sus palabras el mensú lloraba su martirio.

El tratamiento que se dispensa a los peones es infrahumano y los mensús paraguayos solían mirar con nostalgia la costa argentina como si divisaran una verdadera tierra de promisión.

> Algunos quedaron por el camino interminable. Los repuntadores probaban a levantarlos a punta de látigo, pero el vómito negro o la ponzoña de la ñandurié era más fuerte que ellos. Los dejaban entonces pero con un poco de plomo en la cabeza, para que se quedaran bien quietos y no se hicieran los vivos, así de entrada (página 83).

En este mundo de violencia y opresión, los capataces ejercen el derecho de vida o muerte y se dispone de los hombres por arbitrio, capricho o ira.

Chaparro, uno de los personajes más sombríos creados por Roa Bastos, fulmina con un tiro al vigía que, en un descuido, resbaló de su puesto y cayó al fuego de la hoguera.

La obsesión de la muerte persigue al hombre; en cualquier momento puede llegar el estaqueo en un hormiguero, la sepultura viva o el flagelamiento despiadado.

Esta situación de injusticia no es sólo privilegio triste de la selva; reina también en la ciudad, en el pueblo, en la aldea, donde el poder político somete y abusa.

«El viejo señor Obispo», cuento de la primera obra, presenta al sacerdote heroico que lucha valientemente contra los poderes que reducen al hombre a la miseria y al terror, pero termina su trayectoria terrena recluido en su propia casa y prisionero de fuerzas más poderosas que su afán de justicia y redención.

En el mismo relato, Roa Bastos crea la clásica figura del jefe de un cuartelazo triunfante que pretende obligar al prelado a firmar desalojos en masa, so pretexto de bien para la revolución.

Pero el obispo conocía el sufrimiento de los suyos:

> De las alfombras del Vaticano a su tierra roja y violenta cuyas tolvaneras parecían de humo y de sangre, la transición fue brusca y reveladora. Sólo entonces comprendió en toda su magnitud el drama de los suyos (p. 28).

El tema de *la guerra* entre hermanos duele al escritor y este dolor se patentiza en las dos obras. Perucho Rodi, mientras se está muriendo, piensa en su gente absurda y cruelmente perseguida:

> Y así sucedía porque era preciso que gente americana siguiese muriendo, matándose para que ciertas cosas se expresaran correctamente en términos de estadística y mercado de trueques y expoliaciones correctas, con cifras y números exactos en boletines de la rapiña internacional *(El trueno entre las hojas,* p. 75).

«Destinados» y «Ex combatientes», relatos que integran *Hijo de hombre,* abordan el tema de la guerra con trágicos acentos que plantean al lector los interrogantes más penosos sobre la cuestión.

No podemos olvidar otro elemento de desorden y de violencia desatado por los anteriores en sus consecuencias extremas y degradantes: *la lujuria.* La lujuria que somete a las mujeres y provoca la rebelión en los hombres.

En *El trueno entre las hojas,* el personaje que encarna la lujuria es Eulogio Penayo, autor de tropelías y vejámenes incalificables.

> ...allí arrastraba por las noches a las mujeres que quería gozar en sus antojos lúbricos. A veces se oían los gritos o el llanto de las infelices por entre las risotadas y palabrotas del mestizo (p. 203).

En el mismo cuento Harry Way, el «Buey Rojo», como lo llamaban sus peones,

> Desfloraba a las nuevas y las pasaba a sus hombres, cuando se cansaba de ellas (p. 213).

La lujuria desata venganzas y violencias mayores. En «Ex combatientes», Melitón Isasi, el jefe político de Itapé, de insaciable deseo, es asesinado bárbaramente por los mellizos Goiburú, que quieren así reparar el honor de su hermana deshonrada.

Otras veces es el espíritu de los hombres el que se desequilibra y sufre desorden ante estas situaciones miserables. Casiano Jara, cuando Chaparro le pide que le venda a su mujer, Natí, no puede matarlo porque haciéndolo no sólo se pierde él, sino también su mujer y su hijo al nacer y entonces se trastorna y enloquece por el sufrimiento.

La lujuria no es cualidad que pertenezca sólo a los hombres. Roa Bastos ha creado un personaje femenino, «La Bringa», que compra a los hombres con su poder y su dinero. Copia borrosa de Doña Bárbara no alcanza la salvaje grandeza de aquella aunque posee rasgos que la definen con nitidez.

Este es el mundo en el cual viven los hombres de Roa Bastos. Al finalizar *Hijo de hombre,* Miguel Vera exclama:

> No pienso en ellos solamente. Pienso en los otros seres como ellos, degradados hasta el último límite de su condición, como si el hombre sufriente y vejado fuera siempre en todas partes el único fatalmente inmortal.

Y aquí retomamos la tesis de Roa Bastos y lo hacemos con las palabras del autor:

> Los hombres con «su carga de debilidades y penurias, enfrentados a situaciones extremas que agotan en ellos su capacidad de renunciamiento y sacrificio, sin que la degradación ni el sufrimiento logre aniquilar su núcleo último de bondad y de inocencia.

> Luchan y mueren para que ese destello sobreviva, acaso sin tener conciencia de ello, porque la esperanza en la redención del hombre por el hombre es tan fuerte como el instinto biológico [4].

Y esta esperanza, tan fuerte como el instinto biológico, se manifiesta en la prolongación terrena del hombre, en sus hijos.

Cuando Casiano Jara se entera que su mujer le dará un hijo, sólo piensa en huir del yerbal para que su hijo sea libre y el autor expresa que lo germinado en Natí es:

> lo único eterno que pueden hacer un hombre y una mujer sobre la tierra, aunque sea en tierra de cementerio.

Pero el hombre vive también y su recuerdo, cuando ha sido bueno con los demás y los ayudó durante su vida, Macario Francia lo expresa así:

> El hombre, mis hijos, es como un río. Tiene barranca y orilla. Nace y desemboca en otros ríos: alguna utilidad debe prestar. Mal río es el que muere en un estero (p. 15).

O cuando dice, pensando en Gaspar Mora, el tallista del Cristo de Itapé:

> Muere pero queda vivo en los otros, si ha sido cabal con el prójimo. Y si sabe olvidarse en vida de sí mismo, la tierra come su cuerpo pero no su recuerdo (p. 37).

Cristóbal Jara actúa de acuerdo a la leyenda que ostenta su camión ladrillero: «Nada me apura..., nadie me ataja.» Y él encarna la esperanza en el hombre y en su acción, la confianza en seguir adelante olvidándose de sí mismo. Él creía que

> Alegría, triunfo, derrota, sexo, amor, desesperación, no eran más que eso: tramos de la marcha por un desierto sin límites. Uno caía, otro seguía adelante, dejando un surco, una huella, un rastro de sangre, sobre la vieja costra, pero entonces la feroz y elemental virginidad quedaba fecundada.

Y como Cristóbal Jara, Roa Bastos confía en el hombre y dice por su boca: «Lo que no puede hacer el hombre, nadie más puede hacerlo.»

---

[4] Roa Bastos nos habla de su novela en *Negro sobre Blanco,* Boletín Bibliográfico de Editorial Losada, 1960.

La fuerza y la esperanza del hombre viven en el hijo de María Regalada:

> Engendrado por el estupro, estaba allí, sin embargo, para testimoniar la inocencia, la incorruptible pureza de la raza humana, puesto que en él, todo el tiempo recomenzaba desde el principio *(Hijo de hombre,* p. 159).

La fuerza y la esperanza del hombre se personifican en ese vagón arrastrado a través de la selva y de los años para lograr la liberación:

> Simulacro de hogar, que avanzaba por la llanura o retrocedía hacia el pasado, sin rumbo, sin destino, pero desplazando una victoriosa, impávida, salvaje, alucinada atmósfera de seguridad, de coraje, de misterio, lo que también a ellos les comprometía a guardar secreto (p. 123).

La esperanza que vive en los hombres de Roa Bastos y la solidaridad con los demás que es su fruto, no es una esperanza serena; es sufriente, trágica, se impone en medio de un torbellino de dudas e interrogantes. Muchas veces los hombres piensan, como Miguel Vera, que

> alguna salida debe haber en este monstruoso contrasentido del hombre crucificado por el hombre. Porque de lo contrario sería el caso de pensar que la raza humana está maldita para siempre, que esto es el infierno y que no podemos esperar salvación. Debe haber una salida, porque de lo contrario... (p. 269).

Esta sicología torturada engendra y alimenta un estado permanente de rebelión. Se quiere conseguir otro estado de cosas, se quiere lograr una cierta ordenación del mundo.

Cuando Aparicio Ojeda, el conductor alucinado del villorrio de Yvyrá-Caigüé, predica a sus adeptos, les enseña que Dios quiere a los hombres felices también en este valle de lágrimas.

El obispo, Solano Rojas, Gaspar, Casiano, Cristóbal y los otros personajes de las dos obras, incluso las mujeres, viven en permanente situación de rebeldía. Todos constituyen una sola voluntad de insurrección. Las criaturas de Roa Bastos luchan hasta la muerte y creen en la redención aun en el absurdo de una muerte sin sentido.

La rebelión es individual y colectiva y encuentra su encarnación más expresiva en el rito religioso celebrado los Viernes Santos en el cerrito de Itapé, cuya historia abre *Hijo de hombre.*

> Era un rito áspero, rebelde, primitivo, fermentado en un reniego de insurgencia colectiva, como si el espíritu de la gente se encrespara al olor de la sangre del sacrificio y estallara en ese clamor que no se sabía si era de angustia o de esperanza o de resentimiento, a la hora nona del Viernes de la Pasión (p. 13).

El Cristo de Itapé es el hombre perseguido y escarnecido. La referencia bíblica: «Hijo de hombre, tú habitas en medio de casa rebelde»... está trasladada al hombre y no al Dios encarnado como algunos críticos entienden.

La rebelión del hombre contra las circunstancias que lo oprimen está alentada por una idestructible pasión de libertad y su búsqueda, pese a todos los obstáculos, se torna apasionada y agresiva.

El trueno entre las hojas comienza con el cuento titulado «Carpincheros». Ellos son los únicos hombres libres, dueños de su destino, bogando por el río en sus negros cachiveos. Y Gretchen, la niña rubia que los admira y los llama «hombres de la luna», al escaparse para siempre con ellos, indica al hombre seducido por la libertad. El significado profundo de este relato alcanza su final comprensión en el último cuento de este libro, donde los hombres mueren por alcanzar la libertad.

Para seguir penetrando en el pensamiento de Roa Bastos, resulta ya indispensable hablar del fascinante mundo de los hombres y mujeres creados por el escritor en las dos obras que nos interesan.

Comencemos por Gaspar Mora, el tallista del Cristo de Itapé, que al contraer la lepra se refugia en la selva y muere allí, solo, lejos de cuanto había amado. Su existencia terrena es casi un mito y su recuerdo vive en el pequeño pueblo y en sus hombres.

> Gaspar olía a madera, de tanto haber trabajado con ella. De lejos venían a buscar sus instrumentos y pagaban lo que él les pedía. No era tacaño. Sólo dejaba lo suficiente para comprar sus materiales y herramientas. El resto lo repartía entre los que tenían menos que él. Levantaba las deudas de los agricultores a los que el fuego, el granizo o las langostas habían inutilizado sus plantíos. Compraba ropas y bastimentos para las viudas y los huérfanos (página 20).

Amado por todos, como Solano Rojas, Gaspar sufre en la selva porque tiene que estar solo y por lo poco que hizo, cuando podía, por sus hermanos. En él se cumple lo que Macario dice del hombre que en vida ayudó a los demás; es recordado y vive en el amor agradecido.

Cuando el sacerdote no permite la entrada del Cristo en la iglesia, Macario le increpa:

> ¡Fue un hombre justo y bueno! Hizo su trabajo. Ayudó a la gente. Todo lo que hizo tenía fundamento. En todas partes hay huellas de sus manos, de su alma limpia, de su corazón limpio... Donde suena un arpa, una guitarra, un violín, lo seguiremos oyendo (p. 31).

A su muerte, Gaspar se convierte en el mito de Itapé, como Solano lo es en el Paso. Solano Rojas es un revolucionario apasionado y como Gaspar es músico sensible para captar la armonía de su tierra y de su cielo.

> No era un burdo elemento subversivo. Era un auténtico y fragante revolucionario, como verdadero hombre del pueblo que era. Por eso lo habían atado para siempre a la noche de la ceguera... Tenía indudablemente conciencia de una oscura y vital labor docente... Los harapientos mitá'í lo contemplaban con una especie de fascinada verenación mientras remaba (p. 194).

Solano sacrificaba su juventud, sus ojos, incluso el amor, para luchar más libremente, pero vive para ver los frutos de su dolor.

> La lucha no se había perdido. Solano Rojas no podía ver los resultados pero los sentía. Allí estaba el ingenio para testificarlo; el régimen de vida y trabajo más humano que se había implantado en él; la gradual extinción del temor y de la degradación en la gente, la conciencia cada vez más clara de su condición y de su fraternidad; esos andrajosos mitá'í en los que él sembraba la oscura semilla del futuro, mientras movía su arado en el agua (p. 196).

Solano sacrifica todo, pero no puede, como Gaspar, olvidar definitivamente el amor. El recuerdo de la mujer amada vive en él y su presencia viva acompaña su cuerpo cuando muere.

> No habían estado juntos más que contados instantes, apenas habían cambiado palabras. Pero la voz de ella estaba ahora disuelta en la voz del río, en la voz del viento, en la voz de su cascado acordeón (p. 197).

Cuando muere, al igual que Gaspar, de quien lo separa una voluntad más definida de acción, Solano se torna legendario y los mitá'í perciben su presencia invisible y lo veneran.

> Allí está él en el cruce del río como un guardián ciego e invisible a quien no es posible engañar porque lo ve todo (p. 222).

Gaspar en *Hijo de hombre* y Solano en *El trueno entre las hojas,* encarnan los valores más puros del hombre en su actuación individual y social.

En la imposibilidad de tratar todos los personajes creados por Roa Bastos, recordaremos algunos muy representativos de su pensamiento.

Y en este planteo, el primero que surge a nuestra consideración es Macario Francia, que vive para mantener el culto a su sobrino Gaspar y reverencia su recuerdo con verdadera exaltación.

En defensa de la memoria del leproso, defiende la obra que ha salido de sus manos, «el Cristo de Itapé», y cuando el sacerdote no quiere consagrarlo, el rancho de Macario se convierte en el centro de la insurrección y por unos días él es el patriarca del pueblo.

Por su boca, Roa Bastos expone fundamentales definiciones del hombre, elaboradas sobre la base de la fraternidad que caracterizó la vida de Gaspar.

De profunda sugerencia y clave para la comprensión de la novela es lo que dice Macario cuando Paí Maíz bautiza al cerrito: Tupá-Rapé.

> Yo no estuve de acuerdo... En todo caso el cerrito del Cristo leproso se hubiera debido llamar Kuimbá-Rapé (Camino del hombre y no Camino de Dios).

Aparicio Ojeda, el protagonista de «El Caruguá», encarna al reformador religioso, exaltado y primitivo que ejerce despótico poder sobre sus adeptos y hunde en el tembladeral al pequeño poblado de Yvyrá-Caigüe, cuyos hombres le obedecen ciegamente.

> Evidentemente, su intenso misticismo no le había impedido ser un idealista práctico y expeditivo. Tenía un pie en el cielo y otro en la tierra, lo que daba a su desequilibrio una terrible virtud. Era un profeta y estadista nato, sobre todo al modo en que lo entiende nuestra moderna concepción de la religión y de la política (p. 123).

Roa Bastos ha creado en *Hijo de hombre,* un personaje masculino que representa claramente la búsqueda de la libertad en el absurdo de la vida individual: Cristóbal Jara es la expresión más acabada de la confianza callada y tenaz en el hombre y en su enorme capacidad de esperanza.

Cristóbal no es un mito en el recuerdo como lo son, en algún momento, Gaspar y Solano. Ellos trascienden su humanidad y son otra cosa: aman y luchan con pasión colectiva, viven para los demás.

Cristóbal, en cambio, es puro y simplemente un hombre y sus virtudes y sus limitaciones están encarnadas en el ámbito de lo humano individual. Nace bajo el signo de la rebelión. Sus padres, Casiano y Natí, huyen del yerbal para que él nazca libre y realizan proezas increíbles para lograrlo. Vive en el destrozado pueblo de Sapukai, asolado por la guerra, participa en la lucha y muere conduciendo un camión aguatero.

Solo, pero inexorable, cumple la misión que le ha sido encomendada, parte sabiendo que no ha de volver y quizá que ni siquiera podrá cumplirla totalmente. Es hermético, no dice palabras de más; actúa. Lo que no puede hacer el hombre, nadie más puede hacerlo. Cristóbal cree en esto y lo dice. Él es la antítesis callada de Miguel Vera, incapaz para la acción a pesar de reconocer que la realidad es siempre más elocuente que las palabras.

La acción de Cristóbal Jara es individual, única e insustituible.

No podemos olvidar el mundo femenino de Roa Bastos, variado y pleno de sugestión y belleza.

En *El trueno entre las hojas,* ha delineado dos maravillosas figuras de mujer. La hermana del obispo,

> un rostro moreno que el cabello crespo y blanco hacía aún más moreno, crepuscularmente sensitivo y extasiado, semejante a un alma sin peso, suspendida en el vacilante destello (p. 26).

y la suavísima Yasy-Moröti̇, amada por Solano Rojas, casi un fantasma borroso en el recuerdo del ciego pasero.

Cuando los carpincheros con Solano al frente incendian la Ogaguasú,

> cerca de Solano, estaba una muchacha mirando la casa que ardía. En su rostro fino y pequeño sus pupilas azules brillaban empañadas. La firme gracia de su cuerpo de cobre emergía a través de guiñapos. Sus cabellos parecían bañados de luna. Como el azúcar (p. 219).

En su soledad, el ciego le canta:

> Yasy-Moröti̇...
> luna blanca amada que de mí
> te alejas
> con ojos distantes... (p. 221).

Solano todo lo sacrifica, pero

> en el fondo de su oscuridad desvelada e irremediable su corazón también le reclamaba por ella, por esa mujer que sólo ahora era como un sueño con su cuerpo de cobre y cabeza de luna. Teñida por el fuego y los recuerdos (p. 197).

La presentación romántica de la muchacha sólo tiene igual, en delicadeza descriptiva rodeada de un ámbito mágico, en la figura de Iris, la ex maestra de Karapeguá arrojada del pueblo al contraer la lepra.

> A contraluz de la puesta de sol, embellecida por la distancia y los días de espera, la mujer semejaba realmente una aparición que podía desvanecerse otra vez con su intacto misterio. El andar transmitía a sus largas extremidades un cadencioso movimiento. El aire removía los cabellos que le cubrían la espalda. Los harapos dejaban entrever las curvas, los muslos gruesos, la delgada y flexible cintura. Los cocoteros echaban sobre ella, al pasar, la sombra de sus penachos, de modo que la silueta a intervalos se volvía nebulosa.
>
> Indudablemente a los ojos de los que miraban, la ilusión y la realidad luchaban por superponer y fundir sus encontradas imágenes *(Hijo de hombre* p. 152).

Para la temática de esta presentación interesa destacar que todas las mujeres creadas por Roa Bastos son activas, colaboran con los hombres y luchan por lo que ellos luchan. La delicada Yasy-Morötï ayuda a quemar la fábrica al lado de Solano y sus manos se manchan con tizne del incendio.

Esta cualidad distintiva se acentúa en María Rosa, María Regalada, Natí y Salu'í, los bellísimos personajes femeninos que viven en *Hijo de hombre.*

María Rosa, la chipera lunática, enamorada de Gaspar Mora, esperándolo después de su muerte,

> purificándose en la espera como si de golpe hubiera descubierto que todos los hombres eran uno solo y que precisamente ese hombre ya no estaba y quizá no regresaría nunca (pp. 23-24).

Desde que conoce a Gaspar no recibe a ningún hombre en su rancho, como hace también Salu'í cuando comprende que ama a Cristóbal en forma total y definitiva.

No importa que Gaspar no repare en su presencia, ella va a luchar y a morir por el ideal de ese hombre único e irremplazable.

Cuando Gaspar enferma de lepra, María Rosa cuida de que nada le falte y cuando él muere, enloquece. A pesar de su demencia, lucha para que el Cristo tallado por Gaspar ocupe el lugar que le corresponde y como última y extrema donación de su amor, se corta su cabellera para darla al Cristo. María Rosa tiene una grandeza sublime en su locura; ha sido purificada y redimida de sus pecados por un amor más grande que la muerte.

María Regalada, la cuidadora del cementerio de Sapu-Kai, ama a Alexis, el médico forastero que la violó salvajemente en un ataque de locura. Y ama al hijo de este amor y vive para él. Es valiente y se juega para salvar a Cristóbal que huye de sus perseguidores.

Nati, la mujer de Casiano Jara, le apoya en su loca huida por la selva y comparte con él atroces sufrimientos para lograr la libertad. Su fidelidad soporta el asedio de Chaparro y cuando alcanzan los límites de la selva, ella infunde valor a su marido trastornado y lo impulsa a seguir adelante.

> Lo empujaba sin descanso en esa marcha enloquecida y desesperada, que se abría paso en la selva por picadas y desmontes.

Así como Yasy-Morötï es la creación más atractiva de *El trueno entre las hojas,* Salu'í lo es en *Hijo de hombre.*

De impúdica popularidad, Salu'í nace de nuevo al conocer a Cristóbal y al comprender que él es el único hombre para ella.

Desde su ranchito frecuentado por los hombres, envidiaba «al mujerío decente y paquete del pueblo», pero todo esto finaliza al amar a Cristóbal. Se opera un cambio fundamental en su alma.

> Quedaba limpia, nueva. Sentía retoñar su muñón de mujer en una sensación algo parecida a la de los heridos de guerra que continúan por algún tiempo con la ilusión de que el miembro amputado todavía estaba allí, pegado a las carnes deshechas. En lo más hondo de su degradación habría sentido resucitar su virginidad como una glándula, renacer, purificarse, bajo ese sentimiento nuevo y arrollador, que no nació sin embargo para ella como un deslumbramiento (pp. 205-206).

Al principio ella también se burló del hombre callado y hermético, pero luego él va penetrando en su alma, lenta pero seguramente y entonces Salu'í se transforma, presta servicios de enfermera y su generosidad y valentía la distinguen. Y cuando un joven soldado muere en sus brazos llamándola mamá, Salu'í llora su pasado de miseria y prostitución.

Cristóbal debe cumplir una misión de la cual no se vuelve, Salu'í le pide que la lleve como enfermera. Él la rechaza y entonces, vestida de soldado sigue al convoy ocultamente. Como María Regalada, se juega la vida para recuperar vendas y remedios que están en un camión ametrallado. Silvestre, un compañero de Cristóbal le dice:

> Estás naciendo de nuevo, Salu'í (p. 220).

La noche antes de morir, Cristóbal vencido por tanto amor la hace subir a su camión y el diálogo que sostienen en los umbrales de la muerte es la hora del deslumbramiento entre dos almas.

> —¿Crees en el milagro, Cristóbal?
> —¿Milagro?
> —Que ocurra algo imposible. Eso que sólo Dios puede hacer...
> —Lo que no puede hacer el hombre, nadie más puede hacerlo— dijo él ásperamente.
> —Sí... Tal vez eso es la fuerza que hace los milagros.
> —No sé. No entiendo lo que se dice con palabras. Sólo entiendo lo que soy capaz de hacer. Tengo una misión. Voy a cumplirla. Eso es lo que tiendo.
> —Yo también estoy empezando a comprender muchas cosas Cristóbal. Antes de morir, Aquino me dijo que yo estaba naciendo de nuevo. Tal vez tenía razón. Estar aquí, a tu lado... y no sentir vergüenza... me parece imposible...—hablaba en un susurro, como si estuviera conversando en voz baja consigo misma.
> Jara aplastó el pucho contra la culata del fusil y lo arrojó a la oscuridad. Pasó el brazo lentamente por encima del hombro de ella y la atrajo sobre el suyo, donde la cabeza de mechones cortados a cuchillo se acurrucó, vencida por el peso de su propia felicidad (pp. 234-235).

El final alcanza la resonancia de la tragedia. Salu'í, herida de muerte ayuda a Cristóbal, que tiene las manos destrozadas y lo ata al volante para que pueda seguir conduciendo, y luego se desploma para siempre. Poco después Cristóbal es ametrallado...

El tema del amor está tratado por Roa Bastos con infinita variedad de matices y situaciones.

El papel que desempeña en la vida del hombre sufriente es fundamental ya que por él, el hombre se hace eterno y su recuerdo se perpetúa. Dijimos que según el escritor paraguayo, el hombre vive siempre, por los hijos y por la bondad con sus hermanos. El amor sostiene, purifica, y quema los pecados. Salu'í y María Rosa vuelven a ser puras por impulso del amor que las nutre de una fuerza extraña y arrolladora. Estas dos mujeres significan toda la sinceridad y la autenticidad de una posición asumida hasta sus extremos, límites y consecuencias.

El amor vale siempre, aunque no sea correspondido y siempre es tiempo de redención.

El amor dignifica la condición humana: Cristóbal y Salu'í; Solano y Yasy Morötï; Gaspar y María Rosa; Alexis y María Regalada; Casiano y Natí, constituyen el ejemplo más elocuente.

No podemos concluir este pequeño estudio sin decir algunas palabras sobre el significado de los títulos de las obras que nos ocupan.

El trueno entre las hojas, se explica con epígrafe que figura al comenzar:

> El trueno cae y se queda entre las hojas. Los animales comen las hojas y se ponen violentos. Los hombres comen a los animales y se ponen violentos. La tierra se come a los hombres y empieza a rugir como el trueno.

La violencia captada en un mito guaraní atrae a Roa Bastos, quien parte de ella para situar al hombre y explicarlo.

Es fácil deducir que el título y su epígrafe están enraizados en la tierra paraguaya y en su poética raza.

Hijo de hombre tiene, en cambio, un título más amplio y se explica por medio de dos epígrafes densos y sugerentes.

Uno está tomado de la Biblia:

> Hijo de hombre, tú habitas en medio de casa rebelde... come tu pan con temblor y bebe tu agua con estremecimiento y con anhelo...
>
> Y pondré mi rostro contra aquel hombre, y le pondré por señal y por fábula,
>
> Y yo lo contaré de entre mi pueblo...
>
> (Ezequiel)

Estos versículos plantean la situación trágica del hombre sobre la tierra y su continuo desasosiego en este valle de lágrimas a la vez que admiten la presencia de ciertos hombres señalados y con una misión, hombres que Roa Bastos concibe en las figuras de Solano, de Gaspar, de Cristóbal.

El otro epígrafe está tomado del *Himno de los muertos de los guaraníes* y dice:

> ... He de hacer que la voz vuelva a fluir por los huesos...
> Y haré que vuelva a encarnarse el habla...
> Después que se pierda este tiempo y un nuevo tiempo amanezca.

Su contenido profundo nos habla de esperanza, de confianza en otro tiempo de amor y de resurrección.

Esta unión de versículos extraídos de la Biblia y de un himno guaraní simbolizan el esfuerzo del autor para sortear el compromiso regional y su decidida voluntad de trascendencia a partir de un *hic et nunc* concretos.

La visión que Roa Bastos nos da del hombre es universal en su fidelidad a la realidad en la cual está pensada y vivida. Si añadimos a esto los aciertos estilísticos, la singular belleza de su estructura novelesca, moderna y flexible y la vibración lírica que infunde a toda su creación un mágico encanto, no resulta aventurado afirmar que estamos en presencia de un gran escritor de América.

El estilo de la narrativa de Augusto Roa Bastos *

Manuel de la Puebla

* Ponencia presentada en el *Foro sobre la novela* dedicado a A. Roa Bastos, y auspiciado por la sección de Literatura del *Ateneo Puertorriqueño* que preside José Ramón de la Torre.

Augusto Roa Bastos se inició como poeta con *Poemas,* en 1942, y alcanzó celebridad con los versos de *El naranjal ardiente,* de 1949, pero ha encontrado su camino definitivo en la narrativa, recogida en los títulos siguientes: *Fulgencio Miranda,* novela, 1942; *El trueno entre las hojas,* cuentos, 1953; *Hijo de hombre,* novela, 1959; *El baldío,* cuentos, 1966; *Los pies sobre el agua,* cuentos, 1967; *Madera quemada,* cuentos, 1967; *Moriencia,* cuentos, 1969. Sabemos que tiene en preparación otra novela que se llamará *Contravida.* Los volúmenes publicados de su obra narrativa son siete: dos de novela y cinco de cuentos. Este último número, el de sus colecciones de cuentos, es engañoso, ya que después de *El trueno entre las hojas* y *El baldío,* las otras tres colecciones se forman esencialmente con narraciones ya publicadas. Así: *Los pies sobre el agua* no tiene nada más que tres cuentos originales, nuevos, y dos sólo tiene *Madera quemada.* En *Moriencia* aparecen cuatro cuentos nuevos sobre quince que integran el volumen. Con las selecciones repetidas, Roa Bastos nos ha dado una pauta para conocer cuáles son sus cuentos preferidos.

Creemos que en su narrativa no corresponde hacer una demarcación rigurosa entre el cuento y la novela, por el frecuente entrecruzamiento que efectúa de ambos géneros. Poseemos algunos datos muy objetivos al respecto:

a) «Kurupí», cuento inicial de *Madera quemada,* lo había pensado el autor como capítulo de *Hijo de hombre.* Los personajes centrales y su asunto pueden aún reconocerse en la novela, principalmente en el capítulo IX, «Ex combatientes». Al desintegrar el material principal, desarrollarlo y armarlo aparte, con la adición de nuevos personajes y otros materiales narrativos, se puede entender mejor el proceso creativo de Roa Bastos.

b) Por otra parte, los capítulos I y V de *Hijo de hombre* aparecen como cuentos en *Los pies sobre el agua.*

c) En una breve nota preliminar de *Moriencia* el autor nos señala que los cinco primeros cuentos, escritos en 1967, «forman parte de un ciclo en curso que ha acabado de desbordar en una novela, aún inconclusa, *Contravida.*

d) Todavía hay más. Los nueve capítulos de su novela principal, *Hijo de hombre,* aunque vinculados entre sí, poseen una gran autonomía; tienen vida independiente; cada uno de ellos con su unidad argumental y formal; piezas perfectamente recortadas que pueden leerse aparte, fuera del mundo de la novela.

Después de conocer la obra total de Roa Bastos se advierte que el narrador paraguayo posee una visión total y coherente; que examina una realidad palpable, pero que prefiere presentarla en forma fragmentada, como visiones distintas, en momentos e iluminaciones distintos; cambiando el foco iluminador. Él es más cuentista que novelista y opinamos que a pesar del éxito y difusión de la novela *Hijo de hombre,* el género predilecto suyo es el cuento.

Las técnicas.—Tampoco hay diferencia sustancial entre el cuento y la novela en lo que a técnicas se refiere. Roa Bastos conoce y utiliza todas las técnicas narrativas y las últimas. Lo hace con un gran sentido artístico y en forma muy variada; combinándolas unas veces, o de manera aislada, en los más de los casos. Vamos a presentar algunos ejemplos. *Hijo de hombre* se abre con un relato en primera persona, donde el relator hace uso del método de memorias: «... pero de eso me acuerdo» (p. 11). «... mientras escribo estos recuerdos siento que a la inocencia, a los asombros de mi infancia, se mezclan mis tradiciones y olvidos de hombre...» (p. 14).

Pero muy pronto y naturalmente, a los recuerdos del relator se unen los relatos de Macario que pertenecen a un pretérito anterior, y que por ser un «maravilloso contador de cuentos» era capaz de hacer revivir el lejano pasado a sus oyentes. Roa Bastos va entrelazando en forma equilibrada los dos relatos con sencillas observaciones del primer narrador.

Todos los capítulos impares de la novela están contados en primera persona, intercambiando el método de memorias con el diario. En este caso recoge las cosas inmediatas; las que se producen en el momento mismo del relato:

> Veo el vapor que mana de mi cuerpo, mientras anoto estas cosas en mi libreta... (p. 170).
>
> Para contrarrestar el sueño, escribo estas notas en las paradas (página 183).
>
> Al romper el día nos pondremos en marcha. Falta poco. Ya está aclarando (p. 186).

Los capítulos pares utilizan el punto de vista de tercera persona, y este procedimiento de cambiar el punto de vista produce en el lector efectos curiosos. En unos casos, el narrador anónimo, lejano, que cuenta en tercera persona parece un eco, un comentarista del anterior, y en otros casos es al revés. Nunca el uno dice las cosas igual que el otro. Las cosas muchas veces se sugieren y es el lector quien las identifica y las completa. Al comenzar el capítulo III el lector adivina de inmediato que el gringo delgado y rubio que viaja en el tren es Alexis Dubrowski del capítulo precedente y tiene interés en identificarlo y saber cómo llegó a Sapukai en el viaje que ahora se describe. El relato en este caso se da en orden inverso al tiempo cronológico.

El mejor ejemplo de los efectos que produce la combinación de los dos puntos de vista se halla en los capítulo VII y VIII de *Hijo de hombre.* En el primero, Miguel Vera, narrador en primera persona, ha presentado en forma progresiva cómo el sufrimiento lo ha conducido a la desesperación, hasta desear la muerte, hasta casi darse la muerte, ya delirante y loco, cuando oye un ruido de camión y ametralla ciegamente en contra. En el capítulo VIII, en tercera persona, se nos cuentan las peripecias de los camiones aguateros, la épica historia de Cristóbal Jara... cuyo final se superpone al relato de Miguel Vera.

En el capítulo final de la novela, el relator ofrece una serie de historias, galería de ex combatientes en la guerra del Chaco, escenas combinadas del presente y el pasado de su pueblo de Itapé. Pero no cuenta casi con sus propias palabras, sino que actúa como una inteligencia central que escucha los diálogos de los ex soldados y los comentarios e historias de las mujeres, y conoce los recuerdos de José del Carmen por los cuales retorna a los días heroicos del Chaco. En los silencios, él hace sus reflexiones e introspecciones. La obra concluye con la carta de un personaje incidental que explica el hallazgo del manuscrito y el envío de los mismos al autor del libro; recurso literario. En los dos párrafos finales se señala por qué se da a publicidad ese manuscrito.

Aparte de estos métodos y técnicas. Roa Bastos sabe echar mano de elementos surrealistas que incorpora a la narración: los sueños, los estados *innagógicos,* las pesadillas, las alucinaciones, los recuerdos borrosos que se diluyen entre los hechos del presente, tergiversándolos y también los delirios, y tantas formas imprecisas sobre la línea divisoria de la normalidad y la locura, de la realidad y la sobrerealidad.

Sus narraciones, sin embargo, no pertenecen al mundo del subconsciente. Tan sólo en *El baldío* hay un cuento titulado «Él y otro» (repetido en *Moriencia)* en donde el relato recoge en toda su pureza el monólogo interior, joyciano, de un hombre gordo, y se transcribe sin signos de puntuación, con una secuencia precipitada e ilógica. Esto es la excepción. Roa Bastos prefiere la realidad que se sufre en la carne y en el tiempo; en esta dimensión donde se oyen los golpes del látigo, donde el sudor tiene un sabor agrio, la sed reseca la boca con su fuego; donde la tierra procrea lujuriosamente o donde la vida se niega en las arenas calcinadas; donde se trabaja y se conocen las miserias, pero también donde se bebe y se juega, cuando se entretejen los cuerpos y cuando se forma el hogar y se viven sentimientos puros.

La vida en el tiempo —hemos dicho— y, habitualmente, ofrecida en el orden del tiempo. La evocación, alguna superposición o alteración son recursos que ya no nos impresionan. La técnica de «El Caraguá», cuento de *El trueno entre las hojas,* es un caso distinto, donde el relato se trabaja en base al intercambio de las categorías temporales. En general, es el criterio artístico el que sugiere a Roa Bastos la alteración del orden del tiempo. En el capítulo IV de *Hijo de hombre* el relato se inicia en su momento culminante, en el de mayor peligro de Casiano Jara, su esposa y el recién nacido en la huida de los yerbales de Takurú-Pukú. Pero el relato de la huida queda suspendido, dejando paso a la historia de los protagonistas con sus peripecias y sufrimientos en la vida infrahumana del yerbal; una pintura muy fuerte... con un escape de suspenso.

El ambiente.—El tiempo histórico mejor aprovechado por Augusto Roa Bastos se extiende desde la dictadura del doctor Francia (1814-1840) hasta nuestros días. Los hitos constantes de su narrativa son la Guerra Grande, de la Triple Alianza (1864-1870) y la Guerra del Chaco, sostenida durante tres años contra Bolivia (1932-1935).

Un acontecimiento ocurrido en 1912 cuando un destacamento de revolucionarios fue casi completamente aniquilado en una pequeña estación entre Villarica y Paraguarí —impactado su tren por otro cargado de bombas, enviado por el gobierno que recibió información cablegráfica de un telegrafista traidor a la causa revolucionaria— ese acontecimiento es también punto de referencia constante en la narrativa de Roa Bastos. Solamente recordamos el cuento «Niño-azoté» cuyo asunto se sitúa en el pasado colonial paraguayo.

En lo que hace a la dimensión espacial, el mundo literario de Roa Bastos es esencialmente el Paraguay, desde las tierras coloradas del sureste hasta el inhóspito Chaco del oeste; el de los grandes ríos y esteros, el de las selvas y plantaciones. Solamente unos pocos cuentos, de los últimos, se ambientan en Buenos Aires donde el autor reside desde 1947. Por ejemplo *El baldío,* junto al Riachuelo, y *Juegos nocturnos,* en Olivos.

Hay dos pequeñas poblaciones hacia el centro del Paraguay —Itapé, de muy rancia historia, y Sapukai, donde ocurrió el choque intencionado de trenes—, dos pequeñas poblaciones que Roa Bastos constituye en centro de su narrativa. Asunción es también lugar predilecto.

Pero creemos que mucho más importante que esta señalización de las dimensiones exteriores sobre las cuales extiende Bastos su mundo literario es la consideración del ambiente con sus dimensiones humanas y sociales.

El capítulo III de *Hijo de hombre* tiene un verdadero valor documental. Se titula «Estaciones» y es el viaje que Miguel Vera hace desde Itapé hasta Asunción para estudiar en una academia militar. Sus ojos de muchacho recogen como en una cinta el ambiente paraguayo, cuando «la gran guerra estaba rompiendo el mundo del otro lado del mar» (p. 62). Entonces «los trabajos para levantar la fábrica estaban paralizados porque no se podía traer maquinarias», observa al llegar a la estación. «El silencio agrandaba las cosas y los sentimientos» (pp. 61-62). Ya mamá sufría con la partida del cadete, pero su padre mascullaba:

> —...que aprenda por sus propias costillas. El país es un gran cuartel. Los militares están mejor que ninguno.
>
> —Sí, pero hay una revolución cada dos años, se plagueaba mamá, mirándome como si yo ya estuviera con el fusil al hombro.
>
> —Pero en cada revolución mueren más particulares que milicos —concluye su padre.

El muchacho es muy observador. En el párrafo séptimo resume:

> Una estación y otra. Siempre parecía la misma. La misma gente en los andenes. Caras de tierra en sequía. Las casas, los campos dando vueltas hacia atrás... (p. 73).

El capítulo IV nos traslada al mundo de los yerbales. Su primera página nos hunde de sopetón en un ambiente cruel contra el cual hay que jugarse con todo el coraje de hombre.

> Avanzan despacio en la maciega del monte. Más rápido no pueden. Empujados por el apuro, por el miedo ya puramente animal, se cuelan a empujones. Por momentos, cuando más ciegas son las embestidas, la maraña los rebota hacia atrás. Entonces el impulso de la desesperación se adelanta, se va más lejos, los abandona casi. El hombre machetea rabiosamente para recuperarlo, para sentir que no están muertos para tajear una brecha en el entramado de cortaderas y ramas espinosas que trafilan y retienen sus cuerpos como los grumos de almidón en un cedazo, pese a estar tan flacos, tan aporreados tan espectrales (p. 79).

Esta cita pertenece a la pintura del mundo físico. El párrafo segundo nos da ya la medida del ambiente humano:

> Ningún «juido» ha conseguido escapar con vida de los yerbales de Takurú-Pukú.
>
> Esta certeza, esta leyenda fermentada en la sangre, en la imaginación de los «mensúes» como las miasmas palúdicas de un estero, se levanta ante los que soñaban con escapar y ponían hueras sus esperanzas. De modo que pocos soñaban con eso. Pero si alguien se animaba a cumplir el sueño, el desertor quedaba a medio camino. Y la leyenda engordaba con ese nuevo «juido», pescado por los colmillos de los perros y los Winchesters de los capangas.
>
> Nadie había conseguido escapar.
>
> A veces alguno volvía medio muerto delante de los caballos y las traíllas, como escarmiento, para acabar en el estaqueo, ante el terror imponente de los demás.
>
> Ni los niños se salvaban de las balas, del cuchillo o del lazo (páginas 80-81).

Todo el capítulo no será más que la denuncia y el documento de la condición humana de los mensúes, de la que la historia de Casiano Jara es tan sólo un ejemplo.

> La selva igualadora arrancaba a pedazos toda piel postiza, toda esperanza. Las puntas de las guascas trenzadas y duras como alambre, las picaduras de garrapatas y mosquitos, de víboras y alacranes, los primeros temblores de las fiebres, los primeros remezones del temor, los despertaron a esa realidad que los iba tragando lenta pero inexorablemente.
>
> Algunos quedaron por el camino interminable. Los repuntadores probaban a levantarlos a punta de látigo, pero el vómito negro o la ponzoña de la ñandurié era más fuerte que ellos. Los dejaban entonces, pero con un poco de plomo en la cabeza, para que se quedaran bien quietos y no se hicieran los vivos, así de entrada.
>
> Los que marchaban delante oían de tarde en tarde a sus espaldas, el tiro del despenamiento. Era un compañero menos, un mártir más, un anticipo que se perdía en un poco de bosta humana (página 84).

Aparte de los yerbales, el otro ambiente que recoge la novela está convulsionado. El descontento cunde por doquier. Hay opresores y oprimidos. El orden se mantiene con la fuerza pero a cada rato se quiebran los límites de contención. Se siente la injusticia y se lucha contra ella solapada, quejumbrosa y abiertamente. Casiano Jara antes de llegar a los yerbales era un simple obrero de una fábrica de ladrillos y estaba comprometido con la revolución de los oprimidos.

> Él no dudó un momento —nos dice el cronista-relator en el capítulo V— en plegarse al combate, contra los politicastros y milicastros de la capital que esquilmaban a todo el país (p. 129).

Los disconformes no constituyen un pequeño grupo de exaltados; es el pueblo total, muchachas y mujeres ancianas; todos asociándose a los sublevados.

> ¡Tierra y libertad! era el estribillo multitudinario coreado por millares de gargantas enronquecidas en la quieta noche de marzo (página 130).

El capítulo V se titula «El hogar», y no acertamos a ver la referencia concreta. El viejo vagón no es más la habitación de Casiano y Natí, fallecidos ya. No se lo ve tampoco como hogar de los amotinados que ahora lo ocupan. Ese «hogar» parece referirse a la patria toda. Al pasado, al presente, a todos los hombres del país.

Después es la Guerra del Chaco la que llena todo. La nación parece unificarse ante la amenaza exterior, pero existe una sospecha muy seria sobre las causas de la guerra: Se va a pelear por los títulos y acciones de las empresas del petróleo (p. 181). Desplazamiento de contingentes hacia el centro neurálgico. Los presos políticos son llevados al frente de lucha. Todo se pone a disposición del gobierno para sostener la guerra. El Chaco resuena:

> Multitud de hombres, uniformados de hoja seca, pululan diseminándose sobre el gran queso gris del desierto, como gusanillos engendrados por su fermentación. Son hombres sin embargo. Y no han nacido en esta tierra porosa sin fronteras. Se comportan sobre ella como prisioneros arreados al destino, ellos también requisados a la vez que los vehículos y las bestias de carga (p. 183).

En esa guerra la lucha contra las condiciones ambientales se hace más dramática que la sostenida contra los bolivianos. La sed del arenal nunca se sacia, tragándose vidas, heroicidades y sufrimientos. He aquí uno de los cuadros recogidos por el cronista:

> Se está acabando el aire. Encajonado en el boscaje, el pálido, el soñoliento, el eterno polvo del Chaco, hace visibles las arrugas

> del poroso vacío, que aún bombean nuestros pulmones. Es la herrumbre de esta luz fósil que se retuerce en el cañadón exhalando el sordo alarido de sus reverberaciones. Nuestras percepciones se van anulando en un creciente embotamiento. El contorno se derrite y se achata. Flotamos y nos enterramos en esta gigante, fétida, opaca brillazón. Sólo dura el sufrimiento. El sufrimiento tiene una rara vitalidad (p. 199).

La atmósfera de privaciones y agonías se hará cada vez más densa. Al relator le parece que «todo se ha vuelto irreal». Es el campo de la muerte. Un tiempo de delirio y de locura.

Augusto Roa Bastos conoce el arte de crear la atmósfera apropiada. Atmósfera de misterio, de recelo, de desconfianza, de inquietud, de desasosiego, de agonía; pero también de tierna humanidad, de heroísmo y solidaridad.

La atmósfera es una resultante, un concepto complejo, suma y simbiosis de elementos exteriores e interiores: la naturaleza, el clima, las condiciones sociales, la política, las leyes, el gobierno, la religión, la cultura, y siempre el hombre, la voluntad que hace y deshace y hasta la misma inconsciencia y los movimientos más oscuros de la sicología del hombre.

El interés esencial en Roa Bastos es el hombre. El hombre y su conducta; el hombre y sus problemas individuales y sociales. El título de su novela nos lo confirma. La temática constante y la más viva, tanto en esa obra como en toda su cuentística, también. El hombre en abstracto y el que se hace existencia concreta en cada personaje. El hombre individualmente considerado y el que está dentro de la masa.

Hijo de hombre no tiene personaje central. Macario Francia y Gaspar Mora no pasan de la primera historia. Alexis Dubrowski aparece y desaparece misterioso. Casiano Jara ocupa una parte del relato. Cristóbal Jara actúa después. En cuanto a Miguel Vera, narrador de cinco capítulos, no se lo siente como protagonista. Así entendemos mejor la idea de Roa Bastos, su interés por el hombre total; que no es un hombre, sino todos; que no tiene una sola existencia, porción de tiempo, sino que se perpetúa en la historia. Los símbolos que utiliza son bien claros. La historia tiene una forma cíclica: los hechos se repiten, la lucha recomienza y el sufrimiento continúa.

Cuando un grupo de campesinos confabulados, al final del capítulo V de *Hijo de hombre,* solicitan al militar Miguel Vera que los ayude, entrenándolos y dirigiéndolos, él se ve en la necesidad de aceptar:

> Pero yo ya sabía en ese momento que tarde o temprano iba a aceptar. El ciclo recomenzaba y de nuevo me incluía, lo adivinaba oscuramente, en una especie de anticipada resignación (p. 133).

En las primeras páginas de la novela aparece un Cristo labrado en madera por un leproso; la crucifixión alcanzará a todos. En los yerbales, lugar de muerte, ante la extrañeza de todos, brota una nueva vida, Cristóbal Jara, el hijo de un mensú. Y cuando Crisanto, soldado heroico del Chaco, licenciado por el gobierno —que le ha premiado con tres cruces de hoja de lata dorada— cuando vuelve a Itapé, su pueblo, y ya sólo, después del recibimiento entusiasta, retorna a su casa, en el campo, quien le acompaña es Cuchuí, su hijito, que será testigo del acto de locura en el que su progenitor quema la casa con las bombas traídas de la guerra. Tanto el Cristo de madera como el niño que nace en el capítulo II —«Madera y carne»—, hijo de una niña de quince años, así como el niño Alejo, concebido en un acto de locura, y el que nace en los yerbales y el hijo del ex combatiente, todos son símbolos; en ellos se iniciará un nuevo ciclo de lucha y sufrimiento.

Los personajes.—En la caracterización de los personajes, debemos ver otro de los rasgos importantes del estilo de Roa Bastos. Forman en su conjunto un mundo complejo y múltiple. Variado por las clases sociales, pero más por su sicología. Los más numerosos son los que pertenecen a la clase media y baja, con quienes el autor se solidariza e idealiza en algunos casos, como Kiritó (Cristóbal Jara), Macario y Gaspar Mora, de *Hijo de hombre;* como Solano Rojas de *El trueno entre las hojas,* el viejo señor obispo, del cuento de ese título, etc.

En otros personajes acumula el escritor paraguayo muchas sombras, demasiada maldad o perversión, como el caso de Isasi, el jefe impuesto a Itapé; los habilitados del yerbal, verdadera galería de hombres tétricos, empezando por el habilitado Aguileo Coronel, el comisario Juan Cruz Chaparro y siguiendo por los demás capangas; también los dueños de los cañaverales Simón Bonaví, Harry Way y sus guardaespaldas, como el mulato Penayo, etc., en *El trueno entre las hojas.*

Roa Bastos hace demasiada división entre buenos y malos pero se lo podemos disculpar en parte pensando que no se puede presentar un ambiente fuerte, lugar de opresión y de injusticia sin señalar quienes sustentan el mal y quienes lo sufren o lo combaten para erradicarlo.

Para un examen del estilo en la narrativa de Bastos interesa mucho más el mostrar cuáles son los procedimientos de caracterización que utiliza. Nos hallamos aquí ante otra revelación de sus facultades de gran escritor. Posee una gran imaginación, mucha, para crear personajes tan sicológicamente interesantes como Alexis Dubrowski; Fulvio Morel, de «La tumba viva», o el maestro, de «Bajo el puente». Y se requiere también mucha imaginación para recrear la imagen del dictador Francia con tantos primores pictóricas como él lo hace.

En la mayoría de los casos es el estilo realista, sobrio y puntualizador el que da vida a sus retratos:

> Hueso y piel, doblado hacia la tierra, solía vagar por el pueblo en el sopor de las siestas calcinadas por el viento norte... Echaba a andar tantaleando el camino con su bastón de tacuara, los ojos muertos, parchados por las telitas de las cataratas, los andrajos de aó-poí sobre el ya visible esqueleto, no más alto que un chico (página 11).

Con este retrato de Macario se inicia *Hijo de hombre*. El examen puede pasar del retrato físico hasta penetrar en la sicología del personaje:

> Tuerto y corpulento —dice de Juan Cruz Chaparro— picado de viruelas, Chaparro era la odiosa sombra del habilitado, tal vez más odiada que él mismo. Lo apodaban a sus espaldas Juan Curusú... porque era eso: la sombra de la cruz en que penaban los peones. Y también porque la punta del látigo de Chaparro sabía vibrar rápida y mortal como la víbora de la cruz (p. 85).

A veces, como en el caso de Miguel Vera, se conoce todo el esfuerzo de introspección:

> Yo sigo, pues, viviendo a mi modo, más interesado en lo que he visto que en lo que aún me queda por ver. Un tiempo el sufrimiento me hizo solitario y orgulloso. Después la desesperación se volvió tranquila y humilde y me hizo contemplativo. Pertenezco a una clase de gente para la cual no cuenta el futuro y cuya soledad no es más que su incapacidad de amar y de comprender con la cara vuelta al pasado, a sus imágenes hechizadas de nostalgia (página 273).

Roa Bastos no se detiene demasiado en la presentación directa de los personajes; le bastan unos pocos rasgos:

> La muchacha se hizo la desentendida. Una prematura vejez le ajaba la cara pequeña, de pómulos redondeados, dándole una expresión algo acanallada y ausente. Sólo cuando sonreía, sus facciones recuperaban un aire ingenuo, casi infantil (p. 207).

En todos los casos es siempre la acción la que mejor define a los personajes. Roa Bastos dispone también de un arte impresionista, y utiliza en algunos casos el expresionismo y el superrealismo en la pintura de sus personajes. He aquí un ejemplo de estilo impresionista:

> A veces se recostaba sobre un mojinete hasta no ser sino una mancha más sobre la agrietada pared de adobe,

dice de Macario en la primera página. Volverá a ver su pequeñez en la página 38 diciendo:

> Un puñado de polvo lanzado por la mano de un chico podía borrarlo.

A María Rosa la ve bajo la lluvia «desleída toda ella en una silueta turbia, irreal» (p. 30).

En el retrato un tanto barroco del dictador aparece el expresionismo:

> El filudo perfil de pájaro giraba de pronto hacia las puertas y ventanas atrancadas como tumbas, y entonces nosotros, después de un siglo, bajo las palabras del viejo, todavía nos echábamos hacia atrás para escapar a esos carbones encendidos que nos espiaban desde lo alto del caballo, entre el rumor de las armas y de los herrajes (p. 16).

Para evidencia del estilo superrealista elegimos dos breves citas. La primera de la pintura del leproso Gaspar Mora:

> Quizás los veía a escondidas, de rodillas entre la maraña, con los ojos sin párpados en la enorma cabeza de león, escamosa y carcomida (p. 26).

El otro ejemplo lo tomamos de las líneas iniciales de *El baldío:*

> No tenían cara, chorreados, comidos por la obscuridad. Nada más que sus dos siluetas vagamente humanas, los dos cuerpos reabsorbidos en sus sombras.

El lenguaje.—El último punto examinado por nuestro análisis es el lenguaje; algunas particularidades del mismo, no su totalidad que abarca todos los contenidos de la novela. Vamos a considerar el vocabulario regional, el lenguaje realista y el poético.

Roa Bastos nos da a entender que los personajes de *Hijo de hombre* hablan guaraní, se entienden y se expresan en guaraní, que lo hablan siempre con más naturalidad que el español. «Siempre hablaba en guaraní —dice de Macario—. El dejo suave de la lengua india tornaba apacible el horror, lo metía en la sangre» (p. 15). De María Rosa, que era lunática, dice que «no tenía más que sus frases incoherentes que el guarní arcaico hacía más incomprensibles» (página 19).

Algunos personajes tienen mucha dificultad en hablar español, como el sargento Aquino; y otros no lo comprenden como el niño Cuchuí.

> Al sargento le costaba expresarse en castellano. Hacía una pausa entre frase y frase, como si estuviera traduciendo mentalmente lo que iba a decir (p. 204).

Esta observación sobre el habla de los personajes se podría pasar por alto pensando en el ambiente lingüístico en que acontece la acción de la novela. Pero el hecho tiene un doble significado. Con ello quiere Roa Bastos señalar un elemento capital que define lo autóctono y que a la vez marca todo un espíritu, un modo entrañable de ser que se enraíza con la historia en sus remotos orígenes. El autor exalta lo indígena llegándose hasta su mundo por el camino de la evocación poética y por la huella del lenguaje. De aquí nace en su estilo esa necesidad de intercalar palabras guaraníes en los parlamentos, justamente en los momentos más expresivos, en las intejecciones, cuando cree que los vocablos son intraducibles o cargados con una significación afectiva o sicológica que tiene más caudal con los fonemas de la lengua original. A veces se detiene a explicar algunos términos. Por ejemplo: Sobre el vagón habían escrito con letras grandes: Sto. Casiano Amoité - 1.ª Compañía - Batalla de Asunción, que interpreta así:

> Un nombre cambiado a medias, como devorado también a medias por el verdín del olvido, con ese *Amoité* en lugar de Jara, que designaba en lengua india lo que era distante, no la lejanía solamente, sino lo que estaba más allás del límite de la visión y de la voluntad en el espacio y en el tiempo (p. 131).

A veces la explicación consiste en dar el equivalente en español de la palabra o expresión en guaraní: «Así se llama hasta hoy (el cerrito de Itapé): *Tupa-Rapé* que en lengua india significa «camino de Dios»; al cual Macario prefería llamar *Kuinbaé-Rapé:* «Camino del hombre» (p. 38).

Ya finalizando el libro, explica que

> en guaraní, la palabra *arandú* quiere decir sabiduría y significa sentir-el-tiempo. La memoria de Crisanto ya no siente el paso del tiempo; ha dejado por tanto de saber su desdicha (p. 279).

El vocabulario regionalista en la obra de Roa Bastos es amplísimo. Sobresale en la onomástica de animales, de plantas y de objetos. Ejemplo: *muäs, yasyyareté, pitogüé, urú, yatevús, tatú, suindá, arařäkä, karimbatá, ca'avó, aó-poi, yavorai, tay, chipás, ayacá, ayepa, piripí, yaporá, tereté,* etc.

No solamente le sirve el lenguaje para conseguir el color local, también es vehículo esencial para la creación poética; para hundirse, por ejemplo, en una lejanía borrosa:

> Siempre hablaba en lengua guaraní... Ecos de otros ecos. Sombras de sombras. Reflejos de reflejos. No, la verdad tal vez de los hechos, pero sí su encantamiento (p. 15).

Roa Bastos posee además una gran amplitud de registro. Capta lo tierno y lo fuerte. Expresa la realidad en su aspecto natural y aun en su crudeza —se lo ha sindicado como un autor realista— pero sabe también transformar esa realidad vistiéndola artísticamente con lenguaje muy literario lleno de imágenes. Del realismo descarnado queremos leer un solo ejemplo:

> Debe de haber ya poca diferencia entre vivos y muertos, salvo por la mayor inmovilidad de estos últimos. Al principio enterrábamos los cadáveres, ahora eso es un lujo inútil. Ya no percibimos el hedor de los muertos. En todo caso es *nuestro* hedor. Hoy amanecieron tres más. ¿Quién podría arrastrarlos ya hasta la zanja y cubrirlos con una capa de tierra? Duros y quietos se hinchan entre los matorrales. Cerca del refugio yace mi asistente con los labios arremangados y azules en el último rostro. Aún me tiende el jarro de lata en los dedos enclavijados, mostrándome los dientes llenos de tierra. Las moscas verdes entran y salen de sus fosas nasales. De tanto en tanto alguna se desprende y hace un rápido giro de reconocimiento a mi alrededor, a ver si ya estoy maduro (página 201).

En lo que hace al estilo elaborado, el que mejor evidencia una clara voluntad de estilo, los pasajes de su prosa son abudantísimos. Son los pasajes en donde el cuidado de la expresión ocupa el primer plano; en donde el habla se hace lujo y elegancia, aristocrático decir. He aquí unos pocos ejemplos tomados de *Hijo de hombre:*

> El incensario caído parecía un cascarudo de plata acollarado por cadenas, respirando tenuamente su aliento de humo aromático. La nuez subía y bajaba por el pescuezo del muchacho (p. 34).

> En el silencio engrudado de luna y relente dormía el pueblo.
> Los árboles y los ranchos se esfumaban en la lechosa claridad que ponía sobre ellos una aureola polvorienta.
> A la sombra de un cocotero, junto al alambrado que circundaba la plazoleta del templo, cuatro hombres dormitaban tumbados sobre el pasto (p. 35).

El gringo seguía dormitando. A veces sacaba los ojos del sueño y nos miraba un rato desde una nación que yo no podía saber cuál era.

El crío se echó a llorar con pujidos de rana (p. 69).

Hemos creído ver una trayectoria, un cambio en la literatura de Augusto Roa Bastos. En los últimos cuentos hay un progreso hacia la sencillez. A veces aparece el lenguaje hablado, con expresiones que se le han pegado del ambiente porteño. El juego de las imágenes, de las brillantes metáforas, aunque el escritor paraguayo siempre lo continúa, pensamos que ha disminuido en número y en efectismo. Siempre se ve en él a un escritor preocupado por la forma. Él tiene una postura tomada en lo que se refiere a la literatura. Sabe, por una parte, que le corresponde una misión social como testigo responsable y acusador valiente, pero sabe también que eso ha de hacerlo sólo desde su condición de escritor, cuyas influencias corresponderán a la calidad estética. Digamos cuál es su concepto por sus propias palabras:

Inteligencia crítica, conciencia estética y sensibilidad social condicionan hoy de modo imperativo el trabajo de escritor. Sólo de esta aleación de conciencia artística y social puede surgir el sentido profético de sus obras y su valor de perennidad.

«Hijo de hombre», *de Roa Bastos y la intrahistoria del Paraguay* *

Hugo Rodríguez Alcalá

* Trabajo leído por su autor en la Universidad de Oxford, Inglaterra, durante el Primer Congreso Internacional de Hispanistas celebrado en septiembre de 1962.

Hasta 1950, y hasta un poco más tarde, ninguna historia de la literatura hispanoamericana incluía a novelistas paraguayos. Ni a novelistas, ni a poetas, ni a ensayistas.[1] El Paraguay o, mejor, su literatura, era una «incógnita», para usar la expresión de Luis Alberto Sánchez que se hizo entre los paraguayos famosa. Creo que los manuales de Enrique Anderson Imbert y de Arturo Torres-Ríoseco (la edición de 1960 del de este último) se ocuparon de escritores paraguayos porque quien esto escribe publicó algunos artículos críticos en revistas norteamericanas.[2] En 1960 la antología de Anderson

[1] La obra de Pedro Henríquez Ureña, *Literary Currents in Hispanic America* (Harvard University Press, 1945), menciona a algunos escritores paraguayos como Cecilio Báez, Juan E. O'Leary, Eloy Fariña Núñez, Alejandro Guanes, etc., pero sólo lo hace en las notas de los capítulos y al final del libro, entre muchísimos otros nombres, más o menos al estilo de las guías de teléfono.

[2] Ver Enrique Anderson Imbert, *Historia de la literatura hispanoamericana,* México: Fondo de Cultura Económica, 2.ª ed., 1957, pp. 291, 434, 444, 458; y Arturo Torres-Ríoseco, *Nueva historia de la gran literatura iberoamericana,* Buenos Aires: Emecé Editores, 1960, pp. 315-318. Fernando Alegría en su *Breve historia de la novela hispanoamericana,* México, Colección Studium, 1959, no menciona a ningún paraguayo.

Imbert y Eugenio Florit rindió especial homenaje a un poeta paraguayo insertando poemas suyos entre selecciones de dos de las máximas figuras literarias del continente: Pablo Neruda y Jorge Luis Borges. El poeta aludido es Hérib Campos Cervera, dado a conocer entre los eruditos en un estudio bastante extenso aparecido en la *Revista Iberoamericana.* [3]

Pero el autor paraguayo destinado en un futuro próximo a la mayor fama no era Hérib Campos Cervera, fallecido prematuramente en 1953, sino su íntimo amigo y compañero de destierro, el poeta Augusto Roa Bastos, residente en Buenos Aires desde 1947, hoy consagrado gran escritor en todo el Río de la Plata.

Se podría decir que la verdadera historia de la poesía y la novela del Paraguay comienza con Hérib Campos Cervera y Augusto Roa Bastos. Antes de ellos se escribieron en el Paraguay infinitos versos y hasta algunas novelas. Mas no hubo jamás un escritor que como ellos hubiese puesto en sus afanes artísticos la dedicación, la pasión, el fervor, de Campos y de Roa, salvo la poetisa hispano-paraguaya Josefina Plá y el novelista expatriado Gabriel Casaccia. [4]

No quiero aquí repetir lo dicho en otro lugar sobre Roa Bastos. Son suficientes algunos datos: nació el escritor en Asunción en el año 1917. Su formación es casi enteramente autodidáctica, pues muy pronto abandonó los estudios del bachillerato iniciados en el Colegio San José para trabajar en un banco y luego en la redacción de *El País.* Sin embargo, ya en su temprana adolescencia, Roa era un cumplido hombre de letras saturado de literatura clásica española, cuyos poetas mayores, especialmente los del Renacimiento, se sabía en gran parte de memoria.

Vicente Aleixandre ha dicho sobre Carlos Bousoño algo aplicable a Roa Bastos:

> Carlos Bousoño es el único caso que he conocido de un poeta que, habiendo nacido hacia 1923, ha sido un muchacho contemporáneo de la madurez de Campoamor y Zorrilla. En su pueblo,

---

[3] Ver Enrique Anderson Imbert y Eugenio Florit, *Literatura hispanoamericana, antología e introducción histórica,* New York, Holt, Reinhart and Wiston Inc., 1960, pp. 688-691. Ver Hugo Rodríguez-Alcalá, «Hérib Campos Cervera, poeta de la muerte», *Revista Iberoamericana,* volumen XVII, núm. 39, julio de 1951.

[4] Sobre el papel desempeñado por Josefina Plá en las letras paraguayas, véase mi trabajo «Sobre la poesía paraguaya de los últimos veinte años», en el libro *Korn, Romero, Güiraldes, Unamuno, Ortega...* México, Colección Studium, 1958, pp. 199-211. Gabriel Casaccia, autor de varios libros entre los que descuella *La Babosa,* Buenos Aires, Editorial Losada, S. A., 1952, es un escritor distinguido. *La Babosa* está siendo traducida al francés. Ver Josefina Plá. «A literatura paraguaia», *Cuadernos Brasileiros,* vol. IV, núm. I, Janeiro-Março, 1962, páginas 47-48. De la misma escritora debe leerse «Literatura paraguaya del siglo XX», *Cuadernos Americanos,* vol. CXX, núm. I, enero-febrero, 1962.

> sin noticia alguna de la poesía, a los trece años abrió la pequeña biblioteca de su difunto tío abuelo, y allí estaban los libros de esos dos poetas y de ningún poeta más. ¿Qué cantidad de candor, de sueño de la realidad, hacen falta para que ocurra lo que sucedió? Leyó esos libros, y como un muchachillo de 1870, despertó a la poesía... de 1870. Empezó a escribir versos. Leyendas. Doloras. Humoradas [5].

El caso de Roa es muy semejante, pero aún más curioso: en la Asunción de hace unos treinta años, no mucho más ciudad, literariamente, que el pueblo asturiano natal de Bousoño, Roa también tenía un tío, un tío latinista y clasicista el cual poseía una biblioteca. Y allí estaban las églogas y los sonetos de Garcilaso y de otros poetas clásicos. Y Roa, como un muchacho de 1540, despertó la poesía..., de 1540. Y escribió églogas y sonetos en un lenguaje fluido de sorprendete anacronismo. Aquello era la poesía, le había dicho el viejo clasicista. Y Roa se lo creyó al pie de la letra, y su primera cosecha lírica fue rigurosamente renacentista con algunos siglos de retraso: lamentaciones de pastores enamorados, tristes octavas y armoniosas liras...

De esto hace ya bastantes años. Recuerdo haber ironizado sobre el anacronismo del poeta adolescente, incitándolo, hacia 1935, a ponerse al día en poesía, esto es, al tanto de lo que ocurría en las letras en tiempos de Espronceda, Musset y Zorrilla..., la actualidad poética según la veíamos algunos críticos avanzados desde los bancos de un colegio.

¡Y quién hubiera de decir entonces que aquella asombrosa capacidad que mostraba Roa para poetizar anacrónicamente no era más que la primera manifestación de una porosidad espiritual única que, en las diversas etapas de su evolución literaria le permitían revivir en su propia vida todas las escuelas y estilos de la historia literaria de varios siglos a que su avidez insaciable de lector le daba acceso, y lograr así una cultura artística que muy pocos novelistas de América hoy poseen! Y, sobre todo, que aquel anacronismo inicial le permitiría ser en forma cabal un escritor de vanguardia, intérprete auténtico de las demandas de expresión artística de su tiempo.

Roa Bastos es, en efecto, uno de los novelistas americanos más cultos y de arte más refinadamente consciente de los problemas estéticos de nuestra época. Su primer volumen en prosa apareció en Buenos Aires en 1953: *El trueno entre las hojas,* colección de cuentos llenos de violencia y poesía [6]. Parecía entonces que el poeta

---

[5] Ver el prefacio de Vicente Aleixandre a las *Poesías completas* de Carlos Bousoño, Madrid, Ediciones Giner, 1960.

[6] Sobre cste libro, ver mi trabajo «Augusto Roa Bastos y *El trueno entre las hojas*», *Revista Iberoamericana,* vol. XX, núm. 39, marzo de 1955.

iba a ser el gran cuentista de la literatura paraguaya. Años después, en el ejercicio de su nuevo oficio de narrador, trató de escribir un cuento también breve como los de *El trueno entre las hojas,* pero su intento fracasó. El resultado de ese fracaso fue, sin embargo, una novela hoy famosa, titulada *Hijo de hombre.* Dejemos al mismo Roa contar la historia de este fracaso-éxito. Hablando de la nombrada novela, Roa ha manifestado lo siguiente:

> La escribí de un tirón, en dos meses, después de haber estado luchando otros tantos en la redacción de un cuento basado en una historia real sucedida hace tiempo en mi país y que recordé de pronto en la refluencia inesperada de hechos y memorias con que a veces nos asalta el pasado. La historia se me resistió obstinadamente a quedar encerrada en el tratamiento y en los límites del cuento. Lo consideraba ya un fracaso cuando descubrí, también de improviso, que en el desarrollo novelesco la historia se me ofrecía con toda su frescura, espontaneidad y fuerza primigenia. Entonces el cuento frustrado se transformó en una novela relativamente triunfante, al menos para mis dificultades y fatigas de escritor [7].

Así surgió *Hijo de hombre*, primer premio del Concurso Internacional Losada de 1959 y primer Premio Municipal de Buenos Aires [8].

> Su tema trascendente —ha escrito el mismo Roa— al margen de la anécdota, es la crucifixión del hombre común en la búsqueda de solidaridad con sus semejantes; es decir, el antiguo drama de la pasión del hombre en la lucha por su libertad, librado a sus solas fuerzas en un mundo y en una sociedad inhumanos que son su negación [9].

La obra se divide en nueve capítulos casi del todo independientes entre sí. «Los episodios se engarzan apenas por un leve hilo —comenta Josefina Plá— que a veces es el recuerdo, otras la reaparición del personaje guadiano, y siempre, siempre, la estría de un designio» [10]. Este personaje *guadiano* a quien tan adecuadamente alude Josefina Plá es el relator Miguel Vera, personaje que, no siendo el héroe de un libro en que hay héroes auténticos como

---

[7] Véase el Boletín de la Editorial Losada, *Negro sobre blanco,* Buenos Aires, núm. 10, diciembre de 1959, p. 10.

[8] El jurado del concurso estuvo integrado por la Sra. Fryda Schultz de Mantovani, Miguel Ángel Asturias, Roberto F. Giusti, Attilio Dabini y Miguel A. Oliveira. Las obras presentadas fueron 194. *Hijo de hombre* se publicará en alemán, con sello de Carl Hanser Verlag, de Munich. Ver *Negro sobre blanco,* Buenos Aires, núm. 15, octubre de 1960, p. 7.

[9] Ver *Negro sobre blanco,* núm. 10, p. 10.

[10] Josefina Plá, «Augusto Roa Bastos: *Hijo de hombre, Diálogo*». Asunción, 2.ª época, abril de 1962, núm. 4, p. 14.

Casiano Jara y su hijo Cristóbal, representa en la sociedad de hoy al intelectual vacilante y cobarde, incapaz de solidarizarse por entero con los oprimidos, a quienes, sin embargo, comprende y compadece. Y el designio aludido es aquel «tema trascendente» que el mismo Roa ha definido en palabras citadas más arriba [11].

Los sucesos relatados por la novela cubren un lapso de más de un cuarto de siglo, pues el primer episodio comienza un tiempo antes de la última aparición del cometa Halley en 1910 y el último coincide con la fecha de la terminación de la Guerra del Chaco (1932-1935) [12].

Pero, en rigor, Roa se ha propuesto presentar toda la vida del Paraguay independiente hasta nuestros días, y lo ha logrado con singular éxito aunque con procedimientos muy diferentes de los del cronista y del historiador. Dicho de otro modo, Roa ha querido escribir la intrahistoria de su patria, a partir del tiempo del dictador José Gaspar de Francia hasta la misma actualidad angustiada de un pueblo lacerado por luchas civiles; intrahistoria que él ve desde la doble perspectiva del artista creador y del ciudadano comprometido en la lucha por la reforma social de su tierra nativa. Este adentrarse a fondo en las entrañas espirituales de su patria gracias a los relatos imaginarios de *Hijo de hombre* de tal modo que el lector se siente como presenciando a través del fluir de ficciones simbólicas las peripecias de un drama cuyo protagonista es todo un pueblo, ha hecho decir a un crítico sagaz que con Roa Bastos

> el Paraguay ha alcanzado esa envidiable condición sociológica: tener quien lo exprese en el arte y, mejor, quien lo entienda en algo que es más que el acaecer de la vida nacional: en la raigambre viva de sus hombres y en su intrahistoria [13].

En efecto, Macario Francia, uno de los personajes centrales del primer episodio, es hijo de un liberto del dictador que dio sombría fama a ese apellido y, según murmuraciones, acaso «hijo mostrenco» del dictador mismo, y había nacido poco después de «haberse establecido la Dictadura Perpetua». Gracias a este perso-

---

[11] Roa especifica su propósito al final del libro: Miguel Vera deja al morir un manuscrito. Este manuscrito le es enviado al novelista por la doctora Rosa Monzón, acompañado de una carta que en su último párrafo dice: «Acaso su publicidad ayude, aunque sea en mínima parte, a comprender más que a un hombre, a este pueblo tan calumniado de América, que durante siglos ha oscilado entre la rebeldía y la opresión, entre el oprobio de sus escarnecedores y la profecía de sus mártires», p. 270.

[12] Algunos críticos afirman que la novela comienza en 1912, impresionados por el trágico episodio de esa fecha que Roa narra en el segundo relato. Ver, por ejemplo, Ángel Rama, «Un paraguayo mira al hombre», *Marcha,* 7 de agosto de 1959, p. 22.

[13] Ver Ángel Rama, artículo citado al final de la nota núm. 12.

naje casi centenario, a quien Roa confiere un perfil mítico, el lector es mágicamente trasladado a la segunda década del siglo XIX. La última página de la novela, aunque sin fecha, podría llevar la de 1959, que es la del concurso que dio nombradía al escritor.

II

No es mi intención hacer un comentario de los nueve relatos de que consta *Hijo de hombre.* Mi propósito, sí, es llamar la atención en este congreso de hispanistas sobre un libro que a poco de su publicación en la Argentina confirió a su autor súbitamente un rango literario de primera fila en aquel país, a tal punto que su obra entró a competir en las preferencias del público, en las diversas provincias, con los más prestigiosos novelistas del Río de la Plata y del mundo [14].

Volvamos, pues, a Macario Francia. Éste era, según lo evoca el relator Miguel Vera, «un maravilloso contador de cuentos..., la memoria viviente del pueblo. Y sabía cosas de más allá de sus linderos. Él no había nacido allí...». El pueblo escenario del relato es el villorrio de Itapé, donde transcurre la infancia del relator. El cual, a medida que redacta su supuesto manuscrito, en la alcaldía de Itapé, y evoca nostálgico al mítico Macario, nos dice que no sabe si está reviviendo recuerdos o si los está expiando. No lo sabe, arguye, porque en sus memorias «se mezclan sus traiciones y olvidos de hombre...» Y agrega en un perfecto endecasílabo:

> las repetidas muertes de mi vida.

Miguel Vera tiene, sin duda, en su prosa, el mismo don poético de su creador, de tal modo que ella aparece a menudo estriada o veteada de armoniosas líneas musicales, versos que al poeta Roa se le vienen inconscientemente a los puntos de la pluma.

Lo que hay de nítido en los orígenes de Macario y de soñado o transformado en la evocación de Miguel Vera, contribuye a la poética esfuminación de las figuras dibujadas en la historia. He aquí ahora el retrato físico de Macario Francia:

> Hueso y piel, doblado hacia la tierra, solía vagar por el pueblo en el sopor de las siestas calcinadas por el viento norte. Han pasado muchos años, pero de esto me acuerdo. Brotaba de cualquier

---

[14] *La Nación,* en su sección *Best-Sellers,* indicó en repetidos números el nombre de Roa como uno de los autores de mayor éxito en las diferentes provincias. Véase, por ejemplo, el número del 28 de noviembre de 1960 (edición aérea).

> parte, de alguna esquina, de algún corredor en sombras. A veces se recostaba contra un mojinete hasta no ser sino una mancha más sobre la agrietada pared de adobe. El candelazo de la resolana lo despegaba de nuevo. Echaba a andar tentaleando el camino con su bastón de tacuara... [15].

Chicos crueles le salían al encuentro y le arrojaban puñados de tierra. Y entonces «apagaban un instante la diminuta figura» del anciano. Macario es, pues, una sombra casi insustancial errante por las calles de Itapé. Es la leyenda, es un mito viviente, colmo de sugestiones guaraníticas e hispánicas, algo así como un siglo, o casi un siglo del pasado colectivo que sobrevive desteñidamente en el mísero villorrio. Y es también la sabiduría popular que habla en lengua aborigen con elocuencia alucinante de metáforas y símbolos oscuros:

—«El hombre, mis hijos» —nos decía— «es como un río. Tiene barranca y orilla. Nace y desemboca en otros ríos. Alguna utilidad debe prestar. Mal río es el que muere en un estero...» (Adviértanse, de paso, los endecasílabos).

En corro de muchachos que le escuchaban «con escalofríos», el viejo Macario solía recordar al Dictador Perpetuo. Se desplazaba en el tiempo a muchos lustros de distancia. Los enemigos del dictador, decía, vendidos al extranjero, conspiraban para derrocarlo.

> Formaban un estero que se quería tragar a nuestra nación. Por eso él (el doctor José Gaspar de Francia) los perseguía y los destruía. Tapaba con tierra el estero [16].

(Nótese que Macario habla *del hombre* atribuyendo a su afirmación validez universal, y de *nuestra nación* como testigo de sucesos de trascendencia colectiva, nacional.)

Cabe ahora observar que nadie ha trazado un perfil tan sugestivo del dictador Francia desde la época de los Robertson, los Rengger y Longchamps y Thomas Carlyle hasta nuestros días, como Augusto Roa Bastos:

> —Dormía con un ojo abierto. Nadie lo podía engañar... Veíamos los sótanos oscuros llenos de enterrados vivos que se agitaban en sueños bajo el ojo insomne y tenaz. Y nosotros también nos agitábamos en una pesadilla que no podía hacernos odiar, sin embargo, la sombra del Karaí Guasú.
>
> Lo veíamos cabalgar en su paseo vespertino por las calles desiertas, entre dos piquetes armados de sables y carabinas. Montado en el cebruno sobre la silla de terciopelo carmesí con pistoleras y fustes de plata, alta la cabeza, los puños engarfiados sobre las

[15] *Hijo de hombre,* p. II,
[16] *Ibid.,* p. 15.

riendas, pasaba al tranco venteando el silencio del crepúsculo bajo la sombra del enorme tricornio, todo él envuelto en la capa negra de forro colorado, de la que sólo emergían las medias blancas y los zapatos de charol con hebillas de oro, trabados en los estribos de plata. El filudo perfil giraba de pronto hacia las puertas y ventanas atrancadas como tumbas, y entonces aun nosotros, después de un siglo, bajo las palabras del viejo, todavía nos echábamos hacia atrás para escapar de esos carbones encendidos que nos espiaban desde lo alto del caballo, entre el rumor de las armas y los herrajes... [17].

Lástima que no haya espacio aquí para transcribir entero el relato del incidente más dramático de la niñez de Macario vivida a la sombra del Supremo. Un día, Francia, convaleciente de una enfermedad, sale a dar su primer paseo a caballo. Sobre la mesa del Supremo encuentra Macario una onza de oro. El propio Dictador la había dejado allí a propósito, tras calentarla en el brasero. El niño la coge: el oro caliente quema la manecita curiosa, hasta el hueso. A su retorno, el Dictador ordena terribles castigos. Bajo los azotes, el niño sangra copiosamente y al fin pierde el conocimiento. Casi cien años después el viejo Macario enseña al corro de muchachos de Itapé la cicatriz producida por la onza que fuera traidora tentación de un inocente: la diestra del anciano exhibe, «a ras de los huesos... la mancha negra entre terrosas arrugas, como un agujero...».

Pero todo esto no es más que preparación, o telón de fondo, para la verdadera historia, la historia del «hijo de hombre», pues lo remotamente legendario sólo sirve para crear una propicia atmósfera a otra leyenda, ésta de ayer no más, reciente, como se verá más abajo.

Macario, de la época de Francia, pasa a evocar la de los dos López y, especialmente, la de la Guerra Grande, cuyo recuerdo vive indeleble en la conciencia histórica del Paraguay. Macario ha militado contra las huestes invasoras de la Triple Alianza y es uno de los pocos sobrevivientes del atroz exterminio de los últimos ejércitos del mariscal Solano López. Asombra el tino de nuestro escritor en la elección de alusiones a momentos de la tradición histórico-legendaria de su pueblo para movilizar en sus lectores esa zona del alma colectiva gracias a la cual todo un país se siente entrañablemente unido, como puede sentirse una sola familia bajo el techo del mismo hogar en que alentaron varias generaciones.

Roa, poeta lírico, es un escritor del más profundo sentido épico, aunque no se haya propuesto escribir una «epopeya» como *Guerra y Paz* ni unos *Episodios nacionales* al estilo galdosiano.

Pero vayamos ahora a la verdadera historia, esto es, a la nueva leyenda que Roa hace surgir en Itapé bajo la sombra mítica del

---

[17] *Ibid.*

viejo Macario. Macario Francia era tío de otro personaje no menos envuelto que él en la calígine del mito: Gaspar Mora. Gaspar Mora era guitarrista. También fabricaba como nadie instrumentos musicales.

> ...Olía a madera de tanto haber trabajado con ella. De lejos venían a buscar sus instrumentos y pagaban lo que él les pedía...

Gozaba Gaspar en Itapé de la triple fama de músico, de artífice y de hombre de bien sin rival en la comarca. Un día enfermó de lepra y entonces temeroso de contagiar su mal, huyó del pueblo y se escondió en el monte. Allí se alimentaba con lo que le dejaban a prudente distancia de su refugio.

A la hora del crepúsculo, el músico leproso solía tocar en un abra del bosque la guitarra. Y entonces... «la gente se tumbaba en el pasto a escucharlo. O salía de los ranchos. Hasta el cerrito se escuchaba el sonido. Se escuchaba hasta el río». Y el relator añade:

> Me acuerdo de mamá quc al oír la distante guitarra se quedaba con los ojos húmedos. Papá llegaba del cañal y trataba de no hacer ruido con las herramientas. Aún después de muerto Gaspar en el monte, más de una tarde oímos la guitarra...

Adviértase que estos conciertos crepusculares constituyen una poética reaparición en Itapé del Paraguay de algo así como el mito de Orfeo, en otro mundo también primitivo de labradores y pastores, en el corazón de América.

Macario y los amigos de Gaspar trataron en vano de hacerlo volver al pueblo. «Los muertos no se mezclan con los vivos», solía decirles el leproso cuando le rogaban que abandonase el monte. Un día les confió lo siguiente:

> ... Puedo decirles que la muerte no es tan mala como la creemos... Me va tallando despacito... mientras me cuenta sus secretos. Es bueno saber por lo menos que uno no acaba, que se continúa en otra vida, en otra cosa. Porque hasta en la muerte se quiere seguir viviendo. Eso lo sé ahora. La muerte me ha enseñado a tener paciencia. Yo le hago un poco de música... —dijo con una sonrisa, como en broma—. Nos entendemos...
>
> —Pero sufres, Gaspar.
>
> —¿Sufro? Sí, sufro. Pero no por esto... —se echó una mirada hasta los pies. —Sufro porque tengo que estar sólo, por lo poco que hice cuando podía por mis semejantes [18].

Y aconteció que luego vino el *Yvagá-ratá,* o fuego-del-cielo, nombre que los itapenses dieron al cometa Halley. E Itapé creyó

[18] *Ibid.,* p. 25.

que llegaba el fin del mundo. Cundió el pánico. La sequía desoló la comarca. Itapé se olvidó del leproso del bosque. Y el músico olvidado murió corroído por la lepra y el hambre.

Es probable que todas las mujeres del pueblo estuviesen enamoradas de Gaspar Mora y de su música mágica. Una de ellas, María Rosa la chipera, enloquecida tras la muerte de Gaspar, solía evocar aquellos conciertos vespertinos de la guitarra del bosque:

> —Cuando lo escuchábamos, ya nadie pensaba en morir... Se durmió en el corazón de la madera. Estaba muy cansado, porque tuvo que luchar todo el tiempo con el gran murciélago... Pero un día despertará y vendrá a llevarme. ¡El cometa lo volverá a traer! [19].

No se explica nunca la relación entre el futuro regreso del cometa y el esperado retorno de Gaspar Mora, pero Roa Bastos utiliza la ambigüedad y sugestividad de la atmósfera mítica que envuelve a Macario y sus cuentos y consejas para infundir no se sabe qué misterio cosmogónico al trágico episodio que nos narra. Tocante a la gran fuerza poética de las palabras de María Rosa, la chipera ignara, Roa la justifica como haciéndola surgir del delirio de la locura. Y entonces el poeta puede libremente hablar por boca de la campesina dando rienta suelta a sus figuraciones líricas.

III

Ahora llegamos al momento del relato en que va a surgir el símbolo que da nombre a todo el libro:

Mientras Gaspar Mora vivió en la soledad del bosque, quiso que alguien lo acompañara, aunque tenazmente rechazaba todo contacto directo con sus semejantes. Por eso labró un gran Cristo de madera. Cuando ya muerto Gaspar, varios días después, Macario y otros itapenses llegaron al rancho del leproso, descubrieron la imagen de madera.

Entonces se llevaron el Cristo hacia la iglesia del pueblo. Mas como el templo estaba cerrado, lo dejaron en el corredor. Una lluvia torrencial caía mientras tanto

> Lo recostaron contra la tapia, como lo habían encontrado en la choza, y se sentaron en cuclillas a su alrededor. María Rosa permaneció en la lluvia, desleída toda ella en una silueta turbia, irreal. Los hombres aparentaban no verla. Sólo el Cristo extendía hacia ellos los brazos.

El cura del pueblo se negó a permitir que el Cristo entrara en la iglesia. «Es obra de un lazariento...» —arguyó— «hay peligro

[19] *Ibid.*, p. 21.

del contagio. La casa de Dios debe estar siempre limpia...» Macario y un grupo de amigos fieles al recuerdo de Gaspar Mora se rebelaron enérgicamente contra la decisión del sacerdote.

Después de varios días de agria disputa con la autoridad eclesiástica local, los amigos de Gaspar decidieron colocar la imagen del Cristo en la cumbre del cerro de Itapé, cerro parecido, según ellos al del Calvario. Labraron entonces una cruz de madera, clavaron a ella la imagen y la llevaron a lo alto.

> También levantaron, para protegerlo, el redondel de espartillo, semejante a la choza del abra, donde había nacido...

Desde aquel tiempo se celebró el Viernes Santo en el cerrito del pueblo. Y fue el padre Fidel Maíz —personaje histórico célebre por su actuación durante los días trágicos de la Guerra Grande y por sus cartas sobre el mariscal Solano López al finalizar ésta, y no menos famoso orador sagrado— quien predicó junto a la imagen el primer sermón de las Siete Palabras [20]. El padre Maíz dijo al pueblo congregado:

> —Este privilegiado cerrito de Itapé... se va a llamar desde ahora *Tupá-Rapé,* porque el camino de Dios pasa por los lugares más humildes y los llena de bendición...

El viejo Macario no aceptó el nuevo nombre. *Tupá-Rapé* significa camino de Dios, y el cerrito debía llamarse, según él, *Kuimbaé-Rapé,* «camino del hombre».

> Porque el hombre, mis hijos... —arguyó— tiene dos nacimientos. Uno al nacer, otro al morir... Muere pero queda vivo en los otros, si ha sido cabal con el prójimo. Y si sabe olvidarse en vida de sí mismo, la tierra come su cuerpo pero no su recuerdo.

Tal era el concepto de inmortalidad que tenía el anciano. No había otra vida más allá de la tumba que la de la fama imperecedera del héroe humanitarista. Ni otra redención que la terrenal, esto es, la liberación del infortunio, de la miseria, de la injusticia.

Cabe suponer que en la composición de *hijo de hombre* las coplas de Jorge Manrique han estado resonando en la mente de Roa. El novelista, sin embargo, ha cambiado el sentido del pensamiento del poeta en la elegía en prosa a la muerte de su héroe. Nuestras vidas, sí, son ríos, pero no van a dar a la mar que es el morir, sino a otros ríos (o a un pantano). Y

> el vivir que es perdurable
> no se gana con estados
> mundanales,
> ni con vida deleitable,

---

[20] Véase el libro del Pbro. Silvio Gaona, *El clero en la guerra del 70,* Asunción, El Arte, 1961, pp. 93-98 y, especialmente el Apéndice, pp. 125-165.

pues la única posible forma de inmortalidad se gana, según Macario,

con trabajos y aflicciones

en beneficio de nuestros semejantes.

El Cristo leproso labrado por Gaspar Mora simboliza, pues, en un plano puramente humano, «la crucifixión del hombre común en la búsqueda de solidaridad con sus semejantes», como el mismo Roa lo ha dicho. No evoca, por tanto, a un Dios sufriente por el pecado, sino a un hombre como los demás, sacrificado como infinitos otros hombres, pero cuya virtud, río caudaloso de compasión y de solidaridad, fluye infinitamente en el cauce de otros ríos, es decir, de otros hombres, en cuya memoria es inmortal.

Tal es el sentido de la «religión de la humanidad» que aparece en *Hijo de hombre.*

IV

No es el relato aquí comentado el mejor, sino uno de los mejores de los nueve que integran la novela. Pero es el que nos da, con mayor claridad que ninguno, la clave de la idea directriz de Roa Bastos. Debe, sin embargo, aclararse que esta idea informa toda la obra sin jamás desnaturalizarla como creación artística. Dicho de otro modo: Roa no hace propaganda, sino arte. Que este arte tenga un mensaje religioso o profano, grato o ingrato, es otra cuestión [21].

Roa, sí, evitando todo «costumbrismo» o «criollismo» de rancio cuño, así como todo vano patrioterismo ha sabido hacer justicia cabal a las virtudes de su pueblo, y ha exaltado el heroísmo, por

---

[21] María Esther de Miguel, en la sección «El libro de que se habla» de la revista *Señales,* número de septiembre de 1960, comenta el libro de Roa entre las páginas 12 y 14. En la página 13 dice: «La significación que Roa presta a su *Hijo de hombre* permanece en el plano de lo puramente natural...» Sin embargo, los simples habitantes de Itapé, en su razonamiento áspero y elemental, tienen la intuición de la verdadera economía redentora: «Es un hombre que habla —dicen refiriéndose a 'su' Cristo— a Dios no se le entiende..., pero a un hombre sí...» Por eso, la fe de los itapeños «heréticos y fanáticos» no es «una inversión de la fe» (p. 14). Es a lo sumo, una fe incompleta. «O era Dios y entonces no podía morir» —se dicen— «o era hombre, pero entonces su sangre había caído inútilmente sobre sus cabezas sin redimirlos, puesto que las cosas sólo habían cambiado para empeorar» (p. 13). La disyuntiva no es tan concluyente. En el nuevo orden, el hombre es sanado y lavado y redimido en la carne del justo. Pero cada hombre, en su propia carne, debe completar lo que a la Pasión le faltó. Y esto hasta el día final, cuando «el Hijo del hombre venga con gran poder y majestad» (Luc. 21, 27).

ejemplo, de manera mucho más elocuente que todos los jingoes y patriotas profesionales. Para prueba de este aserto, léase el capítulo VIII, cuyo héroe, Cristóbal Jara, tiene un perfil épico realmente grandioso (acaso el nombre de Cristóbal haya sido escogido con toda intención, porque el héroe de Roa es un gran río que desemboca en otros ríos).

En la exaltación de los máximos valores de su raza, el escritor se desentiende de toda pasión partidaria y personajes históricos identificados con banderías políticas antagónicas, reciben por igual su homenaje.

Tocante a la técnica novelística, cabe anotar aquí de pasada que la de nuestro escritor está influida por la de la mejor cinematografía, arte en que Roa es un experto [22]. *Hijo de hombre* es como un conjunto de «trípticos» cinematográficos, cuya relación entre sí es muy diferente de la que existe entre los capítulos de una novela decimonónica. Roa parece estar «filmando» sus relatos con fruición de ilusionista. Los retratos de personajes individuales alternan con visiones de personajes-masa, de comunidades enteras, como las de los pueblos de Itapé o Sapukai, moviéndose éstos como un telón de fondo activo y dinámico. El *flashback* cinematográfico detiene el curso de los acontecimientos muy a menudo, y el lector entonces se ve de súbito llevado a los orígenes de un conflicto actual, orígenes «filmados» una y otra vez, desde diferentes perspectivas, y con suspensión de este o aquel relato en sus peripecias disímiles aunque vinculadas todas con la misma causa eficiente. Tal es, por ejemplo, el caso de la catástrofe de Sapukai de 1912: una locomotora gubernista se estrella contra un tren de revolucionarios con una explosión que produce centenares de muertes y que arruina el pueblo todo (Capítulo II). Pues bien: Roa «filma» el trágico suceso una y otra vez, y éste es uno de los medios de que se vale para mantener la correlación novelística entre los tres «trípticos», en los cuales los personajes individuales cambian sin cambiar por eso la raíz del drama único que nos presenta en sus diversos aspectos.

Quiero también subrayar aquí que la «preocupación social» de Roa no lo lleva a insistir en lo sórdido y repugnante como a otros escritores, quienes de tanto hacer hincapié en la miseria, la injusticia, la suciedad y el horror, logran un efecto contraproducente y dejan al lector asqueado hasta las náuseas.

---

[22] Roa Bastos es autor de varios libretos de cine, tales como *El trueno entre las hojas, Sabaleros, La rebelde de Santiago* y *Shunko.*

V

Se puede hoy decir que Roa Bastos, con esta gran novela americana, es el fundador de una tradición novelística paraguaya en que la vida de un pequeño gran pueblo ha de reflejarse con toda su grandeza y su miseria, sus ideales y sus fracasos y constituir así un arte auténtico que incite a la realización del noble destino a que está llamado el Paraguay.

Un enfoque semiótico de la narrativa de Roa Bastos: «Hijo de hombre»

David Maldavsky

I. *Introducción*

Este artículo continúa una línea de investigación que prosigo elaborando a partir de varios trabajos previos (2), (3), (4), y que, en su fundamento, constituye un intento de efectuar un enfoque semiótico de la obra literaria. Ello da por sentado que defino a la literatura como un acto sémico, es decir, como la transmisión de un mensaje desde un emisor a un receptor a través de los signos, o sea, del significante con su significado. El acto sémico puede ser estudiado en tres niveles: sintáctico, semántico y pragmático (5).

En el nivel sintáctico se estudian las relaciones que los signos mantienen entre sí; en el nivel semántico se analizan las relaciones entre los significantes y los significados incluidos en dichos signos, y en el nivel pragmático se consideran las relaciones que mantienen el emisor (o el receptor) con los signos que emite (o capta).

Un estudio semiótico de la obra literaria parte, pues, del supuesto de que ésta puede ser enfocada de un modo fructífero como un acto semiótico complejo mediante el cual un autor (emisor) procura transmitir un mensaje al lector (receptor).

De este modo, un estudio semiótico completo de una obra literaria incluye una investigación sistemática en tres niveles: 1) sintáctico (selección y combinación de signos); 2) semántico (relación significante-significado de dichos signos); 3) pragmático (relación signos-autor y signos-lector).

Estos tres niveles, articulados entre sí, no son fácilmente deslindables en su totalidad. Así, pues, resulta imposible prescindir de alguno y limitar absolutamente la investigación a otro de ellos, ya que en cada uno de tales niveles se encuentran comprometidos los dos restantes. Algo de esto quedó esclarecido en mi artículo sobre Borges (4).

En este trabajo deseo considerar estos tres niveles en una obra narrativa de Roa Bastos, *Hijo de hombre* (6), desarrollar algunas ideas acerca del enfoque semiótico del concepto de belleza, que intentaré emplear para valorar esta novela y realizar, finalmente, un estudio diacrónico de la producción de dicho autor.

II. *La polaridad de signos (selección)*

Si bien esta novela presenta cierta heterogeneidad que hace algo difícil la investigación, considero que es posible encontrar en el texto una polaridad fundamental entre dos universos de signos. Con ello apunto a la selección de signos efectuada por el autor, la que constituye un elemento altamente significativo. La selección de signos que, según mi criterio, ha efectuado el autor, permite estructurar dos universos: 1) el de los objetos de la naturaleza y 2) el de los objetos artificiales, que reemplazan a los primeros.

En primer lugar quisiera explicitar qué entiendo por 1 y 2. Cuando aludo a «objetos» no me refiero sino a objetos literarios, es decir, a signos que adquieren su dimensión significativa dentro del contexto de esta obra literaria. La noción de valor de un signo dentro de un contexto 1 es, en este sentido, esclarecedora de lo que quiero decir.

En el universo 1 nos encontramos con «objetos» tales como la carreta tirada por bueyes, que puede ser, como objeto «real» (extraliterario), tanto o más artificial que el caballo domesticado, el cual, sin embargo, pertenece al universo 2.

Con la clasificación en estos dos universos, pues, no pretendo diferenciar objetos por su referencia directa y concreta a una realidad extraliteraria, sino por el valor significativo que poseen en esta obra narrativa de Roa Bastos.

A riesgo de que resulte pesada, quizá sea esclarecedora una enumeración parcial de las clases de objetos pertenecientes a uno y otro universo.

Intentémosla, sin pretender de ninguna manera hacerla exhaustiva.

a) Las vestimentas: 1) universo de la naturaleza: harapos, barro; 2) universo del artificio: uniformes, sotanas.
b) Las actividades: 1) universo de la naturaleza: carpintería, música; 2) universo del artificio: gobierno, ejército regular.
c) Los medios de transporte: 1) universo de la naturaleza: carreta; 2) universo del artificio: lancha.
d) Las residencias: 1) universo de la naturaleza: selva, ranchería; 2) universo del artificio: ciudad, cuartel.

No creo que valga la pena extenderse más en la enumeración. Sí me referiré, como cierre, a una polaridad especialmente significativa, que reconsideraré después: líquido natural (agua de arroyo o río, leche); *versus* líquido artificial (bebidas alcohólicas).

Las personas que beben un tipo de líquido o el otro pertenecen a uno u otro universo. Lo mismo puede decirse para las que visten de uno u otro modo, las que realizan un tipo de actividad o la otra, las que viajan de una manera o la otra, y las que viven en un tipo de residencia o en la otra.

He señalado antes que el valor de estos «objetos» es contextual, que su sentido está dado por su ubicación. Ello cobra particular importancia en los casos en que un objeto es definido mucho después de su «presentación» primera, tema al cual prefiero no referirme más que a través de esta breve mención.

Pasemos ahora al otro componente de la sintaxis.

III. *Las relaciones entre los universos (combinación)*

Existen dos posibilidades en las combinaciones entre los universos 1 y 2. Estas posibilidades son: A) pasaje de 1 a 2, y B) pasaje de 2 a 1. Veamos esto con más detalle.

A. *Pasaje de 1 a 2*

Un breve ejemplo bastará para mostrar de qué se trata. Alude en este caso a las vestimentas:

> Con los billetes nuevos y crujientes, Casiano compró ropas a Natí en la gran tienda «La Guaireña». Ella se las iba probando y vistiendo en un transcuarto del registro. ... Hasta un collar de abalorios, una peineta enchapada con incrustaciones de crisólitos y un frasco de perfume le compró. La sacó de allí emperifollada como una verdadera señora de capilla. Él se compró un par de alpargatas, un poncho calamaco, un solingen, un pañuelo para«í» y un sombrero de paño.

> En un espejo manchado del registro se vieron las figuras. Un hombre y una mujer paquetes, emperejilados como para una función patronal.
>
> Salieron que no eran ellos (p. 83).

Como vemos, se trata de un pasaje del mundo de lo natural al de lo artificial. Esto, dentro del universo semántico de Roa Bastos, posee un significado, el cual puede resumirse en una palabra: pecado (término que no tiene una connotación religiosa). Una consecuencia del mismo es que los pecadores establecen una ruptura con su pasado, con su identidad: ya no son ellos mismos.

B. *Pasaje de 2 a 1*

Veamos lo que pasa en un ejemplo del caso opuesto. Para ello recurriré a la misma secuencia narrativa.

> Los perifollos de Natí habían vuelto a su condición de andrajos. La paquetería masculina de Casiano y de los otros, también. La selva igualadora arrancaba a pedazos toda piel postiza (página 84).

Veamos otro ejemplo, referido al aspecto general y a la vestimenta, en este caso del doctor:

> Por entre los rasgones de la camisa se le veían ya tiras de la blanca piel ampollada por el sol. Se iba poniendo cada vez más flaco. Le creció la barba, los cabellos rubios se le enmelenaron sobre los hombros, bajo el sombrero de paja que había reemplazado al de fieltro, cuando éste acabó de destrozarse contra las lajas y los yuyales, pues también lo usaba de almohada. Las botas se cambiaron en unas alpargatas, compradas también como el sombrero y el ponchito en el almacén de don Matías, tal vez con el último patacón (p. 47).

Si el pasaje del universo de la naturaleza al del artificio es expresión del pecado, de una traición, este otro, el inverso, es la expresión de lo opuesto, la expiación (término que tampoco tiene una connotación religiosa).

Pero con esto nos encontramos ya de lleno en lo que constituye la «historia» múltiples veces narrada en *Hijo de hombre:* un fluctuar de pecados y expiaciones.

Si consideramos que éste es el significado de toda la clase de significantes, aparentemente distintos, de la novela, ello nos permitirá: 1) por un lado, reconocer la ubicación de cada personaje en el contexto de la novela y, 2) por otro lado, determinar cuál es el mensaje que el autor procura transmitir al lector, y hasta qué punto lo logra. Con esto último me refiero al grado de coherencia interna de la obra.

Comencemos por los personajes.

IV. *Pecadores y redentores en la narrativa de Roa Bastos*

He señalado que los personajes de *Hijo de hombre* son pecadores o bien expían una culpa previa, consistente en sustituir el mundo de la naturaleza por el del artificio.

Para aclarar mejor aún en qué consiste la culpa, veamos con algún detalle el siguiente párrafo, comienzo del tercer capítulo:

> Toda la mañana estuve guerreando por meter en los zapatos mis pies encallecidos por los tropezones y las corridas, rajados por los espinos del monte, por los raigones del río, en todo ese tiempo de libertad y vagabundaje que ahora se acaba, como se acaban todas las cosas, sin que yo supiera todavía si debía alegrarme o entristecerme.
>
> Me ponía las medias. Me las volvía a quitar. Los pies siempre más grandes que esos zapatos nuevos, que también habían salido de la venta del petiso, los primeros que iba a ponerme en mi vida, y que se retobaban como si hubieran sido hechos con el cuero del propio doradillo (p. 61).

Nos encontramos claramente con dos mundos. En el primer párrafo existe una proposición subordinada adjetiva que modifica a «pies» y jerarquiza a este «objeto» como elemento fundamental de la oración, le da una dimensión espacio-temporal y con ello lo carga de significado.

En el segundo párrafo, en cambio, se jerarquiza «zapatos» con otra proposición subordinada adjetiva que cumple una función similar a la anterior: da una dimensión témporo-espacial al «objeto» y con ello adjudica un sentido.

El personaje, un niño, enfrenta estos dos mundos. Él mismo se halla comprometido en el enfrentamiento, su pasado, las experiencias que habían conformado su identidad.

Podríamos decir que este tipo de estilo se caracteriza porque existe una particular tensión semántica, polarizada en los «objetos» pies-zapatos que aprietan. Esta misma polaridad se da también en otros términos, dentro del mismo párrafo, pero con los valores invertidos: son los zapatos los que se retoban y el niño, sus pies, el que quiere someterlos. Así que el «guerrear» del comienzo, que aparece textualmente como un esfuerzo por vencer, tiene otro sentido dentro del contexto, el de un esfuerzo por someterse el mismo personaje, su libertad, a los cauces de un mundo artificial que lo comprimiría, lo encerraría, bloquearía sus posibles salidas.

He mencionado que la segunda polaridad, contrapuesta a la anterior, en realidad distorsiona el sentido contextual de los valores de la obra. Ésta constituye otra de las «tensiones» semánticas de *Hijo de hombre:* el código de valores de la novela parece seguir dos corrientes contrapuestas, por lo cual, por ejemplo, el que en una es sometedor en la otra es sometido, y viceversa.

Ahora bien, quisiera destacar que contextualmente el sentido de la acción del niño es una traición a sí mismo, a su pasado, y un sometimiento a normas artificiales; es decir, constituye un hecho culposo. ¿Cómo poder mostrar la exactitud de mi juicio acerca del sentido de esta acción del personaje? Recurriendo a una cita del final del mismo capítulo referido a la llegada del niño a Asunción (en el primer párrafo, ya transcripto, se describían sus preparativos para ese viaje):

> Enfrente había una plaza llena de árboles. De trecho en trecho, algunas canillas de riego escupían chorritos de agua. Dejé a Damiana en la balaustrada y me metí corriendo entre los canteros. Lleno de sed, me agaché a beber junto a una de las canillas. En ese momento, boca abajo contra el cielo, entreví algo inesperado que me hizo atragantar el chorrito. En un rincón, entre plantas, una mujer alta y blanca, de pie sobre una escalinata, comía pájaros sin moverse. Bajaban y se metían ellos mismos chillando alegremente en la boca rota. Se me antojó sentir el chasquido de los huesitos (p. 78).

En Asunción, los árboles (lo natural) están sólo presentes en la plaza; el agua, en las canillas, como sus pies en los zapatos. Los pajaritos, como el propio personaje, se introducían en aquello que terminó triturándolos, y lo hacían «alegremente» por una distorsión similar de los valores a la del niño. La mujer alta y blanca representaba precisamente a la ciudad.

Todo ello hace que este personaje se convierta en pecador. Para expiar su culpa, debe volver a reencontrarse dolorosamente con lo que ha dejado atrás. Esto constituye su redención. Esta es la línea de las distintas historias vitales de *Hijo de hombre,* algunas de ellas completadas, otras truncas. Pero antes de entrar en detalles acerca de esta historia múltiple, que parece construida sobre la base de la reformulación del modelo de un paraíso (y una fe no necesariamente religiosa) perdido y luego recuperado en algunos casos, quisiera referirme a un elemento que dinamiza la obra: los personajes no sólo «son» culpables o redentores (redimidos); poseen además una función como tales. Veamos esto con algún detenimiento.

V. *La función pecadora o redentora de los personajes*

Los distintos personajes de la narrativa de Roa Bastos no son sólo personas que han «caído» en la culpa, o bien que lograron redimirse y permanecen en tal estado de redención, unos y otros estáticos, sino que la mayor parte de ellos posee una función activa, culpable o redentora según los casos.

¿En qué consiste esta función?

Para dar respuesta a esta pregunta, recordemos la especial posición de los personajes: deben optar permanentemente entre dos universos: el de los objetos naturales y el de los artificiosos sustitutos de aquél.

La opción por uno u otro universo (en la que el personaje como totalidad queda comprometido) es lo que define la función culpable o redentora del personaje. Mediante esta elección transmuta el sentido de lo que lo rodea.

Siguiendo estas ideas es posible explicarse por qué una ciudad pertenece al mundo del artificio. Ello ocurre no porque elimina todo objeto del universo de la naturaleza, sino porque distorsiona su sentido, porque tuerce o trunca la evolución espontánea de algo y lo encuadra dentro de otro contexto, como los árboles en la plaza o el agua en las canillas.

Así, pues, podríamos decir que los pecadores son aquellos que desnaturalizan el sentido de los objetos del universo de la naturaleza, comenzando por desnaturalizarse ellos mismos.

En cambio, los redentores son los que: 1) naturalizan los objetos del mundo del artificio; 2) utilizan naturalmente lo natural, o bien 3) renaturalizan lo desnaturalizado.

Una afirmación como la recién formulada requiere una explicitación. Pasemos a efectuarla, contrastando de paso la función redentora con la pecadora.

1) Naturalización de los objetos del mundo del artificio.

Uno de los objetos artificiales es, en la novela, el tren. Sin embargo, uno de los personajes, Casiano Jara, traslada un vagón al espesor de la selva, empujándolo sólo con sus fuerzas y las de algunas otras personas. He aquí una descripción esclarecedora: «el vagón apareció de golpe en un claro del monte, donde menos lo esperaba».

> En la sesgada luz que se filtraba entre las hojas avanzó lentamente hacia nosotros, solitario y fantástico. Primero vi las ruedas semihundidas entre los yuyos, los grandes troncos morados de mazaré que calzaban los ejes impidiendo que ellas se hundieran del todo en el limo vegetal. Luego la carcomida estructura creció

> de abajo hacia arriba cubierta de yedra y musgo. ... Por los agujeros de la explosión crecían ortigas de anchas hojas dentadas. Vi las plataformas corroídas por la herrumbre, los pasamanos de bronce leprosos de verdín, los huecos de las ventanillas tejidos de ysypós y telarañas (p. 131).

En consecuencia, un objeto del mundo del artificio ha sido integrado en el mundo de la naturaleza.

A la inversa, los personajes pecadores utilizan los objetos artificiales para reforzar su función desnaturalizadora. Es así como usan, por ejemplo, los fusiles para sofocar una rebelión.

2) Utilización natural de lo natural. Los personajes redentores poseen una comunión con los objetos de la naturaleza, con los que, por pertenecer al mismo mundo, pueden llegar a mimetizarse. Macario, por ejemplo, «brotaba en cualquier parte, de alguna esquina, de algún corredor en sombras. A veces se recostaba contra un mojinete hasta no ser sino una mancha más sobre la agrietada pared de adobe» (p. 11).

En su huida de un yerbatal, perseguido por sus explotadores, Casiano Jara, su esposa Natí y su hijo recién nacido, logran salvarse porque se confunden con la naturaleza:

> Más repuesto, Casiano se agachó sobre el agua negra y lodosa. Ella creyó que iba a beber. Sólo extrajo del fondo un puñado de arcilla y la entregó a Natí para que le masillara las llagas de la espalda en las que se cebaban los mosquitos. Después se embadurnó todo el cuerpo, de la cabeza a los pies, con esa capa nauseabunda. Finalmente, tomó el crío para que Natí también pudiera forrarse de lodo.
>
> Entonces Natí se agachó a su vez sobre el agua y extrajo el barro saturado de catinga vegetal. Lo fue extendiendo sobre las ropas, sobre la cara, sobre los brazos y las piernas, como si revocara con adobe una tapia de estaqueo (pp. 108-109).

En cambio, los pecadores utilizan los objetos naturales para reforzar su función desnaturalizadora. Por ejemplo, utilizan caballos y perros «domesticados» para perseguir a los fugitivos, o bien utilizan la selva o el agua como cerco para encarcelar a otros hombres.

3) Renaturalización de lo desnaturalizado. Una función fundamental de estos redentores es devolver un sentido natural a lo artificializado. Tal ocurre, por ejemplo, con Cristóbal Jara, que redime a Salu'í, y con Gaspar Mora, que hace lo mismo con María Rosa. Cada una puede, entonces, reencontrarse con la propia identidad, tanto tiempo perdida.

En cambio, ocurre lo contrario con los pecadores que, por ejemplo, prostituyen (o tratan de hacerlo) a las mujeres, aprovechando las propias disposiciones que ellas mismas tienen hacia esta actitud.

Una vez esclarecido el sentido (naturalizante o desnaturalizador) de las funciones de los personajes de *Hijo de hombre,* podemos pasar a examinar en qué consiste la «historia» que sintetiza las distintas clases de historias de los personajes.

VI. *Los pasos en la historia: de la unidad inicial a pecado y al reencuentro consigo mismo*

Un examen pormenorizado de la historia de los distintos personajes de la novela, me ha llevado a la conclusión de que es posible sintetizar las diferentes vicisitudes en una serie de pasos con una orientación definida dentro del espectro de las funciones antes aludidas.

En forma esquemática, los pasos por los que atraviesan real o potencialmente los distintos personajes son los siguientes: *a)* unión ideal, *b)* tentación, *c)* acto culposo, *d)* sentimiento de culpa, *e)* expiación, *f)* redención, *g)* fidelidad.

Veamos un ejemplo de esta evolución: Macario Francia.

a) Unión ideal: en su niñez, Macario vivió apegado a su padre, a la fidelidad al Dictador Perpetuo; ésta fue la época feliz de su vida.

b) Tentación: en un momento de soledad, surge el deseo de traicionar esta fidelidad. En este caso, el deseo de robar una onza de oro.

c) Acto culposo: se satisface la tentación. Ello generalmente ocurre porque en el personaje hay una distorsión de los valores que contextualmente dan cohesión al grupo (y a la obra). Debe tomarse en cuenta que con ello no aludo, de ninguna manera, a que los valores contextuales son objetivamente (extraliterariamente) más defendibles que los otros; sólo me refiero a su sentido contextual, suministrado por la obra misma. En este caso la culpa está representada por el robo, «la llaga negra de mi latrocinio» (página 17), como lo califica luego el mismo Macario.

d) Sentimiento de culpa: el personaje advierte que se ha dejado guiar por una falsa escala de valores (y lo repetido: falsa *sólo* dentro del contexto de la obra) y que ello lo ha conducido a realizar un daño que considera irreparable. En este caso, el malquistamiento del dictador con el padre de Macario, que finalmente muere como consecuencia de ello.

e) Expiación: el personaje realiza una lucha activa y dolorosa por reencontrarse con su propia escala de valores a través de actos que sustitutivamente representen una reparación del daño efectuado. En este caso, Macario lucha valerosamente en las guerras de la Triple Alianza, defendiendo a su patria.

f) Redención: el personaje recibe indicios que evalúa en términos de que ha reparado el daño efectuado; estos indicios le permiten también reencontrarse con su identidad perdida. Madama, al ser herido Macario en un hombro, lo atiende personalmente. Luego, como culminación de su redención, se hace poseedor de un hebillón de plata del mariscal López, del cual se siente merecedor. Nótese la oposición: pecado: robo de una moneda de oro *versus* redención: posesión de un hebillón de plata.

g) Fidelidad: consiste en un esfuerzo activo por mantenerse en el estado conquistado, en lucha permanente (función redentora) contra los «pecadores». En este caso, Macario apoya a Gaspar Mora, y en especial a su Cristo, que, repudiado por un cura, es rechazado en su sentido redentor y distorsionado como fruto de una herejía. (Con esto, es importante señalarlo, no se alude de fondo a un problema religioso; lo «religioso» tiene aquí un valor contextural: existe una fe de «sotana», encuadrada en un mundo de falsedades, y una fe espontánea y natural, resultado de las disposiciones humanas a un vínculo generoso con los demás.)

Ahora bien, los pasos de *a* a *g* sólo son efectuados por algunos de los personajes; otros se detienen en momentos intermedios.

Veamos sólo algunos ejemplos:

	a Unión ideal	b Tentación	c Acto culposo	d Sentimiento de culpa	e Expiación	f Redención	g Fidelidad
Macario	x	x	x	x	x	x	x
Casiano	x	x	x	x	x	x	x
Juana Rosa	x	x	x	x	x	x	x
Vera	x	x	x	x	x		
Doctor	x	x	x				

En cambio, hay otros personajes que se mantienen estáticos, polarizados en *c* (pero sin haber pasado por *a* y *b*) o en *a*, como ser los puesteros (por ejemplo Nicanor Goiburú), los jefes de policía, los curas, los militares de carrera, todos ellos endurecidos en la búsqueda de la distorsión de un sentido natural, o bien Cristóbal Jara o Gaspar Mora, en la actitud absolutamente opuesta.

Pero si bien estos personajes polarizan concretamente las tensiones semánticas de la obra, ésta se nutre especialmente de los vaivenes de los restantes personajes, que tienen una historia fluctuante, a veces trunca en su evolución.

Páginas antes he afirmado que la consideración del significado de toda la clase de significantes, aparentemente distintos, de *Hijo de hombre,* nos permitiría, 1), por un lado, reconocer la ubicación de cada personaje en el contexto de la novela y 2), por el otro, determinar cuál es el mensaje que el autor procura transmitir al lector, y hasta qué punto lo logra.

Pienso que con lo desarrollado desde entonces hasta aquí puede darse por cumplido el primer objetivo que me propuse. Pasemos, pues, al segundo de ellos. Pero a tal fin necesito efectuar algunas consideraciones introductorias.

VII. *Un enfoque semiótico del concepto de belleza*

Si recurrimos a una perspectiva que incluye los niveles sintáctico, semántico y pragmático, quizá puedan esclarecerse algunos de los problemas que plantea el concepto de belleza.

En efecto, yo sostengo la siguiente hipótesis: desde el punto de vista semiótico, el concepto de belleza puede ser reformulado en términos de una articulación coherente entre 1) los sentidos (semántica) de una obra, sea ésta voluntariamente artística o no; 2) las series de su signos constituyentes, seleccionados y combinados de determinada manera (sintaxis), y que pertenecen a uno o varios de los códigos expresivos, comunicativos, y 3) las relaciones que el emisor y/o el receptor mantiene con dichos signos (pragmática).

Es precisamente la articulación coherente entre 1, 2 y 3 la que permite considerar a una obra como bella. Con este enfoque semiótico del concepto de belleza se obvian las disputas basadas en la oposición forma-contenido, revolucionario-contrarrevolucionario, humano-inhumano, etc.

En esta oportunidad sólo deseo explicitar este concepto sin efectuar al respecto un desarrollo exhaustivo.

Volvamos ahora al texto de Roa Bastos para enfocarlo, aunque sólo parcialmente, en estos términos.

Al comienzo del trabajo he dicho algo que ahora adquiere un nuevo sentido: la novela presenta cierta heterogeneidad. ¿A qué aludo con esta afirmación? Aludo, precisamente, a una falta de cohesión (armonía) entre las distintas partes de la obra, hecho que se observa en los tres niveles: sintáctico, semántico y pragmático. Me referiré en especial a los dos primeros niveles, aunque no por ello excluiré algunas referencias al nivel pragmático que, sin embargo, no me interesa desarrollar aquí, en parte porque las he explicitado en otro lado (3).

VIII. *La cohesión interna en el nivel semántico*

Ya me he referido con cierta extensión a la historia que sintetiza las múltiples historias de *Hijo de hombre*. No pienso que valga la pena volver sobre el tema, salvo para señalar que, a mi entender, esta historia múltiple y única contiene el mensaje que desea transmitir Roa Bastos.

Vayamos, en cambio, a los problemas que plantea la falta de cohesión en este nivel, y ello a pesar de las tensiones semánticas logradas, que he descrito y estudiado páginas atrás.

Para considerar la ruptura de la cohesión semántica de la obra, es útil estudiar su organización general, la que le da un sentido, y la relación principio-final, que también contribuye a ello. (Un esbozo del estudio de la relación principio-final se encuentra en mi trabajo sobre Borges y en el apartado «Culpables y redentores en la narrativa de Roa Bastos», del presente artículo.)

La cohesión general de la obra se da con el relato de Miguel Vera, a través de narraciones autobiográficas o referidas a terceros. Dejando de lado diferentes tipos de disloque semántico de menor importancia, desearía enfocar el principal: Miguel Vera no alcanza —él mismo— la cohesión y la dimensión significativa de un personaje. Y las consecuencias de esto son importantes: siendo él quien debería dar cohesión a la obra, al carecer de una organización que se exprese a través de un conflicto o una serie de ellos, al caracer de un conjunto de contradicciones que le dé sentido como personaje, entonces toda la estructura general de la obra, en el nivel semántico, resulta endeble, y ello a pesar de la coherencia de algunos de sus capítulos, como la casi totalidad del capítulo primero o del VIII.

Evidentemente, ésta es una objeción seria, y debe ser sustentada de alguna manera. Sin pretender ser sicologista, me veo obligado a recurrir a algo así como el nivel «sicológico» del personaje, aunque particularmente disiento con un enfoque basado en forma exclusiva o predominante en este criterio. En realidad, no se trata de comprender sicológicamente al personaje, sino de explicitar su escala de valores (lo que correspondería al ideal del «yo» en sicoanálisis). Al tratar de detectar la escala de valores del personaje no me dedicaré a descubrir qué valores pregona, sino qué valores expresa poseer a través de sus conductas concretas. Y es aquí donde nos encontramos con la dificultad: el personaje resulta incoherente, lo que semánticamente no es lo mismo que contradictorio. En efecto, en el capítulo I y en el VIII, por ejemplo, así como en numerosos fragmentos de otros capítulos, aparece como un personaje comprometido en lo que narra, sustentando los valores de los redentores. Y es entonces cuando la obra alcanza su mejor nivel estético. En otros momentos, en cambio, aparece como un pecador (bebe, se emborracha y traiciona). Sin embargo, de ninguna manera el personaje acepta en la obra su pecado (se supone de todos modos que sí, aunque esto es precisamente lo que le falta al texto para adquirir cohesión: que se explicite esta admisión y ello se convierta en tema, junto con los esfuerzos por redimirse); cuando se muestra deseoso de expiar algo, esto resulta cierto denotativamente, pero no en forma connotativa: se admite culpable con las palabras, pero nada más. Así, pues, podemos decir que el «drama» de la novela, la oposición pecadores-redentores, aparece narrada por un integrante de dicho drama, que sin embargo por momentos no puede ser reconocido connotativamente en su papel de tal. En términos generales, se podría decir que el personaje está «desdibujado»; yo diría: deficientemente dibujado. Ni siquiera da la impresión de un personaje estéticamente amorfo.

En algunos fragmentos de la obra se realizan intentos de resolver esta dificultad, pero sin éxito, porque se dan en un nivel denotativo y no connotativo.

El final de la obra es la expresión del fracaso del intento de cohesión en el nivel semántico: queda resuelto a través de un personaje que es ajeno al drama central, es ajeno a la tensión semántica de la obra, e inclusive a su narración más superficial: Rosa Monzón. Así, pues, lo que había comenzado como una evocación comprometida que un personaje (Miguel Vera) hace de otro que se ha redimido (Macario Francia), tiene un cierre completamente extraño a la polaridad redimidos-no redimidos, e inclusive al de la alteración de estos valores.

IX. *La cohesión interna en el nivel sintáctico*

Es más sencillo detectar la falta de cohesión interna en este nivel: por momentos se rompe la unidad en la clase de signos y se recurre a signos de otro idioma, el guaraní, que en este caso podemos considerar extraliterario, no porque no ofrezca posibilidades literarias, sino porque desborda los límites de esta novela escrita en castellano.

Con esto considero haber alcanzado el segundo objetivo que señalé páginas antes. Pero no quisiera terminar este trabajo sin pasar antes de un enfoque sincrónico a un enfoque diacrónico.

X. *Roa Bastos 1959-1969*

Hasta aquí me he referido a *Hijo de hombre.* A continuación trataré de tender una línea entre esta novela y los cinco cuentos iniciales de *Moriencia* 7. Un enfoque diacrónico como éste me permitirá postular algunos nexos y, además, realizar una predicción.

En estos cuentos vemos que se repiten los núcleos semánticos que polarizaron la obra anterior:

> Ya por entonces (desde que me acuerdo) la gente se mandaba mudar. Uno después de otro, como si los agarrara una enfermedad de la que solamente se podían curar yéndose. Sin decir nada a nadie; sin despedirse siquiera. En tren, o a pie por el camino, muchas leguas, hasta el cruce de la ruta por la que pasan los camiones hacia el sur. Con lo puesto; como para pegar la vuelta en seguida. No vuelven más. Y hasta los que se han ido la víspera parece que faltaran hace mucho tiempo. Si vuelven alguna vez, vienen cambiados. Son otros. Llegan como extraños que sintieran vergüenza por alguna antigua mala acción. Todo falso en ellos: el parecido con las caras que llevaron al salir; la ropa, la tonada nueva que traen. Sólo su olor a lejos es cierto. Cuando el maestro se encuentra con estos lejeños de paso, ni el saludo. Los mira con desprecio. Y si alguna vez fueron sus alumnos, menos que mirarlos. ...Los más chicos los miramos con envidia. Esa lejanía que traen escondida en la mirada como una culpa; las golosinas que se sacan de los bolsillos para hacerse perdonar. Andamos detrás de ellos, riéndonos, con una risa de plata, los dientes forrados con los papelitos de los chocolatines. ...Vienen y se van otra vez en seguida, como escapados (pp. 29-30).

Compárese esto con lo descripto en el apartado «Pecadores y redentores en la narrativa de Roa Bastos».

Es evidente que el hecho de que se repita el conjunto de valores contrapuestos de ninguna manera indica una pérdida o un estancamiento desde el punto de vista estético.

Por otra parte, en estos cuentos han desaparecido los disloques en la cohesión interna semántica de la obra.

Igualmente, desde el punto de vista sintáctico nos encontramos con algo importante: parecería como si Roa Bastos hubiese encontrado una nueva forma de seleccionar y combinar sus signos, en la cual se encuentran incluidos, reelaborados, sus anteriores sistemas estilísticos.

Confío en que el respeto, el afecto y la gratitud que tengo por la persona de Augusto Roa Bastos no influyan sobre el juicio que voy a emitir, como síntesis, acerca de su obra con un enfoque sincrónico (juicio que a su vez supone una predicción): existe una evolución con un progresivo enriquecimiento estético en la narrativa del autor, consistente en la creciente articulación y densificación de los niveles hasta entonces no totalmente coherentes: sintáctico, semántico y pragmático.

Si reconsideramos esta afirmación en términos de la gramática generativa (1) (2) podríamos afirmar que Roa Bastos ha logrado (o está en proceso de lograrlo) una mayor complejidad y coherencia en cuanto a las estructuras profundas de su mensaje, cuya evidencia se revela en el nivel de la articulación de los signos en su producción narrativa.

Bibliografía

1. Chomsky, N.: *Lingüística cartesiana,* Gredos, Madrid, 1969.
2. — *Aspectos de la teoría de la sintaxis,* Aguilar, Madrid, 1970.
3. Greimas, A. J.: *Semantique structurale,* Larousse, París, 1966.
4. Maldavsky, D.: *Las crisis en la narrativa de Roberto Arlt,* Escuela, Buenos Aires, 1968.
5. — En «Autocrítica» de Roa Bastos con David Maldavsky, *Los libros,* 1970, 12.
6. — «La transmutación intelectual de las experiencias vitales en la narrativa de Borges», *Testigo,* en prensa.
7. Morris, C.: *Signos, lenguaje y conducta,* Losada, Buenos Aires, 1962.
8. Roa Bastos, A.: *Hijo de hombre,* Losada, Buenos Aires, 1967, 3.ª ed.
9. — *Moriencia,* Monte Ávila, Caracas, 1969.

«Hijo de hombre»: *El mito como fuerza social*

Adriana Valdés
Ignacio Rodríguez

1. *Introducción*

Hijo de hombre es una novela de la cual pueden decirse muchas cosas, una novela de múltiples lecturas. Su «mensaje» parece claro y explícito, y lo es: busca una definición del ser paraguayo, y a través de ella una visión del hombre como tal. Sus personajes son profundamente paraguayos, viven la historia, las tradiciones, los mitos del Paraguay; sufren sus guerras, piensan sobre sus hombres, y el quijotesco y suficiente país parece más personaje que ellos mismos. «Acaso su publicidad» (la del manuscrito de Miguel Vera) «ayude» —dicen las últimas líneas de la novela— «aunque sea en mínima parte, a comprender, más que a un hombre, a este pueblo tan calumniado de América, que durante siglos ha oscilado sin descanso entre la rebeldía y la opresión, entre el oprobio de sus escarnecedores y la profecía de sus mártires» [1]. Desfilan ante nosotros, en la novela, todos

[1] Roa Bastos, Augusto: *Hijo de hombre.* Editorial Losada, Buenos Aires, 1967 (3.ª ed.), p. 281.

los hechos más importantes de la historia del Paraguay; desde la dictadura de don José Gaspar de Francia, pasando por la increíble guerra de don Francisco Solano López, hasta la historia épica de la Guerra del Chaco, cuyo desarrollo y resultado ocupan más de la mitad del relato. Los hechos están situados geográfica y temporalmente: Sapukai, Itapé, Asunción, la batalla de Boquerón; los personajes como Aimé Bonpland (naturalista francés, discípulo de Humboldt), Madame Lynch (amante del tirano López), el general Estigarribia (caudillo creador de la victoria paraguaya) son históricos. No ha podido perseguirse con más ahínco la presentación de la historia real, no alegórica ni mítica, sino enraizada en el acontecer concreto y documentado. Más aún, la narración de las peripecias de los personajes apuntan a actitudes fundamentales de diversos grupos de paraguayos (véase, por ejemplo, el capítulo «Estaciones», una especie de corte transversal de la realidad paraguaya), y la misma actitud de los personajes ejemplares, como la de Kiritó, encarna de algún modo la saga de un país que se enfrenta constantemente a desafíos desmesurados y trágicos, un país cuya histora ha sido la de la destrucción y el sacrificio, junto a increíbles resurgimientos. Narración y situación, ideología y procedimientos formales, todos apuntan a esta investigación del ser paraguayo que hemos querido ver en esta novela, y que ya ha sido suficientemente señalada por la crítica [2].

Sin embargo, esta investigación no se agota en lo histórico. Cualquier lector atento puede descubrir otras dimensiones en *Hijo de hombre.* El primer capítulo —que da título al libro y advierte al lector sobre el carácter maravilloso implícito en una narración más «realista» en los capítulos que siguen— es como una iniciación mítica [3]. No nos falta el personaje que oficia, Macario Francia, el viejo

[2] Véanse, por ejemplo: Rodríguez Alcalá, Hugo, «*Hijo de hombre,* de Roa Bastos, y la Intrahistoria del Paraguay», *Cuadernos americanos,* 2 (marzo-abril 1963), pp. 221-234, publicado también con el título «El sentido universalista de *Hijo de hombre,* de Roa Bastos, o la Intrahistoria del Paraguay» en *Sugestión e Ilusión* (Ensayos de Estilísticas e Ideas), Universidad Veracruzana, México, 1967; Benedetti, Mario, *Letras del Continente mestizo,* Ed. Arca, Montevideo, 1967; Kleinbergs, Andris, «Estudio estructural de *Hijo de hombre,* de Roa Bastos», *Atenea,* año XLV, tomo VLXVII, núm. 420, abril-junio de 1968; y artículos periodísticos como los siguientes: Martínez, Tomás Eloy: «Roa Bastos y la América verdadera» *(La Nación,* Buenos Aires, 2 de octubre de 1960); Trenco, Rosaura, G. M. de: «*Hijo de hombre,* de Augusto Roa Bastos», *(Acción,* Montevideo, 30 de octubre de 1960); Oviedo, José Miguel: «Hombre, pueblo y novela del Paraguay» (de un diario de Lima (fotocopia sin datos, facilitada gentilmente por la Editorial Losada de Buenos Aires); De la Selva, Mauricio: «La novela triunfadora, de Roa Bastos» *(Excelsior,* México, D. F., 15 de enero de 1961); Mazzanti, Carlos; «*Hijo de hombre*» *(Noticias Gráficas,* Buenos Aires, 31 de julio de 1960); Ferro, Hellen: «*Hijo de hombre*» *(Clarín,* Buenos Aires, 27 de octubre de 1960).

[3] Sobre el sentido de la iniciación mítica, véase Eliade, Mircea: *Mitos, sueños y misterios,* Compañía General Fabril Editora, Buenos Aires, 1961.

pequeñito y andrajoso que surge «como una visión del pasado» [4], que «se pierde entre los reverberos, a la sombra de los paraísos y de las ovenias que bordeaban la acera», aquél que era «la memoria viviente del pueblo» [5]. Sólo estas frases nos recuerdan otros personajes que, en la novelística latinoamericana, tienen semejante función carismática, que también encierran el poderoso influjo de un misterio [6].

Muchos detalles en la narración nos remiten a un mundo que trasciende lo natural. En primer lugar, el carácter maravilloso de las revelaciones de Macario está destacado constantemente en el primer capítulo de *Hijo de hombre;* él mismo, y todo su auditorio de niños casi púberes, rodean de ritos al relato sagrado:

> Su retraimiento era completo cuando alguna mujer se colaba en el ruedo. Nunca habló de Gaspar delante de ellas, a saber por qué. Ya caduco y tembleque las descubría en seguida. Se agazapaba entonces en un mutismo huraño. Si se hallaba cerca del fuego, Macario escupía sobre las brasas. Durante un largo rato no se oía más que el chirrido de esos escupitajos sobre el fuego, del que subían hilachas de un vapor amarillo. La intrusa no tenía más remedio que irse.
>
> Macario recomenzaba a partir del cometa [7].

La interrupción del rito hace que toda la ceremonia iniciática deba comenzarse de nuevo, con un método adecuado de purificación. Y las primeras excluidas de este rito, como del sacerdocio o de las sociedades secretas de hombres en tantas costumbres religiosas, son las mujeres [8]. El lugar donde está Macario es apartado de los usos comunes, santificado y consagrado por la palabra. Macario es algo así como un evangelista, alguien que predica narrando la vida de otro: la de Gaspar Mora, figura ejemplar que inicia el libro y da sentido a las vidas de muchos de sus personajes. «El rito apunta al mito; también podría decirse que tiene la facultad de suscitarlo, o, al menos, de reafirmarlo... es una manera de incorporarse a ella (a la historia mítica) y a la vez reencarnarla sobre la tierra de los hombres...». A través de la narración, y de los preparativos rituales que la cercan y acompañan, «el individuo cotidiano tiene acceso... a una superrealidad que lo transfigura y transfigura el esquema de su

---

[4] Roa Bastos: *op. cit.,* p. 11.

[5] *Ibid.,* p. 14.

[6] Sin duda recordamos a Melquiades, de *Cien años de soledad,* y a Mackandal, Berúa, Ogé, personajes de Carpentier estudiados por Carlos Santander (véase «El tiempo maravilloso en la obra de Alejo Carpentier») *Estudios filológicos* número 4, 1968.

[7] Roa Bastos, *op. cit.,* p. 20.

[8] Véase Eliade, *op. cit.,* pp. 235 y ss.

vida»[9]. El rito, en toda sociedad primitiva, es un medio para marcar la frontera entre lo natural y lo preternatural o maravilloso[10]; entre lo cotidiano y lo que posee *mana,* o esa misteriosa fuerza vital que, para el primitivo, puede encarnarse en los objetos o en las personas. Lo sagrado —a la vez *tremendum* y *fascinnans*— se siente como una nueva dimensión que da significado y dinamismo al mundo. No se trata de meras leyendas; Macario y su auditorio creen firmemente en la realidad de los hechos narrados y, más todavía, buscan adecuar su conducta vital al significado íntimo de lo que oyen.

No sucede otra cosa en el breve episodio en que, por primera y quizá única vez en su vida de desertor, el narrador, Miguel Vera, se arriesga y mortifica por algo que considera sagrado.

> Pero después entre los dos, una vez que me agarraron solo, casi me ahogaron en el remanso, porque yo no dudaba y porque quisieron desquitarse del trago de tierra que hicimos comer a Pedro los defensores de Gaspar.
>
> Me salvé porque sabía nadar y zambullir más que ellos. Pero sobre todo porque creía firmemente en algo. Dentro del agua, pegado al limo, tenía bien abiertos los ojos, aguantando la respiración, mientras los mellizos me buscaban para ahogarme. Se fueron porque creyeron que ya me había ahogado. Por eso no vieron las burbujitas de sangre que empezaron a soltar mi nariz y mis oídos.
>
> En el abombamiento de la asfixia sentía que la mano de madera de Gaspar me sacaba a la superficie. Era un raigón negro, al que me quedé largo rato abrazado[11].

---

[9] Ambas citas son de Gusdorf, Georges: *Mito y metafísica,* Ed. Nova, Buenos Aires, 1960, p. 26.

[10] Creemos útil la denominación «preternatural» que adopta el profesor Richard Chase para su estudio sobre el mito. «'Sobrenatural' —dice— implica una distinción filosófica entre lo objetivo y lo que está más allá de los sentidos, distinción que el primitivo no hace y que nosotros no deberíamos hacer al estudiar la sicología mitopoyética. Más aún, tiene connotaciones teológicas que podrían desviarnos de camino. 'Preternatural' significa, en estas páginas, lo mágico, lo increíble, lo maravilloso, lo misterioso, lo terrible, lo peligroso y lo extraordinario.»

En resumen, todo lo que tenga *mana* es «preternatural».

(Chase, Richard: «Myth as literature», capítulo de su libro *Guest of Myth,* antologado por Miller, James E., en el volumen *Myth and method,* Modern theories of fiction, University of Nebraska Press, 1965, 4.ª ed.).

Carlos Santander, en su estudio sobre Carpentier, adopta un criterio surrealista: «Lo maravilloso no es lo sobrenatural, sino una 'segunda realidad' implícita en los objetos que se nos revela a través del inconsciente y de la imaginación.» Véase Santander, Carlos: «Lo maravilloso en la obra de Alejo Carpentier», *Atenea,* año XLII, tomo CLIX, núm. 409, julio 1965.

Este concepto es criticado por Emil Volek («Análisis e interpretación de El reino de este mundo y su lugar en la obra de Alejo Carpentier», revista *Unión,* La Habana, núm. 1, año VI, marzo 1969).

[11] Roa Bastos, *op. cit.,* p. 23.

Este trozo evoca las bárbaras ceremonias de iniciación de los jóvenes, en los que éstos eran sometidos a sufrimientos y a una muerte simbólica. La resistencia al sufrimiento que demuestra el niño, junto a la fuerza de una fe que lo salva, apuntan a la eficacia mítico-religiosa de las narraciones de Macario. Indican también un curioso rasgo que toma lo mítico en *Hijo de hombre:* la conciencia de lo maravilloso —«sentía que la mano de madera de Gaspar me sacaba a la superficie»— va acompañada siempre, a renglón seguido, de una no menos fuerte conciencia de lo real —«era un raigón negro, al que me quedé largo rato abrazado»—. Las dos dimensiones —real y mítica— van siempre unidas, explicándose una y otra, casi implicándose mutuamente [12]. Es por eso que el concepto de lo «sobrenatural» no tiene cabida en la interpretación de esta novela, y sí la tienen el concepto de religión y el concepto de mito: una religión y un mito que nacen de la fe y la voluntad de los hombres, no de la intervención de un poder sobrenatural.

Junto a la presencia del rito y de la iniciación, innumerables detalles pequeños nos van indicando el contenido mítico de la narración y su relación con las formas primitivas de aprehender el mundo. Tal vez lo más evidente está en los nombres de los personajes, que relacionan de manera inmediata lo narrado con la historia de Cristo: Cristóbal (Kiritó), figura y portador de Cristo, tiene una madre llamada Natividad, y todas las demás mujeres que juegan papeles importantes llevan el nombre de María; María Rosa, María Regalada y María Encarnación (Salu'í). (La evidencia de este símbolo reiterado recibe una curiosa confirmación en el cambio de nombre que sufre Salu'í en la versión cinematográfica de la novela, cuyo guión fue hecho por el mismo Roa Bastos. Si las Marías de la novela se prefiguran y repiten entre sí, dando un sentido a la continuidad del nombre, éste no se justifica ya cuando se presenta una sola historia, la de Kiritó. Salu'í —la arrepentida— se llama en la película Magdalena.) También hay otros ecos mitológicos o religiosos: la historia de Judas tiene su réplica exacta en la del campanero de Itapé, que se ahorcó tras haber querido traicionar al Cristo leproso. Gaspar Mora

---

[12] El autor se preocupa de la verosimilitud, y atribuye inmediatamente a causas sicológicas los hechos más extraordinarios. Otros ejemplos: cuando Natí y Casiano son rescatados en una carreta guiada por un hombre «asombrosamente parecido al abuelo muerto» —una carreta irreal y fantástica, rodeada de misterios— se dice que la mujer mira al viejo que los conduce y nota el parecido, «pero acaso era porque lo veía con los ojos de Casiano. Cada vez estaba más sugestionada por él» (p. 115). Al extrañarse todos de oír la guitarra de Gaspar Mora una vez que éste ha muerto, tampoco falta la explicación: «Aun después de muerto Gaspar en el monte, más de una tarde oímos la guitarra. La voz de Macario se recogía temblona. En el silencio del anochecer en que ondeaban las chispitas azules de los muas, empezábamos a oír bajito la guitarra que sonaba como enterrada, o *como si la memoria del sonido aflorase en nosotros bajo el influjo del viejo*» (p. 21).

evoca un Orfeo americano, mientras que el viaje alucinado e inútil —a lo menos en apariencia— que emprende Casiano con su vagón no deja de tener ecos del trabajo de Sísifo. Encontraremos, sin buscar mucho, un chivo expiatorio [13], una zarza ardiendo (como en la historia de Moisés), un éxodo que da título a todo un episodio, y referencias al paraíso perdido y al Génesis: «Estas serían las cenizas del Edén, incinerado por el castigo, sobre las cuales los hijos de Caín peregrinan ahora trajeados de kaki y verdeolivo» [14]. Para indicar el transcurso del tiempo, los plazos se transforman en semimíticos. No hay ya años: «Fue cuando el cometa...» [15]. La suerte de Gaspar se transforma también en mítica: «Se lo llevó el cometa», dice con tranquila desesperación María Rosa, la loca de Caroveni. Y luego, como en *Cien años de soledad* (aunque antes), la verdad más honda y significativa no estará en los hechos aparentemente objetivos, sino en la boca de los locos.

> Cuando le escuchábamos ya nadie pensaba en morir —decía la chipera lunática de Caroveni—. Se durmió en el corazón de la madera. Estaba muy cansado, porque tuvo que luchar todo el tiempo con un gran murciélago... Pero algún día despertará y vendrá a llevarme. ¡El cometa lo volverá a traer...! Le clavaron las manos y los pies... Pero el cometa lo despertará y lo volverá a traer del monte... [15a].

La locura hace perder todo contacto con lo cotidiano, y sin embargo, al bajar a las regiones del inconsciente, se acerca a una sabiduría misteriosa y primaria, tal vez a las imágenes del inconsciente colectivo (como quería Jung). La loca de Caroveni veía más lejos que todo el pueblo: en su propio lenguaje nos habla de la muerte y la resurrección de Gaspar y del hombre. Por algo, «sólo el Cristo tendía hacia ella los brazos» [15b].

Por sobre todos los detalles que hemos anotado, el clima mítico reside, más que nada, en la concepción fundamental del mundo que se revela a través de gran parte de los personajes en *Hijo de hombre*. No existen, para ellos, los férreos límites que separan al reino vegetal,

---

[13] Léase el comienzo de «Fiesta»: toda la furia con que el capitán Mareco busca a Kiritó se gasta en los innumerables balazos que da al animal más característico de cuantos se sacrificaban a las antiguas divinidades para aplacar su enojo y librarse de los males: un chivo expiatorio. La acción siguiente —especialmente a través de las palabras de María Regalada— nos señala que es a la muerte del chivo que se debe el abandono de la búsqueda de Kiritó. «Algunas veces —dice Cassirer en su *Antropología filosófica*— el pecado es transmitido a un animal, el chivo emisario o un ave que vuela y escapa con el pecado» (página 160).

[14] Roa Bastos, *op. cit.*, p. 196.

[15] *Ibid.*, p. 27.

[15a] Roa Bastos, *op. cit.*, p. 21.

[15b] *Ibid.*, p. 30.

al reino animal y al mundo sobrenatural de las experiencias humanas. Hombre y paisaje, hombre y animal, hombre y espíritu, se manifiestan del mismo modo, casi en igualdad de condiciones, asemejándose cada vez más unos a otros. La naturaleza es una, y en ella el hombre y los otros seres son capaces de extrañas semejanzas y mutaciones.

El hombre se parece, por ejemplo, al paisaje en que crece. Cuando describe por primera vez a Kiritó adulto, Miguel Vera nos dice que «su semblante terroso era el paisaje en pequeño, hasta en los rastrojos de la barba» [16]. Cristóbal y Natí, al huir del yerbal, se cubren de barro para despistar a los perros, y «menos que seres humanos, ya no son sino monigotes de barro cocido que se agitan entre el follaje» [17]. La condición humana, degradada brutalmente, es igualada a la de los animales; Kiritó recién nacido, por ejemplo, se describe como «una laucha humana, calladita» [18], «una pequeña liendre humana» [19]. Las humillaciones y el trabajo brutal se miden en la descripción de Casiano, quien acaba de recibir el ultraje de Chaparro: «Detrás, el fardo de troncos arrastrándose casi a flor de tierra, sobre las patas de una cucaracha» [20]. Y el sufrimiento de los seres humanos es sólo un episodio en el sufrimiento de toda la creación:

> Ellos se juntaban y apoyaban en esa humilde comprensión de plantas, de animales, de seres purificados por la desgracia [21].

Esta visión del hombre que apenas —a duras penas, en realidad— se mantiene por sobre las cosas y por sobre los animales, volviendo a lo animal o a lo inanimado a través del sufrimiento, la humillación y la miseria, da un nuevo matiz a la creencia mítica original «de que existe un vínculo común que une a todas las cosas, que la separación entre él (el hombre) y la naturaleza, y entre las diferentes clases de objetos naturales, es, después de todo, artificial y no real» [22]. La guerra, por ejemplo, con su inevitable secuela de sufrimientos, producirá el mismo efecto que el trágico éxodo de Casiano y Natí.

> Nada resultaba tan absurdo como este vestigio de parada militar en medio del pandemonio, marcando el paso de los soldados que ahora marchaban realmente a la batalla. Los pies descalzos eran de tierra. Las caras, ya también de tierra. La tierra subía en oleadas y comenzaba a tragarlos vorazmente. No eran más que eso:

[16] *Ibid.*, p. 126.
[17] *Ibid.*, p. 79
[18] *Ibid.*, p. 109.
[19] *Ibid.*, p. 123.
[20] *Ibid.*, p. 94.
[21] *Ibid.*, p. 88.
[22] Cassirer, Ernst: *Antropología filosófica*, F. C. E., México, 1967, p. 145.

hormigas de la guerra, el fusil al hombro, la impedimenta a la espalda, rumbo a las líneas [23].

Si el hombre sufriente está siendo continuamente degradado al nivel de la tierra o de los animales, el hombre decidido y valeroso, el hombre que enfrenta su adverso destino de modo creador, tiene también acceso fácil a esferas preternaturales. Volvamos a Casiano y a Natí: acaban de saber que tendrán un hijo. Y en ese momento sagrado en que están «enredados en ese misterio que está germinando en ella, lo único eterno que pueden hacer un hombre y una mujer sobre la tierra, aunque sea tierra de cementerio» [24]; ellos sienten (o ven; no se sabe y da lo mismo, porque es una realidad, sea síquica o física) que «el anciano de barba blanca, que había fundado Sapukai con otros agricultores el año tremendo del cometa, atravesó la crujiente pared de palmas y les sonrió en la oscuridad» [25]. Es el abuelo Cristóbal, cuyo nombre llevará el hijo. Para Casiano y Natí, que son personajes de conciencia primitiva, el fenómeno mítico se introduce sin dificultad en sus vidas: como para el salvaje, para ellos los objetos mismos no son indiferentes, sino empíricamente teñidos de afectividad. No hay diferenciación radical entre el mundo síquico y el mundo físico, entre lo subjetivo y lo objetivo.

> La percepción mítica —dice Cassirer— se halla impregnada siempre de estas cualidades emotivas; lo que se ve o se siente se halla rodeado de una atmósfera especial, de alegría o de pena, de angustia, de excitación, de exaltación o de postración. No es posible hablar de las cosas como de una materia muerta o indiferente. Los objetos son benéficos o maléficos, amigables u hostiles, familiares o extraños, fascinadores y atrayentes o amenazadores y repelentes... [26].

Todas las potencias afectivas humanas se encuentran encarnadas en el mundo; se manifiestan a través de las cosas y de las personas, reales o imaginarias.

La permeabilidad entre las diversas esferas de la vida —vegetal, animal, síquica— es un rasgo fundamental de la cosmovisión mítica y primitiva.

> Los límites entre las diferentes esferas no son obstáculos insuperables, sino fluyentes y oscilantes; no existe diferencia específica entre los diversos reinos de la vida. Nada posee una forma definida, invariable, estática; mediante una metamorfosis súbita, cualquier cosa puede transformarse en cualquier cosa. Si existe al-

---

[23] Roa Bastos, *op. cit.*, p. 206.
[24] *Ibid.*, p. 90.
[25] *Ibid.*, p. 90-91.
[26] Cassirer, *op. cit.*, p. 119.

gún rasgo característico y sobresaliente del mundo mítico, alguna ley que lo gobierna, es esta de la metamorfosis[27].

Al hablar en detalle sobre la función del mito en *Hijo de hombre,* veremos cómo esta «ley de la metamorfosis» a que alude Cassirer es una expresión más de una visión honda de lo humano. Como el hombre primitivo, aunque sin tener siempre conciencia de ello, el hombre de nuestros días está ante una opción existencial: sólo su propia fuerza interior, su propia fe, pueden hacerlo trascender la tristeza de su condición. Mientras todas las circunstancias externas tienden, como en el caso de Casiano, a reducirlo hasta un nivel animal, otros impulsos, no racionales, pero sí íntegramente humanos, lo empujan hacia un nivel superior. Y lo mítico es, en esta novela, patrimonio de los que oyen la voz misteriosa que empuja al hombre a esfuerzos imposibles, aparentemente estériles, pero cargados de sentido solidario.

Múltiples planos de lo mítico juegan en *Hijo de hombre.* Por una parte está el pueblo que vive, aún, un modo mítico de conciencia. Por otra, el hombre contemporáneo que parece haber perdido, como Vera, su contacto con las raíces de su propio actuar. Y está también el novelista, quien debe introducir al lector en estas formas de conciencia que le son del todo ajenas: también la novela exige una «iniciación», y su estructura misma debe corresponder al mundo presentado. El mito modifica la estructura novelesca y da origen a formas peculiares de narrar. Hemos pensado que dos aspectos pueden ilustrar claramente el modo en que el mito se presenta en esta novela: la presentación de los personajes y la fisonomía propia de las imágenes. De ahí la división de este artículo. Los personajes están tratados por Ignacio Rodríguez; las imágenes, por Adriana Valdés.

2. *Personajes y mito en* Hijo de hombre

Esta novela del paraguayo Augusto Roa Bastos es citada por la crítica entre las obras consideradas como más significativas de la actual narrativa latinoamericana. Obtuvo el primer premio de la Editorial Losada y fue publicada en 1960, recorriendo desde entonces un largo camino más bien silencioso. En todo caso, la mayoría de los artículos, reseñas o ensayos que respecto a ella se pueden encontrar, no demuestran un intento de profundización ni de compresión. Se limitan casi todos a destacar lo evidente, y muy pocos a descubrir su verdadero trasfondo: el mito como eje estructural de la novela, como motor significativo y a la vez creador de su propia forma narrativa. Un «mito» que no nos traslada a un pasado

---

[27] *Ibid.,* p. 126.

remoto, sino que concentra en el presente fuerzas que pertenecen al pasado y se proyectan al futuro; un «mito» que se presenta en la novela como fuerza social, impulso permanente hacia el cambio y la redención del hombre. Este contenido total y último de la obra se hace ya palpable desde el primer capítulo, que no sólo le da nombre a la novela, sino que, además, le otorga profundidad mítico-religiosa a los restantes pasajes de la narración que por sí solos no alcanzarían a conformar una unidad significativa tan coherente ni tan trascendente. Porque es fácil, no teniendo esa visión totalizante en la novela del mito como impulso revolucionario, perderse en lo anecdótico que, por cierto, manifiesta una disparidad externa entre sus partes; «cada episodio, dice Mario Benedetti, es un caso curioso de independencia y a la vez de conexión»; caso curioso porque la estructura de la novela es, indudablemente, experimental. Estructura de mosaicos que el lector ha de unir para que aparezca la figura.

> Se avanza y retrocede en el tiempo, escribe el mismo Benedetti, deja y retoma el relato en primera persona, ve al protagonista desde dentro y desde fuera, da cuidadosa forma a determinados personajes y luego los abandona [1].

Pero este «archipiélago narrativo» aparente, que como una pintura impresionista sólo se puede visualizar en su totalidad desde una determinada perspectiva y distancia, se continentiza a partir del sentido mítico-religioso que propone, como ya advertimos en el primer capítulo, y de las ideas y actitudes fundamentales que circulan cíclica y tenazmente de generación en generación cíclica y colectivamente a través de una constante conciencia mítica sostenida por personajes arquetípicos. Pero es también mediante la sucesiva progresión y desarrollo de la actitud fundamental de esos hombres-héroes, que la unidad significativa y la estructura narrativa van evidenciándose, de modo que la novela, lentamente, emerge desde una aparente desconexión a un todo que hay que analizar situándose en su propia perspectiva mítico-religiosa; desde esa situación, la distancia exacta para apreciar la pintura en su totalidad, es posible observar una serie de paralelismos que componen los perfiles reiterativos de los personajes míticos, sólo desconectados en el tiempo cronológico de la acción; obsérvense, por ejemplo, las características y actitudes similares de las mujeres que intervienen en la vida de esos personajes; la constante voluntad obsesiva que los domina e impulsa a todos; la posesión que tienen de un objeto —guitarra, perro, camión, vagón de ferrocarril— de profundas resonancias simbólicas, etc. Pero es indudable que el primer paralelo, y

---

[1] Mario Benedetti: *Letras del continente mestizo,* Ed. Arca, Montevideo, página 89.

el de mayor trascendencia para la novela, es el que se establece entre la vida y la acción emprendida por los personajes aquetípicos y la «historia» de Cristo, trasladándose esta «historia» desde un plano espiritual —la salvación del alma—, a un plano social —la redención del hombre ahora y aquí.

Si quisiéramos resumir en pocas palabras el tema de esta novela, podríamos decir, sin agotarla, que es la voluntad de redención social de un pueblo que ha asumido, en algunos de sus hombres, las potencias primordiales de una actitud heroica no gobernada por la razón, sino por algo mucho más profundo y mucho más humano: por el corazón. «Su tema trascendente», ha escrito el mismo Roa, «al margen de la anécdota, es la crucufixión del hombre común en la búsqueda de solidaridad con sus semejantes; es decir, el antiguo drama de la pasión del hombre en la lucha por su libertad, librado a sus solas fuerzas en un mundo y en una sociedad inhumanas que son su negación» [2]. Hemos usado la palabra «redención» en el mismo sentido que Roa utiliza la palabra «crucifixión»; o sea, para destacar el carácter religioso de la obra y subrayar el paralelo que se traza entre el evangelio y esta novela. Pero, y como ya se dijo, invirtiendo el significado evangélico en lo que éste tiene de esencial; aquí Cristo es, sencillamente, hijo del hombre y no, oscuramente, hijo de Dios. Esto nos obliga, como se comprenderá, a excluir del término «religión» todo lo que de divino nos propone, y limitarlo estrictamente a lo humano. En definitiva, la novela pretende «fundar» una religión de la humanidad, un camino del hombre (Kuimbaé-Rapé) en oposición a un camino de Dios (Tupá-Rapé) [3]. Digamos desde ya que el sacerdote de esta religión es Macario, el anciano con cuya descripción inicia Miguel Vera el relato, los huesos y la piel desde los que podría partir el ciclo mítico que jamás alcanzará su redondez, sino que seguirá cerrándose y cerrándose a través de muchas muertes. Porque es la muerte, por último, la desembocadura común de todas las acciones y de todos los personajes, una muerte que, por cierto, no es un enfrentamiento angustioso del hombre con la nada, sino una suerte de liberación o, en todo caso, una responsabilidad que se asume como un inevitable y último acto de creación. Si es liberación, lo es de la miseria concretizada simbólicamente en los leprosos que anónima y fantasmalmente rodean las poblaciones en que transcurre la narración, y más tarde de la sed que atormenta a los soldados metidos en una guerra absurda en el desértico y enorme territorio del Chaco. Es interesante comprobar al respecto que el pri-

---

[2] Augusto Roa Bastos: cit. por Hugo Rodríguez-Alcalá en: «Sugestión e ilusión», Cuadernos de la Facultad de Filosofía, Letras y Ciencias, Universidad veracruzana, México, núm. 37, 1967, p. 82.

[3] A. Roa Bastos: *Hijo de hombre,* Buenos Aires, Editorial Losada, 3.ª edición, 1967, p. 38.

mer personaje arquetípico, el que realmente inicia el período de ciclo que narra la novela, Gaspar Mora, no muere a consecuencia de la lepra que lo impulsa a autodesterrarse de Itapé, sino que muere de sed; es encontrado su cadáver en la orilla del río que una larga sequía dejó sin agua, seco él mismo después del olvido en que lo tuvieron sus compueblerinos. Por esto, y dado el clima mítico que respira la novela, es de alguna manera legítimo decir que Kiritó, además de llevarle agua en su camión a los soldados de Boquerón, inconscientemente se la está llevando también a su antepasado Gaspar Mora, porque, y como veremos luego, ellos dos y Casiano Jara, los personajes míticos por excelencia, no representan más que edades distintas de la evolución de una misma actitud y una misma voluntad. Así, lo que a simple vista parece un esfuerzo inútil de Kiritó, que le lleva agua a soldados que el lector sabe muertos ya, aunque él mismo no lo sepa, adquiere un significado superior: el agua es llevada por el último personaje mítico al primero de ellos; el ciclo sólo está inconcluso porque la muerte separa. Pero el agua cayendo del camión sobre la tierra paraguaya, hace germinar y preserva el espíritu del músico leproso Gaspar Mora, asegura el crecimiento y la fertilidad de la actitud heroica y la voluntad obsesiva de redención. La semilla se puede prolongar, por ejemplo, en los niños Alejo y Cuchuí, que vagabundean por la novela.

Miguel Vera: narrador de lo «imposible»

Se podría pensar que Roa cae en la ya vieja tipificación a que la novela tradicional latinoamericana sometió a sus personajes; en el simplismo épico que denuncia Carlos Fuentes, reconociendo, sin mayor dificultad, al hombre explotado que, por serlo, es bueno, y al que explota, intrínsecamente malo [4]; todo lo cual significa una tergiversación radical de la realidad. Pero si en alguna medida es cierto que esto ocurre en *Hijo de hombre,* nos parece mucho más exacto reconocer que el parentesco de los personajes arquetípicos de esta novela con los personajes trágicos del teatro griego, es más que tangencial. Y allí no hay «simplismo épico», sino trascendencia épica. Se trata, en esta novela, no de hombres agobiados por una realidad adversa e injusta, ni aniquilados por una naturaleza destructora, sino de seres que arremeten contra esa realidad y esa naturaleza, movidos, desde el fondo de su ser, casi desde el inconsciente, por una «pasión simple» y total. Si a los personajes de *La vorágine* « ¡se los tragó la selva! », a estos seres compactos y ajenos a sí mismos que luchan y mueren en *Hijo de hombre* se los tragan sus propios

[4] Carlos Fuentes: *La nueva novela hispanoamericana.* Cuadernos de Joaquín Mortiz, México, 1969, p. 14.

destinos, la inmensidad de cada uno de ellos, sus imposibles intentos de redención a que aspiran con sacrificios descomunales y significativos mucho más allá de lo que ellos mismos son capaces de comprender. No son producto de un mero naturalismo literario ni «campo de experimentación sicológica», sino hombres encomendados desde siempre a cumplir la misión de rescate del hombre, personajes por los que respira la humanidad inconmovible, estúpida y racional. No alterando en mucho su significado, podemos adaptar a esta novela una idea que Carlos Fuentes expresa respecto a *Pedro Páramo:* Roa Bastos procede, en *Hijo de hombre,* a la mitificación de las situaciones, los tipos y el lenguaje del campo paraguayo... [5] aclarando, desde ya, que Roa no logra, por el lenguaje ni por la estructura, separarse totalmente de un cierto tipo de novela latinoamericana «más cercana a la geografía que a la literatura», situándose en el «límite entre dos modos de narrar» en el continente:

> entre un planteamiento todavía exterior y naturalista, y un lenguaje ya marcado por el sentido poético de lo maravilloso [6].

Pero los personajes, que por un lado son alegóricos como en las mejores novelas tradicionales latinoamericanas, están presentados desde una lejanía que prácticamente los hace inabordables, desde la distancia natural que existe entre el hombre «histórico», entre el intelectual desarraigado e incapaz de asumir otras desgracias que las propias, y el hombre primitivo que muchas veces confundiéndose a la tierra y a los insectos de la tierra, aborda como Cristo, aunque sin la conciencia de Cristo, los males del mundo. Y esta distancia, al mismo tiempo que impide el detallismo naturalista y el buceo sicológico, proporciona a la presencia viva de los personajes arquetípicos la atmósfera mítica que les es propia.

Es interesante auscultar las causas de esa distancia, que todo intelectual latinoamericano reconoce entre él y, por decirlo de alguna manera, lo «primitivo». Y es interesante, digo, porque éste es también uno de los temas de la novela, uno de sus asuntos urgentes. Para internarse por este rumbo es necesario contestar a una pregunta que, a lo largo de la lectura, se nos fue haciendo inevitable. ¿Por qué es un intelectual con manifiestas características antiheroicas el narrador de esta novela mitificadora protagonizada por personajes arquetípicos, paradigmáticos? Parte de la respuesta podemos ya recogerla, una vez finalizada la lectura, desde luego, en los versos de *Himno de los muertos de los Guaraníes,* que Roa utiliza como epígrafe: «... He de hacer que la voz vuelva a fluir por los huesos... / Y haré que vuelva a encarnarse el habla... / Después que

---

[5] Carlos Fuentes: *op. cit.,* p. 16.
[6] Ignacio Valente: Augusto Roa Bastos: «Moriencia», *El Mercurio,* Santiago de Chile.

se pierda este tiempo y un tiempo nuevo amanezca...» Aquí viene contenida la «intención» última de Roa Bastos, y la profunda explicación que podemos atribuirle al laconismo jamás roto de los personajes arquetípicos; en ellos la voz no es palabra, no radica en el convencionalismo de los signos su lenguaje. El habla se encarna en la acción de cada uno de ellos, en los viajes míticos que realizan, ya sea empujando un vagón por la selva o conduciendo un camión por el desierto, hacia el enorme objetivo del tiempo nuevo. Pero si sus voces son la acción, si cada una de sus actitudes son signos de un «idioma» que fluye de los huesos, es necesario, no el intérprete (porque el intérprete ha de ser el lector), sino el testigo que cuente con verismo los acontecimiento que lo comprometen, que le ha tocado observar más desde el balcón de la mente que desde la zona intrasferible de las íntimas vivencias. Y si ese testigo es un intelectual, el relato adquiere objetividad y lucidez, la cuota de análisis a que somete su situación personal en relación con la situación observada, terminando por reconocer que esta última, la que le es ajena, lo supera y lo derrota: «Ahora mismo, dice este narrador-testigo (Miguel Vera), mientras escribo estos recuerdos, siento que a la inocencia, a los asombros de mi infancia, se mezclan mis traiciones y olvidos de hombre, las repetidas muertes de mi vida. No estoy reviviendo estos recuerdos; tal vez los estoy expiando» [7]. Por debajo de este lenguaje penitente y reconciliatorio, de este lenguaje externo, físico, convencional y pasivo, forjado en la conciencia de Miguel Vera, nace otro que se va formulando al mismo tiempo que crea sus propios signos, sus propias claves. Y si a veces se materializa y sonoriza en el guaraní, es siempre, y como el guaraní, rastreable sólo en la tradición y antigüedad míticas de un pueblo oscilante entre la opresión y la rebeldía. Un lenguaje silente cuyo físico, cuyo esqueleto no es la palabra, sino los huesos de sus propios inventores: seres enigmáticos y poéticos, autores del símbolo y lo imposible. En esta dirección se verifica una notable síntesis de Carlos Fuentes respecto a la actual novela latinoamericana. Dice: «La certeza heroica se convierte en ambigüedad crítica, la fatalidad natural en acción contradictoria, el idealismo romántico en dialéctica irónica» [8] La dialéctica entre un idealismo trágico e inconsciente, pero asumido hasta la muerte, y un idealismo consciente que por buscar su justificación y razón de ser sucumbe con la razón mismo incapaz de explicarse las obsesiones y alucinaciones, el sentido de urgente trascendencia de la acción mítica.

Un lenguaje narra, cuenta, estructura el pasado, lo ordena, lo transmite; el otro es realidad, encarnación de un tiempo nuevo. Uno es memoria; el otro presente siempre, y anula el fatalismo porque actuando transforma; es crítica dinámica, efectiva y mortal que desde

---

[7] A. Roa Bastos: *op. cit.*, p. 14.
[8] Carlos Fuentes: *op. cit.*, p. 15.

la ambigüedad de la inconsciencia de héroes que no saben que son héroes, derrota a lo imposible con lo imposible. Digamos que los personajes arquetípicos son hombres-lenguaje, y que las verdaderas palabras de esta novela fluyen de sus huesos; pero, compréndase, un lenguaje que nace gracias a la presencia intencionada y estructurada del lenguaje de Miguel Vera.

Quizá la definición exacta de estos dos tipos humanos, el intelectual desarraigado y penitente y el héroe primitivo inconsciente de su heroísmo y la trascendencia salvadora de su acción, la encontremos en la vieja disyuntiva de civilización y barbarie, tal como la concibe Fernando Alegría; cualquiera de los héroes redentores de *Hijo de hombre* podría decir: «Mi barbarie es mi soledad, mi rechazo de formas de vida injustas, violentas, falsas, de traiciones y trampas, que se me imponen disfrazadas de dignidad, mi sentido de rebelión constante, de negación furiosa del institucionalismo hipócrita.» Y Miguel Vera, en el fondo, lo que expresa es: «Mi civilización es mi angustia, mi sentido lúcido, febril de mi limitación humana, y mi voluntad de superarla —combatiendo como un desesperado—, sabiendo que superarla es imposible» [9].

Civilización y barbarie se levantan aquí de un plano documental y naturalista a un enfrentamiento entre lo posible y lo imposible. Un intento de trascender la muerte y un deseo de evadirse finalmente en ella, caracterizan los polos opuestos de heroísmo e intelectualismo. La lucidez desemboca en el suicidio y la obsesión se canaliza en actos que por ser descomunales adquieren su eficacia constructiva. Porque en América sólo lo descomunal y obsesivamente heroico logra su objetivo, lo que está impregnado de una categoría mítica es capaz de vencer no sólo las tremendas desproporciones que se dan entre el hombre y la geografía, sino también entre ese hombre y una sociedad gobernada por oligarquías explotadoras. El intelectual de América Latina que «sólo ve la perspectiva de la revolución», no ve que esa revolución es posible sólo superando la cultura y el análisis y entregándose a la tarea de anular las individualidades en camino hacia una única voluntad total y autóctona, telúrica y arquetípica, que esgrimiendo lo imposible como arma derrote a lo posible armado con las leyes, la educación y el poder. En América, donde «se superpuso una nueva tiranía a la antigua dominación española, las leyes legalizan la explotación que beneficia a la minoría oligárquica». Así, en aquel capítulo crudo y dramático que Roa titula «Éxodo», encontramos esa idea referida a los «beneficiadores de yerba»: «Actuaban, pues, legalmente, sin una malignidad mayor que la de la propia ley» [10]. Y si revisamos la historia del Paraguay,

[9] Fernando Alegría: «Coloquio sobre la novela hispanoamericana», Fondo de Cultura Económica, México, 1967, p. 141.

[10] *Hijo de hombre,* p. 81.

es bastante fácil ver cómo sus tiranos acomodaron la educación y anularon la cultura para fortalecerse en el poder y perpetuarse en el trono. El dictador Francia, por ejemplo, tuvo «un poder absoluto como no se había conocido otro en América». Para ello, «no hizo sino desarrollar la teoría rousseauniana de la 'voluntad general' hasta las últimas consecuencias» y provocar el vacío cultural suprimiendo el seminario y los conventos, con lo que, automáticamente, desaparecieron los institutos de enseñanza superior [11].

Pero para internarse en la historia del Paraguay, en la larga lista de sus guerras y revoluciones internas, de sus héroes y tiranos, nada mejor que recurrir al viejo Macario, testigo de todo ese tiempo...

Macario Francia y la historia del Paraguay

La novela comienza con la descripción de Macario. Surge cada vez ante los niños que forman su auditorio «como una aparición del pasado». De un pasado que adquiere por el encantamiento de su narración una atmósfera mítica en la que él mismo está envuelto en su presente: «Brotaba de cualquier parte», dice Vera. «A veces se recostaba contra un mojinete hasta no ser sino una mancha más sobre la agrietada pared de adobe», etc. Se subraya así su aspecto fantasmal, sus características de hombre confundido a la naturaleza, a la tierra, a los insectos: « ¡Bicho feo! », le gritan los hermanos Goiburú [12]. Y se subraya también su dimensión temporal prolongada y enraizada en un pasado remoto, oscuro, difuso, que al concretizarse en sus recuerdos, en su relato, pierde su verosimilitud histórica y emerge al emerger él mismo como una aparición, en forma irreal, al igual que las imágenes borrosas e inestables de un sueño increíble. Y mucho más increíble todavía si pensamos que ese tiempo a que Macario nos conduce es de por sí sombrío, espantoso, lejano. Todo el tiempo que va entre la Dictadura (1816) y la última batalla en cerro Korá (1870), que decidió la derrota del Paraguay en la Guerra Grande o guerra contra la Triple Alianza. Macario, «hijo mostrenco de Francia», nació «algunos años después de haberse establecido la Dictadura Perpetua» [13]. Son esos orígenes históricos a los que el viejo nos enraíza, los orígenes míticos desde los que parte la novela; porque en ese territorio trágico que es el Paraguay, el mito y la historia continuamente se confunden: era esa una «tierra salvaje y oscura donde fermentaban las inagotables transformaciones» [14], dice

[11] Efraín Cardozo: *Breve historia del Paraguay,* Eudeba, Buenos Aires, 1965, página 59 y ss.
[12] *Hijo de hombre,* p. 11.
[13] *Hijo de hombre,* p. 14.
[14] *Hijo de hombre,* p. 26.

Vera; una tierra poblada por una sociedad primitiva, como los personajes paradigmáticos de la novela; una tierra donde la historia sin mayor transición deviene en mito. Es más, como sostiene Mircea Eliade, las sociedades arcaicas viven en constante rebelión contra el tiempo concreto, histórico, y alimentan una nostalgia de retorno periódico al tiempo mítico de los orígenes [15]. Desde este punto de vista, Macario representa esa única posibilidad de retorno, porque él abarca un tiempo inmemorial, y es capaz de transmitir «no la verdad tal vez de los hechos, pero sí su encantamiento» [16]; o sea, la esencia mítica de ese tiempo, su dimensión ejemplar. El anciano harapiento, en este sentido, desempeña una actividad estética, un arte: el arte de la narración. Y, «según lo han demostrado los sicoanalistas, la actividad estética es, en muchas maneras, complicada, un asunto de regresión a la propia infancia» [17]. Macario muere empequeñecido, empujado por una suerte de desgaste, como si al final encarnara una elipsis que explica al mundo, atareado en su retorno a la infancia, a las primeras zonas misteriosas del hombre: «Un puñado de polvo lanzado por la mano de un chico», dice Vera, «podía borrarlo.» Y termina con el recuerdo del anciano diciéndonos: «Lo enterraron en un cajón de criatura» [18].

Por otro lado, según un crítico, «la palabra 'mito' significa narración; un mito es un cuento, una narración o un poema; el mito es literatura, y debe ser considerado como una creación estética de la imaginación humana» [19]. Por esto, porque en los relatos de Macario interviene la imaginación, porque es también, además de un comunicador de mundo, de historia, un creador del mundo total, épico, no se limita a contar la verdad de los hechos, sino lo que hace que esa verdad trascienda artísticamente: su encantamiento, su misterio. Una trascendencia artística que se materializa, que se encarna en los hombres-héroes que incorporan a través de sus actos ese encantamiento y misterio a la actualidad. Así, el tiempo histórico al que Macario retorna, transformándolo en un tiempo mítico mediante la palabra poética en un principio, y luego, mediante un proceso de «evolución» retrospectiva, se integra a la edad mítica que parte con Gaspar Mora, con Casiano Jara, con Kiritó, ampliando la redondez infinita del ciclo.

---

[15] Mircea Eliade: *El mito del eterno retorno,* Emecé editores, Buenos Aires, 1968, pp. 9-10.

[16] *Hijo de hombre,* p. 15.

[17] Richard Chase: El mito como literatura, de la antología *Myth and method,* editada por James E. Miller, jr., University of Nebraska Pres, 1960, 5.ª edición, 1965; a su vez reproducido de «Modern anthropology», en Quest for Myth, Louisiana State University Press, 1949.

[18] *Hijo de hombre,* p. 39.

[19] Richard Chase: *op. cit.*

Macario es la conciencia de su pueblo, la conciencia histórica del Paraguay, sin olvidar que en las sociedades primitivas o arcaicas, y como dice Ernesto Volkening respecto a *Cien años de soledad,* «a medida que se van alejando los años pasan lenta e imperceptiblemente del plano histórico al plano de *illud tempus,* se convierten en mito»; proceso que el mismo Volkening llama «la 'mitificación' paulatina del material históricamente verificable» [20]. Y es también el preservador del destino trágico de ese pueblo, víctima de la rebeldía de sus hombres que han venido muriendo a través de sucesivas guerras y revoluciones, digamos mejor, a través de la interminable batalla que apenas ha dejado momentos de paz. «En rigor», escribe Rodríguez Alcalá, «Roa se ha propuesto presentar toda la vida del Paraguay independiente hasta nuestros días, y lo ha logrado con procedimientos muy diferentes de los del cronista o del historiador. Dicho de otro modo, Roa ha querido escribir la intrahistoria de su patria, a partir del tiempo del dictador José Gaspar de Francia hasta la misma actualidad angustiada de un pueblo lacerado por luchas civiles; intrahistoria que él ve desde la doble perspectiva del artista creador y del individuo comprometido en la lucha por la reforma social de su tierra nativa» [21]. Y para abarcar todo ese extenso tiempo de vida independiente del Paraguay, Roa Bastos situó a Macario como «puente» entre dos generaciones; le hizo asumir una función receptiva del tiempo, y transmisiva de ese tiempo. «El Paraguay», dice Ángel Rama,

> ha alcanzado esa envidiable condición sociológica: tener quién lo exprese en el arte y, mejor, quién lo entienda en algo que es más que el acaecer de la vida racional: en la raigambre de sus hombres y en su intrahistoria [22].

Macario se nos ofrece, en una primera lectura, como iniciador del ciclo, como padre de una voluntad, de hombres alucinados que son figuras de Cristo y que cumplen con sus destinos empujados por la fuerza subterránea del azar que los conduce hacia la muerte. Pero esos hombres mueren al final de la vida, del viaje que se han propuesto, de la trayectoria suicida que asumen con responsabilidad y una cierta locura heroica, en busca, quizá, de sus propios cadáveres. Y mueren de una sola vez y para siempre, porque morir es lo único que saben. Sin embargo, Macario no es ese iniciador, no es ese padre. Cumple otra función: no la de morir, sino la de hacer volver a nacer. Viene a tender un largo lazo de unión entre un pasado remoto, Francia y la Dictadura Perpetua, y el nuevo impulso, el que narra la no-

---

[20] Varios autores; «Nueva novela latinoamericana», Paidós, Buenos Aires, 1969, p. 155.

[21] H. Rodríguez-Alcalá: *op. cit.*

[22] Ángel Rama: cit. por Rodríguez-Alcalá en: *op. cit.*

vela, que es el impulso de una nueva generación que parte con Gaspar Mora, atareado en continuar el ciclo mítico.

Macario, a partir de su propio apellido, Francia, nos retorna a una época pasada; era hijo del liberto Pilar, ayuda de cámara del Supremo, y «muchos de los esclavos que él manumitió —mientras esclavizaba en las cárceles a los patricios— habían tomado ese nombre, que más parecía el color sombrío de una época. Estaban teñidos de su signo indeleble como por la pigmentación de su motosa piel» [23]. Sobre todo en su obsesión final, en su última y grandiosa alucinación, el pasado histórico-mítico del Paraguay cobra cuerpo, se eleva a símbolo, se acumula y sintetiza en la figura ejemplar de Gaspar Mora.

Y a un pasado remoto pertenece también la Guerra Grande o guerra contra la Triple Alianza (Argentina, Brasil, Uruguay), que libró su última batalla en cerro Korá, el 1 de marzo de 1870. Esta guerra «cayó sobre el país y lo devastó de un confín a otro, dice Vera. Macario Francia ya era para entonces un hombre maduro. Contaba que hasta Humaitá y el Cuadrilátero había militado en las huestes del famoso y pintoresco alférez Ñanduá. Herido, cayó prisionero de los aliados en Lomas Valentinas, pero pudo huir y volvió a presentarse al Cuartel General del mariscal López». El mismo mariscal, que poco tiempo después habría de conducir «la última espectral guerrilla de cerro Korá»; «Macario atravesó de punta a punta el horror de la hecatombe que duró cinco años...»; al final «era un lázaro resucitado del gran exterminio» [24]. Exterminio, porque lo cierto es que el Paraguay, después de esa guerra suicida, quedó prácticamente sin hombres jóvenes. Estas son las historias que relata Macario. Estos los episodios en que participó. Este el tiempo que rememora a partir de su propia y fantasmal figura, trágico desde su misma vida y desde su misma muerte. En el fondo, es el recuerdo vivo de un Paraguay desaforado, el símbolo de harapos de su historia y su presente, la de ese territorio guaraní que hasta hoy permanece sumergido en el bolsillo de América, insignificante y olvidado bajo tanto polvo y tanta miseria, no de otra manera que el propio Macario ya hacia el final, diminuto y achicharrado bajo su último recuerdo, el de Gaspar Mora. De esta suerte, Macario es el que preserva, el que comunica, el que transmite, el que asegura la continuidad del ciclo. Luego muere como un niño, vuelve a ser la criatura que recogió la vida y su tiempo sólo para expresarlo y unirlo a otras vidas y otros tiempos, sólo para decirnos que todas las vidas y todos los tiempos no son más que una misma vida y un mismo tiempo, la misma lepra y el mismo fuego. (El título de la novela en su traducción al francés es «El fuego y la lepra».) En este sentido, Macario

---

[23] *Hijo de hombre,* p. 14.
[24] *Hijo de hombre,* p. 18.

es un profeta; la conciencia del ayer que asegura el hoy y el vaticinador implacable del «camino del hombre». Representa la unión de dos puntos distantes pero concebidos el uno como repetición del otro; de «dos tiempos» iguales en sus espantos, sus injusticias y sus absurdos, que son sólo partes o fragmentos de un gran tiempo mítico, de una constante «zona sagrada».

Agueguemos, también, que Macario es ciego. No son, por tanto, sus ojos muertos, «parchados por las telitas de las cataratas» los que miran hacia atrás, sino una conciencia lúcida como la de Tiresias, y alucinada, la que trae ese pasado hecho voz, en un principio, y luego sintetizado en la figura mítica de Gaspar Mora y en su propia regresión a la infancia.

Dice Richard Chase que «para el hombre primitivo» —y es, sin duda, primitivo el hombre que nos plantea Roa Bastos— «el pasado mitológico es una emoción que se siente y no una época concebible» [25]. Una emoción plasmada también en lo físico, materializada en cicatrices que están preservando el dolor, que están perpetuando ese pasado cuyo sentido total y alegórico va surgiendo en Macario a medida que se va empequeñeciendo él mismo, y concretizando su recuerdo en la figura ejemplar de Gaspar Mora. «Descender» al niño que se fue significa «descender» a un tiempo pretérito para volver a vivirlo, para volver a sentirlo, para reactualizarlo y, finalmente, para comunicarlo en su esencia ya mítica y no en su superficie anecdótica. Y significa también desleerse del presente, reincorporarse a una edad no sólo mediante la memoria, sino, y sobre todo, mediante un proceso que deshace la evolución, que destruye el desarrollo ascendente del hombre, o sea, un proceso retornativo que actúa contra las fronteras del tiempo y que nos permite confundir lo histórico a lo mitológico, o, dicho de otra forma, nos permite amalgamar todas las edades en una sola edad reiterativa, cíclica, por la cual se puede transitar hacia atrás o hacia adelante, y en la cual, inevitablemente, nos repetiremos y nos estarán repitiendo. De esta forma se destruyen también las categorías del «tiempo preternatural» o «período mítico» y el pasado, porque, aplicando una fórmula que sintetiza la concepción de los esquimales al respecto, y que sintetiza la concepción del tiempo en esta novela, «el mundo siempre ha sido como ahora». Así, el sentido del pasado que tiene el hombre primitivo está íntimamente ligado a su sentido del mundo preternatural, y la «edad mitológica puede ser algo que se experimenta personalmente», una emoción poderosa que se vuelve a vivir al «hacer mitos» [26], mediante la regresión a la infancia.

Macario es un hombre en constante tránsito. Pero su movilidad histórica no se realiza sólo a través de la memoria que nutre su arte,

---

[25] Richard Chase: *op. cit.*
[26] Richard Chase: *op. cit.*

del recuerdo nostálgico, sino también a través de su conciencia de hombre enraizado en zonas materialmente ausentes pero actuantes en el testino de los niños que escuchan sus relatos. Él, como luego Gaspar, Casiano Jara, Kiritó, representa, en cuanto ser participante en la historia de su patria, la intrahistoria de ella, o sea, la fuerza oculta y colectiva que hace surgir los nombres y acontecimientos memorables en el devenir de su pueblo. La fuerza que realiza desde abajo la historia, y que desde abajo, luego, la padece. Por esto su regresión a la infancia simboliza además de la abolición de los tiempos particulares en función de un solo gran tiempo, por el mismo carácter mítico que tiene ese fenómeno de regresión en la novela, una reactualización del pasado y la tradición, un regreso de toda la intrahistoria del Paraguay que sostiene y sufre la historia, para que asumiéndola hombres arquetípicos la prolonguen y rediman. Macario entrega el tiempo y apologetiza el Cristo leproso. O sea, entrega también una clave, una mística, un ideal para redimir ese tiempo. Ya se dijo, anteriormente, que Macario es un sacerdote de la religión del hombre. Su muerte y su vuelta a la niñez son un signo y un llamado, como un signo y un llamado fue el sacrificio de Cristo. De esto se desprende que el desarrollo social, cultural y político de América, y tal como, por ejemplo, lo concibe José María Arguedas, es sólo posible en la medida en que América vuelva sus ojos hacia sí misma, a su pasado, a su radical originalidad, a sus fuentes de autonomía. Dicho de otra manera, la historia de América contiene en potencia la redención total de América. Dice el escritor peruano aludido: «¿Qué soy? Un hombre civilizado que no ha dejado de ser, en la medula, un indígena del Perú; indígena, no indio» [27]. Al respecto, es curioso ver que los grandes símbolos de esta novela, el vagón de ferrocarril y el camión de Kiritó, son elementos representativos de la civilización occidental foránea, pero utilizados aquí por indígenas con el heroísmo y la pureza que son la antítesis de esa civilización. Y agréguese a esto la figura enigmática de ese doctor extranjero (ruso), que apenas se empieza a perfilar como un redentor, como un personaje arquetipo más, cae derrumbado por la avaricia para desaparecer tal como llegó: sumido en el polvo.

Personajes arquetípicos: individualidad y tragedia

Nada parece gratuito en la Historia; sabemos que el hombre es mortal no porque nos lo hayan contado, sino porque lo hemos visto morir. La muerte es el hecho más infinitamente repetido, como todo hecho. Si antes hubo hombres que cometieron injusticias, es ya sufi-

[27] José María Arguedas: Conversación con José María Arguedas, entrevista de Ariel Dorfman, revista de poesía *Trilce,* 15-16, febrero-agosto 1969, año VI, tomos II y III.

ciente para que tengamos la certeza de que hoy habrá otros hombres que cometerán esas mismas injusticias. Todo en esta novela parece indicar que somos personajes que alguna vez hicimos lo mismo que hicimos hoy. O que otros sintieron ya lo que sentimos ahora. Macario, que es en el fondo un «historiador», enlaza a los personajes de la novela con personajes anteriores, les trae a estos nuevos el destino de esos otros que antes lo cumplieron, impidiéndoles, de esa forma, ser individuos en el sentido de originalidad y de unicidad que encierra ese concepto. Nadie es individuo desde el momento que nadie inaugura su destino. Una fuerza que no llega a la conciencia, sucesivos «milagros» fecundados en la voluntad del hombre, conducen a éste a una muerte inevitable sin tropiezos ajenos a los ya estipulados por la tradición. Y si «el héroe trágico», como dice Luis Díez del Corral, «era un navegante impulsado por el viento del destino o de otras potencias divinas, con una religiosidad vertida al mundo, a las formas numinosas, míticas del mismo» [28], los personajes de *Hijo de hombre* navegan también impulsados por sus destinos infinitamente antiguos, pero no por potencias divinas, sino por otras potencias ahora telúricas, de indestructibles raigambres humanas; una fuerza que nace exclusivamente de una capacidad creativa y que germina, sobre todo, en la voluntad obsesiva, profundamente religiosa y alucinada del hombre. Una fuerza, al igual que el héroe trágico, vertida al mundo, a las formas míticas del mismo. Este es el sentido trágico, y no el fatalismo, que podemos apreciar, por ejemplo, en el *Edipo rey* de Sófocles: Edipo se niega a aceptar la verdad de su destino ya evidenciada por numerosas «casualidades», haciendo así más patético el desenlace; como la Antígona de Anouilh, todo hombre, todo personaje de esta novela, está en el mundo sólo «para decir no y morir». Pero la muerte, en el sentido de la tragedia, no es un accidente, no algo espantoso, sino el desenlace natural de seres que representan en su compacta unidad y su «problemática pasión de existir», la entraña del hombre mismo.

Gaspar Mora, Casiano Jara y Kiritó son personajes auténticamente trágicos, imposibilitados de ser individuos. Así lo manifiesta Vera tratando de descifrar los alcances religiosos del sentimiento de María Rosa, la mujer que se enamora del músico leproso: «... como si de golpe hubiera descubierto que todos los hombres eran uno solo (Gaspar) y que precisamente ese hombre ya no estaba y quizá ya no regresaría nunca.» Hay en estas palabras mucho más que una «simple» expresión de amor. Están manifestando la función de reducto final del Tiempo mítico que le atribuíamos a Gaspar, y, sobre todo, una idea del Hombre, así, con mayúscula, que más allá de sí mismo y de sus características individuales, recoge el pasado para

[28] Luis Díez del Corral: *Función del mito clásico en la literatura contemporánea.* Editorial Gredos, Madrid, 1957, p. 194.

asumirlo, reactualizarlo en actos y volver a morirlo. Recoge la raza y la historia desprendiéndose de su «yo», y sólo por una voluntad y por amor se transforma en «misionero» del hombre para el que, sin embargo, siempre es demasiado tarde; en continuador empecinado del mundo, del ineludible ciclo mítico. No cabe en ellos la renunciación sino de sí mismos; cada uno contiene a los demás, cada vida es la de todos. Los unos se habitan en los otros. Esta es la profunda trascendencia religiosa de los sentimientos de María Rosa, porque si un hombre es todos los hombres o todos los hombres son uno solo, no cabe sino hablar de panteísmo, un panteísmo que, en definitiva, sintetiza el sentido último de la religión de la humanidad que plantea la novela, contenida simbólicamente en el Cristo leproso, humano, hijo del hombre.

Si un hombre puede ser todos los hombres, el destino trágico a que están sometidos Gaspar, Casiano y Kiritó, es un destino colectivo, aunque sea asumido solamente por una persona. Es lo que piensa Macario: «Porque el hombre, mis hijos —decía repitiendo casi las mismas palabras de Gaspar—, tiene dos nacimientos. Uno al nacer, otro al morir... Muere pero queda vivo en los otros, si ha sido cabal con el prójimo. Y si sabe olvidarse en vida de sí mismo, la tierra come su cuerpo pero no su recuerdo» [29]. «Esta era, acaso, la única eternidad a la que podía aspirar el hombre», agrega Miguel Vera. «Redimirse y sobrevivir en los demás» [30]. Pero lo que sobrevive, lo que se prolonga de unos en otros es el infortunio, el destino trágico acarreado por una voluntad obsesiva y heroica que es lo que en el fondo los redime preservándolos. Y también la esperanza se proyecta por estos hombres, pero truncada ya, con anterioridad a sus conocimientos, por la realidad que siempre se anticipa trágicamente a la voluntad reparadora del héroe. Y se le anticipa al lector, en breves fogonazos, antes de que se cumpla la sentencia, el destino que le espera a cada personaje. Así, y de igual modo que Agamenón regresa a su hogar sólo para morir inevitablemente, llevado por la esperanza de un destino mejor y merecido, los personajes arquetípicos de esta novela emprenden todos un viaje mítico de retorno y de búsqueda cuyo final se nos anticipa; un viaje dificultoso y terrible que desemboca, sin excepciones, en una muerte que no es repentina, sino un acto de creación cuya última fase es el desenlace «individual», definitivo. La vida no la viven; la mueren, la sacrifican, la ofrecen. Pero esa individualidad encierra la voluntad colectiva de un período del ciclo, y es sólo personificación simbólica porque de hecho conlleva el destino irremediable (¿?) de todo un pueblo.

---

[29] *Hijo de hombre,* p. 38.
[30] *Hijo de hombre,* p. 38.

Gaspar Mora, Casiano Jara y Kiritó, figuras de Cristo

Sería interesante analizar los paralelismos que se establecen entre estos personajes y los que configuran el desarrollo cíclico mítico de la obra, evidenciando, al mismo tiempo, las características no individuales de cada uno de ellos. Pero digamos, tan sólo, que estos hombres, que representan el sacrificio de la individualidad y encarnan un destino colectivo, configuran en conjunto la esencia ideal del hombre americano, dispuesto a la redención social del continente. Cada uno de ellos es una faceta de la personalidad de ese hombre total. Sus actitudes son, aparentemente, distintas; pero en el fondo, no hacen más que ejemplificar el proceso anterior indispensable para que la acción tenga sentido y trascendencia. Así, en un primer estadio, Gaspar Mora representa el aislamiento y la contemplación, la purificación personal que ha de proyectarse en esa acción. Pero sobre todo, representa una fuerza creadora, un impulso motor permanente y una fuente de renovación. No es otro el sentido que tiene la música que toca en su guitarra y que los habitantes de Itapé siguen escuchando aun después de su muerte. Y obsérvese, por ejemplo, que la fe en ese Cristo que sale de sus manos significa, además de una inversión de la fe tradicional o establecida por la Iglesia, «un permanente conato de insurrección». Gaspar Mora es el creador de la voluntad obsesiva que, en un segundo estadio de desarrollo de esta misma actitud, lleva a Casiano a emprender una tarea con un contenido más simbólico y ritual que práctico, inútil en sí mismo pero que por sobre todo significa, una vez visualizado en el Cristo, el objetivo de la revolución, una vez asegurada la fuente bautismal, de renovación, un impulso hacia la propiedad, un intento de establecer en lo más fecundador, la selva, el hogar, el centro, la morada «sagrada», el templo, la zona de realidad absoluta donde, según Eliade, se reúne al cielo y la tierra (lo divino y lo humano) [31].

Así tenemos, como primera fase de esa actitud repartida en palpable progresión en estos tres personajes, la creación de una fuerza y una fuente trascendente, obtenida mediante el aislamiento, la contemplación, el arte y la purificación. Una segunda fase o estadio es la de establecimiento del hogar, del Centro sintentizador de toda la realidad que se quiere obtener mediante la revolución. Hogar que se establece gracias a un impulso que raya en la demencia, gracias a la voluntad obsesiva. La tercera fase de esa actitud es la que representa Kiritó, la fase en que culmina el proceso; o sea, la acción pura en la perspectiva de la redención social del hombre.

Tenemos que decir, sin embargo, que esta actitud tiene en la novela su contrapartida. Los tres estadios o fases de ella son destruidos

---

[31] Mircea Eliade: *op. cit.*

por personajes que no participan ni de la fuente de renovación, ni del hogar, ni en la acción redentora. El Cristo es finalmente arrancado de la cruz por los hermanos Goiburú: «Saldaron a un tiempo su venganza con el corruptor de su hermana y también la vieja deuda de descreimiento y encono que tenían con el Cristo» [32]. Colgaron en su lugar a Melitón Isasí, el jefe político de Itapé.

También el vagón de ferrocarril que Casiano arrastra hasta la selva concretizándose en el centro o el hogar de la revolución, en el símbolo de toda la realidad a que se aspiraba mediante las guerrillas, es descubierto y destruido por los militares gracias a la información que Miguel Vera, borracho, suministró; recuérdese esas palabras suyas que ahora sí son absolutamente comprensibles: «No estoy reviviendo estos recuerdos; tal vez los estoy expiando».

Y Kiritó, finalmente, que con su camión en llamas llega al fin de su misión, es acribillado por «varias ráfagas de ametralladora, imprecisas, balbuceantes, como disparadas por un ebrio o un loco», por el mismo Miguel Vera [33].

Gaspar Mora, Casiano Jara y Kiritó son figuras de Cristo. Y como Cristo cargando la cruz, o el pueblo entero de Itapé cargando al Cristo, cada uno de ellos empuja cerro arriba, selva o desierto adentro, su propia muerte y la muerte de la humanidad, queriendo echarla fuera de las fronteras del mundo (y decimos humanidad y mundo porque la novela rebasa al Paraguay) en un afán, como el de Cristo, salvador. Quieren ser redentores mártires, portadores trágicos de un destino heroico.

«Entre tales protagonistas y su mundo, dice Luis Díez del Corral, no se dan corrientes de ósmosis; su piel es un tabique impenetrable, y dentro de ellos su vida es una unidad compacta, sin fisuras, sin apenas modulaciones biográficas. Su alma no es un campo de experimentación o de batalla donde se contraponen pasiones al estilo de la sicología mecanicista cartesiana, como en Racine, sino una caja de resonancia dominada por una pasión simple. Y más que una pasión específica que sirva de eje a la presentación de una faceta particular del alma humana o de un carácter individual, una pasión que venga a centrar al ser humano por entero...» [34] *. Comprobemos esto en las palabras del propio Kiritó: «...No entiendo lo que se dice con palabras. Sólo entiendo que soy capaz de hacer. Tengo una misión. Voy a cumplirla. Eso es lo que entiendo». Y anteriormente había manifestado: «Lo que no puede hacer el hombre, nadie más puede hacer...» [35]. No es difícil descubrir en esas palabras esa «pasión simple» a que alude Luis Díez del Corral, esa pasión que lo

---

[32] *Hijo de hombre,* p. 263.
[33] *Hijo de hombre,* p. 251.
[34] Luis Díez del Corral: *op. cit.,* p. 178.
* Díez del Corral se está refiriendo a los personajes de la tragedia clásica.
[35] *Hijo de hombre,* p. 245.

domina por entero, una entrega total a la misión que se le encomienda.

No hay dudas que la concepción del hombre que tiene Roa Bastos es una concepción religiosa. Las actitudes esenciales de sus héroes y sus acciones son proyectadas hacia la redención del género humano; pero una redención, sobre todo social, que más allá de lo político posibilite al hombre para alcanzar su propia estatura en un territorio antes que nada libre, y en un tiempo preservado de la lepra. Casiano y Kiritó son guerrilleros militantes de una revolución social. La mística que los mueve es una mística revolucionaria. Por esto, la religión terrenal y humana que se inaugura está absolutamente divorciada, no del misterio porque se halla envuelta en el tiempo y en el tiempo total, sino de lo sobrehumano, de lo divino, de las fuerzas celestes o como quiera que se llamen. «Lo que no puede hacer el hombre nadie más puede hacer», escuchamos ya que decía Kiritó. Ese tiempo total abarca todas las regiones del pasado de la humanidad, incluso las regiones preternaturales; es mucho más que la historia del mundo; es el acontecer cíclico formulado trágicamente por el hombre, la vida en todas sus profundidades y distancias, concatenada interminablemente por sucesivas muertes. Y digo que no es la historia porque ese tiempo no acaba nunca, es siempre el mismo el que cae sobre el hombre: un hombre que es todos los hombres y que vive en un tiempo que es todos los tiempos. De esta suerte, cada ser humano viene a significar en su esencia mítica una síntesis acabada de la especie, no en resumen, sino la presencia dinámica de los antepasados en totalidad.

Los personajes míticos de esta novela en poco se diferencian de los héroes de la mitología clásica. Quizá sólo en lo accidental, en lo contingente. Y aparte de que ellos, los griegos, fundamentalmente, crearon a sus dioses a su imagen y semejanza, condenándolos a sus defectos y haciéndolos participar de sus virtudes, pero dotándolos también de una inmortalidad y poder que no poseían los hombres; en el mismo sentido Gaspar crea al Cristo infundiéndole su lepra, pero por otro lado su talento creador y generosidad de espíritu. Aparte de esto, digo, Macario es en algún sentido la personificación de Prometeo, el intermediario trágico entre los dioses y los hombres, y Casiano y Kiritó personificaciones de Orfeo, representación de «la virtud salvadora». En efecto, es Macario no sólo el que conecta los tiempos y las generaciones, sino también el primer sacerdote de la religión del hombre, el que lleva desde la montaña a Itapé al Cristo leproso, inaugurando así el ritual «áspero, rebelde, primitivo, fermentado en un reniego de insurgencia colectiva», que año tras año y desde entonces, el día viernes santo se repite. Macario, en definitiva, baja al Cristo de las alturas impregnándolo de humanidad, salvándolo de Dios para ponerlo al servicio de los hombres, a la cabeza de la reparación social; a Dios no se le entiende. Casiano Jara y Kiritó son la profunda tentativa de salvación del prójimo mediante la acción empecinada, la voluntad exclusivamente humana de redención. Ya hace mucho que Rilke vio en Orfeo, como representación de «la virtud salvadora», una figura de Cristo, en el mismo sentido que la veíamos nosotros, en páginas anteriores, en Casiano y Kiritó. Recuérdense, por ejemplo, las cicatrices que este último tiene en sus espaldas, de las que podemos dar una única interpretación posible: una proyección simbólica de los latigazos que recibió Cristo cargando la cruz, como Casiano y Kiritó cargaron el vagón de ferrocarril hacia el interior de la selva, cuyas ramas rasguñaban su piel.

Por otro lado, estos tres personajes, encargados míticos del retorno del tiempo en su esencia invariable, mantienen en hermético silencio su intimidad personal. Son, en este aspecto, impenetrables; «dentro de ellos su vida es una unidad compacta, sin fisuras, sin apenas modulaciones biográficas...». En realidad, los caracteriza a todos una actitud de profundo laconismo; de sus vidas apenas sabemos lo fundamental: sus obsesiones y alucinaciones dinámicas que los conducen a acciones no limítrofes con lo sobrehumano. Acciones que, en ningún caso, son demenciales, porque desde la perspectiva de la obra son acciones simbólicas, hechos alegóricos con trascendencia mítica. Gaspar Mora, por ejemplo, asume «la certeza de la muerte como un conocimiento que sólo el hombre tiene y por eso lo dignifica» [36]: «Me va tallando despacito, dice, mientras me cuenta sus secretos. Es bueno saber por lo menos que uno no acaba, que se continúa en otra vida, en otra cosa. Porque hasta en la muerte se quiere seguir viviendo. Eso lo sé ahora. La muerte me ha enseñado a tener paciencia. Yo le hago un poco de música... Para pagarle. Nos entendemos» [37]. O sea, vive con responsabilidad su desenlace, convirtiéndolo en un acto de creación: le hace música. No es su muerte «un futuro ineludible, sino como una presencia que impregna toda la vida y es experimentada sin temor» [38]. Luego de muerto Gaspar, la gente de Itapé sigue escuchando esa música, continúa el artista permaneciendo entre ellos en forma real, como una constante fuente de renovación. Así, esa esperanza de la otra vida, ese querer seguir viviendo en la muerte, es la esperanza de una proyección terrenal, es, de cierto modo, la inmortalidad unamuniana. Otra vida, sí, pero aquí, en el mundo y no en un «más allá».

En estas personalidades heroicas no hay aspectos negativos; es la autenticidad, la de Heidegger e Ionesco, lo que mejor define a

[36] Néstor García Canclini: Cortázar, una antropología poética, Nova, Buenos Aires, 1968, p. 36.
[37] *Hijo de hombre.*
[38] N. García Canclini: *op. cit.,* p. 36.

ese hombre Gaspar, a ese hombre Casiano o Kiritó. Una autenticidad que se opone al absurdo de los acontecimiento, que les presta un sentido y una trascendencia.

Esa aceptación de la muerte, ese entenderse con ella como con un personaje amistoso, manifiesta y asegura el encuentro inevitable que ninguna casualidad impedirá: nada puede entorpecer esa reunión final porque no se llega a ella por una serie de equívocos o errores potencialmente remediables, sino directamente, verticalmente; la muerte siempre está, para estos hombres, al final de un camino duro de recorrer, pero de un camino que hay que recorrer sea como sea, porque la vida es una «misión» a la que no se puede renunciar sin dejar de ser hombre. El suicidio jamás pasa por la mente de estos héroes míticos, no existe como posibilidad: la autenticidad asumida les obliga a hacer de cada acto, y no sólo de la muerte, una creación original y profunda.

Este es también el camino de los héroes de la tragedia griega; el espectador de antemano sabe que van a morir, que nada los podrá apartar de una cierta muerte, y que la muerte es para ellos algo natural, no un accidente como en la comedia, donde «acaso hubiera sido posible salvarse; el buen joven podía haber llegado a tiempo, con los gendarmes...» [39]. «En la tragedia, dice Anouilh, se está tranquilo. En primer lugar, es gente conocida. Todos son inocentes, en fin de cuentas..., no porque haya uno que mata y otro que muere. Es un problema de distribución. Y sobre todo es reconfortante la tragedia porque se sabe que no hay esperanza, la maldita esperanza; que uno está cogido como una rata, con todo el cielo sobre las espaldas, y que no queda más que gritar —no gemir, ni quejarse—, sino vociferar a pleno pulmón lo que se tiene que decir, lo que nunca se había dicho, lo que acaso ni entonces se sabía» [40]. Pero nuestros personajes, Gaspar Mora que muere de sed, Casiano muerto en su vagón en medio de la selva, y Kiritó acribillado por las balas dementes de Miguel Vera en su camión, tienen algo quizá superior al grito, a la palabra del héroe clásico: tienen el silencio.

3. *Mito e imagen*

Una de las experiencias más ineludibles del lector de *Hijo de hombre* consiste en comprobar la fuerza que adquieren en esta novela las imágenes. Si en la mayor parte de las obras narrativas lo único importante es justamente *contar,* mostrar el dinamismo de una acción, en *Hijo de hombre* la narración va unida siempre a ciertos momentos estáticos, ciertas miradas que contemplan objetos. Son

---

[39] Anouilh: cit. por Luis Díez del Corral en: *op. cit.,* p. 181.
[40] *Ibid.,* p. 182.

justamente los objetos los que, en casi todas las secuencias narrativas, adquieren fundamental importancia y significado. Pensemos, por ejemplo, en el Cristo de Itapé, en el vagón de Casiano o en el perro de la historia del doctor en Sapukai, y veremos cómo su presencia subraya y encarna el sentido hondo de lo narrado; al preocuparnos de los objetos que adquieren valor mítico, podremos entender en qué consiste la perspectiva mítica en esta novela, examinar el origen del mito y adentrarnos en algunas de sus manifestaciones.

Para comenzar a entender el procedimiento artístico que en esta novela da origen a las imágenes, tomemos una de las más simples, uno de los primeros objetos que el autor pone ante nosotros. Recordemos que Macario Francia narraba a los niños de Itapé las historias del Karaí Guasú, del Gran Amo, el dictador Francia. La crueldad del Karaí, su bárbara justicia, las fantasmagóricas escenas en que los niños lo veían «cabalgar en su paseo vespertino por las calles desiertas, entre dos piquetes armados de sables y de carabinas» [1], encuentran concreción y expresión en vívidas imágenes visuales:

> De un hueco del solero extrajo un pequeño envoltorio. Lo deslió. De un saquito de piel de iguana, entre restos de escayola, sacó un objeto. En la mano de tierra temblaba un hebillón de plata... Contemplamos absortos el hebillón. Un aerolito caído en un desierto. El zapato de charol, las medias blancas, la sombra magra y enlevitada surgía de él, alta como un tizón de un árbol que el rayo no había podido derrumbar [2].

Este es uno de los casos más simples de un recurso que, a lo largo de la novela, alcanzará una complejidad notable. Nos hace pensar en lo cinematográfico (tal vez no en balde Roa Bastos ha escrito varios guiones para el cine). Una historia, una narración que sucede en el tiempo, va desarrollándose ante los ojos del lector. Luego, un objeto cualquiera, relacionado con dicha secuencia, es puesto en un largo y estático primer plano, y se carga entonces de la significación de toda la historia. Y su eficacia expresiva consiste en sintetizar, en un objeto concreto, presente en el espacio, toda la fuerza sicológica que se ha manifestado en la narración. Es así como el hebillón hace revivir a Francia; un objeto insignificante se ve cargado de una fuerza sicológica desmesurada, se transforma en el foco de la energía síquica de muchas personas que conocen la historia, junta el pretérito con el presente y el futuro, y se carga así de un misterioso poder. Justamente lo único inmortal de un hombre transitorio es este recuerdo, este poder vivir en la memoria de los demás: «En la mano *de tierra* temblaba un hebillón *de plata.*» La dureza y permanencia del metal evocan también la perduración del recuerdo.

---

[1] Roa Bastos, Augusto, *op. cit.,* p. 15.
[2] *Ibid.,* p. 18.

Este ejemplo, en sí mismo insignificante, puede ayudarnos a comprender la importancia enorme que adquieren las imágenes de objetos a lo largo de la novela. Como se ha visto en el análisis de personajes, cada uno de los seres que ha realizado acciones nobles o beneficiosas, ve unido su nombre a la imagen, clara y fantasmagórica a la vez, de un objeto que condensa ese poder desplegado a través de la acción. Gaspar Mora deja el Cristo; el doctor, más humildemente, claro, el perro; Casiano, el vagón; Cristóbal Jara, el camión en llamas. Y la fuerza entera de la novela se encierra en estos objetos fascinantes y enigmáticos, imantados por una misteriosa fuerza síquica, cargados, indudablemente, de ese dinamismo a la vez *tremendum* y *fascinans* que los estudiosos de la conciencia mítica han llamado *mana* [3].

¿Cómo adquiere *mana* un objeto cualquiera? Es decir, ¿cómo se carga de múltiples significados, cómo agrega a su propia realidad otras muchas realidades, ya no físicas, sino síquicas? Hacerse estas preguntas equivale a inquietarse por el origen de lo mítico en la novela que analizamos; más aún, hace necesarias algunas reflexiones generales.

a) *La imagen novelesca: símbolo y narración*

En esta novela de Roa Bastos podemos comprobar una tendencia fundamental: las fuerzas síquicas —como en el ejemplo recién analizado— se encarnan siempre en *objetos* materiales, en cosas visibles. Es así como María Rosa, por ejemplo, expresa toda la fuerza de su entrega a Gaspar Mora ofreciéndole una cantimplora «tan parecida a ella» [4]. La deserción de Miguel Vera, su abandono (no del todo consciente) del mundo de tradición en que había vivido, y su integración a un sistema opresivo y amenazador, están encarnados, en el capítulo «Estaciones», en los zapatos que no querían entrar en los pies «encallecidos por los tropezones y las corridas, rajados por los espinos del monte, por los raigones del río, en todo ese tiempo de libertad y vagabundaje que ahora se acababa como se acaban todas las cosas» [5]. No en vano dice Vera: «yo escondí mis zapatos nuevos bajo el banco», cuando se enfrenta al último de los grandes guitarristas del Paraguay, un hombre al que él y los demás personajes presentes relacionan con Gaspar Mora. Iris, la leprosa todavía bella a la que miran los soldados, polariza toda una extraña fascinación, mezcla de lascivia y de muerte, que encontrará paralelo en la visión de la muerte como una ramera que va poseyendo uno a

[3] Este sentido del *mana* está simplemente explicado por Gusdorf *(op. cit.,* páginas 40-50).
[4] Roa Bastos, *op. cit.,* p. 26.
[5] *Ibid.,* p. 61.

uno a los sedientos en Boquerón. Múltiples otras imágenes de personas o de objetos, pero sobre todo de estos últimos, nos muestran cómo el hombre tiene una facultad muy singular que, para Ernst Cassirer, es lo que lo diferencia de los animales: el hombre es un animal simbólico, un animal que, «en lugar de tratar con las cosas mismas, en cierto sentido conversa constantemente consigo mismo». Se ha envuelto en formas lingüísticas, en imágenes artísticas, en símbolos míticos o en ritos religiosos, en tal forma que no puede ver o conocer nada sino a través de este medio artificial» [6]. La raíz del mito, la del lenguaje, la del arte, está en esta capacidad de simbolizar, de representar lo inmaterial a través de lo material.

En el primitivo, como por ejemplo en María Rosa —al ofrecer a Gaspar su cantimplora—, falta una conciencia clara de estar realizando un acto simbólico. La chipera de Carovení simplemente lo hace; la relación entre el objeto ofrecido y el sentimiento con que se ofrece es tan íntima que permanece inconsciente. No hay aquí disociación ni juego con los significados; la acción de la mujer no puede ser explicada desde su punto de vista, sino solamente desde el de un observador «civilizado» [7]. En cambio, cuando Gaspar Mora talla la figura del Cristo, el proceso simbólico es muchísimo más consciente. Macario habla del Cristo como «el hijo de Gaspar», y la estatua «le sobrevivía apaciblemente. Sobre la pálida madera estaban las manchas de las manos purulentas. Lo había tallado a su imagen y semejanza. Si un alma podía adquirir forma corpórea, esa era el alma de Gaspar Mora» [8]. El proceso religioso se invierte: en vez de crear Dios al hombre, es el hombre quien crea, «a su imagen y semejanza», un Dios que no es otra cosa que su propia alma. Y para subrayar aún más el carácter de pervivencia del alma que lleva la estatua, Macario dirá:

> Y mírenlo! Habla por su boca de madera... Dice cosas que tenemos que oír... Oíganlo! Yo lo escucho aquí... —dijo golpeándose el pecho—. Es un hombre que habla! A Dios no se le entiende... pero a un hombre sí... Gaspar está en él! Algo ha querido decirnos con esta obra que salió de sus manos... cuando sabía que no iba a volver, cuando ya estaba muerto!... [9].

Sólo la conciencia de la transitoriedad de su propio vivir fue capaz de hacer que Gaspar Mora dejara «el hijo», esa alma suya de madera que hablaría, desde entonces, en vez de él mismo. Hay

---

[6] Cassirer, Ernst, *op. cit.*, p. 48.
[7] Cfr. Lévi Strauss, Claude: *El pensamiento salvaje,* F.C.E., México, 1964, página 319.
[8] Roa Bastos, *op. cit.*, p. 29.
[9] *Ibid.*, p. 32.

aquí un esfuerzo consciente por superar de algún modo el destino mortal del hombre, su sujeción a un tiempo inexorable. El arte primitivo «es un medio de negar, superándolas, la *evolución de las formas humanas y su muerte:* en el mundo mítico inmortal no se podía sentir la necesidad de reproducir las formas porque éstas eran eternas. Por el contrario, desde que aparece la muerte, resulta urgente esculpir las formas imperecederas... el arte permitiría de ese modo poner en jaque la experiencia de la muerte, asegurando el triunfo del principio ontológico de la conservación»[10]. El proceso simbólico religioso busca trascender, encarna significados de proyección de lo humano; el paralelo proceso simbólico del arte busca, en este caso, crear un *objeto,* encarnar una experiencia cambiante y múltiple, sujeta a la transformación del tiempo, en las formas relativamente más permanentes y fijas del universo material.

En *Hijo de hombre,* el novelista —artista también, como Gaspar— utiliza un procedimiento análogo. Al estudiar la imagen del hebillón de plata, dimos con un rasgo fundamental de las imágenes de objetos en esta obra: todas ellas concentran, en un objeto situado en el *espacio,* el sentido de una narración que transcurre en el *tiempo.* Ninguno de los objetos tiene significado en sí mismo; sólo lo adquiere como una especie de resumen concreto de una narración. Mientras lo que sucede en el plano corporal se experimenta como transitorio y fugaz, el modo de expresar la permanencia de ciertos significados es trasladarlos al plano espacial[11]. La dimensión espacial mantiene cierta estabilidad y sirve de referencia sucinta que evoca todo el complejo de experiencias contenidas en la narración original. Tomemos, por ejemplo, la imagen final del capítulo «Estaciones».

> Dejé a Damiana en la balaustrada y me metí corriendo entre los canteros. Lleno de sed, me agaché a beber junto a una de las canillas. En ese momento, boca abajo contra el cielo, entreví algo inesperado que me hizo atragantar el chorrito. En un rincón, entre plantas, una mujer alta y blanca, de pie sobre una escalinata, comía pájaros sin moverse. Bajaban y se metían ellos mismos chillando alegremente en la boca rota. Se me antojó sentir el chasquido de los huesitos[12].

Quien haya leído la novela recordará, sin duda, esta imagen como una de las más poderosas, y a la vez más enigmáticas, de toda la obra. La encontramos al final de un capítulo que, según ya hemos

---

[10] Gusdorf, *op. cit.*, p. 38.

[11] Recordamos la observación de Vico: «cada metáfora es la versión abreviada de una fábula» (citada por Chase, *op. cit.)* y la fórmula con que Paul Mus describe el altar védico: «tiempo materializado». (Citado por Mircea Eliade: *El mito del eterno retorno,* Emecé editores, Buenos Aires, 1968, p. 82.

[12] Roa Bastos, *op. cit.*, p. 78.

dicho, nos muestra una especie de corte transversal de los habitantes del Paraguay; un capítulo en el cual todos ellos viajan en tren con destino a Asunción, una ciudad que los más humildes no conocen, en busca de una suerte incierta. No es raro que a Miguel Vera se le atragante el chorrito de agua que estaba tomando: en la imagen que citamos, el sentido amenazador que de pronto adquiere todo ese viaje a la ciudad encuentra una expresión breve y elocuente. Estamos, una vez más, ante el caso de una imagen que sintetiza el sentido más hondo y escondido de una narración.

Este primer rasgo que descubrimos como característica de la imagen en *Hijo de hombre* no sólo es verdadero en las imágenes que tienen contenido mítico, es decir, aquellas que nos muestran un objeto en el cual se manifiesta el *mana;* de hecho, la última imagen que hemos visto —la de la estatua— no tiene contenido mítico de ninguna especie, y es una imagen simbólica como las que se pueden encontrar en muchísimas novelas. De modo que debemos concluir que la traslación de un contenido síquico a una narración, y la objetivación posterior a través de una cosa, la cual se ve así, y en el contexto, cargada de nuevos significados, es un rasgo propio de toda imagen novelesca [13], y no sólo de la imagen mítica. En esta última, la concentración del significado de la narración es fundamental para comprender la fuerza dinámica que encierra; pero, a diferencia de las imágenes novelescas comunes, tiene otras características que la distinguen. Debemos, pues, agregar nuevas precisiones a nuestro concepto de objeto mítico, a fin de determinar exactamente su presencia y sentido en la obra que analizamos [14].

b) *La imagen mítica: la perspectiva del inconsciente*

Hemos dicho ya que en esta novela hay ciertos objetos que indudablemente están cargados de fuerza preternatural, que ejercen un

---

[13] Con acierto señala el R. P. Raimundo Kupareo *(La teoría de la novela,* Universidad Católica de Chile, Centro de Investigaciones Estéticas, Santiago, 1968), la diferencia entre las imágenes simbólicas en la novela y en la poesía: «las primeras están en función de la narración, las segundas valen por sí mismas» (pág. 16). Es justamente esto lo que hemos querido explicar al decir que las imágenes en *Hijo de hombre* sintetizan y expresan lo narrado, y que fuera del contexto de la narración no tendrían sentido alguno.

[14] Una diferencia fundamental entre la imagen mítica y la imagen artística, que aquí sólo rozamos, por no entrar directamente en nuestro tema, consiste en que la imagen artística es independiente por completo de la realidad cotidiana: «la contemplación estética es por completo indiferente a la existencia o inexistencia de su objeto, pero, precisamente, semejante indiferencia es por entero ajena a la imaginación mítica; en ella va incluido siempre, un acto de creencia». (Cassirer, *op. cit.,* p. 117). Es evidente que estamos ante la visión *novelesca,* ficticia, de hechos míticos no ante una manifestación del mito como tal. No estudiamos el mito en sí, sino como contenido novelesco.

influjo vital y misterioso sobre los personajes y también sobre el lector. Muchos podrían nombrarse: citemos aquí sólo los más evidentes: el Cristo de Itapé, el perro del doctor, el vagón de Casiano y el camión de su hijo Cristóbal Jara. Estos objetos forman una secuencia significativa: dentro de las historias de cada uno de los personajes, desempeñan idéntico papel. Son símbolos que estructuran la novela entera. Cada uno de ellos es expresión, memoria y trascendencia de algún hombre que, como decía Macario Francia en tono sentencioso, «ha sido cabal con el prójimo». Y es por eso que, si ha sabido olvidarse en vida de sí mismo, «la tierra come su cuerpo, pero no su recuerdo». Cada uno de estos objetos es la memoria de alguien, el rastro que deja en el mundo. Más destacados unos, como el Cristo; más humildes otros, como el perro, cada uno de ellos refleja la importancia del hombre cuyo recuerdo perpetúan.

Resulta fácil comprobar cómo existe una forma paralela de presentación de cada una de estas imágenes, y cómo esta forma se relaciona íntimamente con el carácter mítico que queremos descubrir en ellas. Empecemos por el Cristo de Itapé. La primera vez que el lector oiga de él le será presentado como un enigma, un objeto rodeado de prácticas y de relatos fantásticos y semiincreíbles.

> El Cristo estaba siempre en la cumbre del cerrito, enclavado en la cruz negra, bajo el redondel de espartillo terrado semejante al toldo de los indios, que lo resguardaba de la intemperie. Luego el sermón de las Siete Palabras, venía el Descendimiento. Las manos se tendían crispadas y trémulas hacia el crucificado. Lo desclavaban casi a tirones, con una especie de rencorosa impaciencia. El gentío bajaba el cerro con la talla a cuestas, ululando roncamente sus cánticos y plegarias. Recorría la media legua de camino hasta la iglesia, pero el Cristo no entraba en ella jamás. Llegaba hasta el atrio solamente. Permanecía un momento, mientras los cánticos arreciaban y se convertían en gritos hostiles y desafiantes. Un rato después el Cristo regresaba al cerro en hombro de la procesión brillando con palidez cadavérica al humeante resplandor de las antorchas y de los faroles encendidos con velas de sebo [15].

Perdónesenos lo extenso de la cita; pero no podemos omitir una palabra de ella si queremos que el lector perciba claramente el poder extraño y misterioso que rodea al Cristo de Itapé. No es una mera imagen de la religión tradicional; los cánticos hostiles, desafiantes, que se «ululan»; la furia de las manos rencorosas; el fantasmagórico ambiente que rodea este «rito áspero, rebelde, primitivo, fermentado en un reniego de insurgencia colectiva» [16] están cargados de una fuerza síquica que ha encontrado un objeto que la encarna

[15] Roa Bastos, *op. cit.*, p. 13.
[16] *Ibid.*, p. 13.

y que le permite expresarse. Frente al Cristo, el lector queda en actitud de perplejidad y suspenso; no se ha explicado nada todavía acerca de él, y sólo se le percibe como objeto sagrado, significativo, poderoso. Y los hechos que rodeaban al Cristo estaban ocultos por «otra tácita y probablemente instintiva confabulación del silencio» [17].

Parecido ambiente de misterio rodea la aparición del perro. Todavía no sabemos nada del doctor, no tenemos idea de por qué el pueblo sigue esperándolo; y la presencia del perro hace que la historia por venir nos parezca significativa. Es fundamental, en la presentación de estos objetos, que la narración, de la cual dependen y cuyo sentido encarnan, sólo se haga una vez que el lector ha podido comprobar por sí mismo el poder de sugestión que la imagen ha adquirido.

> Detrás del perro ve la sombra alta y delgada, que para ella no es sombra. Como tampoco para el perro. Pero no hay sombra. Va el perro solo, lento, neblinoso, husmeando por el camino un rastro que sólo él entiende, que ya no está, acompañado por el olor de su sueño, los ojos legañosos, sin más que la canasta rota y sucia...
> Sigue haciendo el mismo camino con una rara puntualidad; pequeño planeta lanudo dando vueltas en esa órbita misteriosa donde lo vivo y lo muerto se mezclan de tan extraña manera [18].

En la presentación del vagón, los preparativos son elaborados. Narra Miguel Vera, y vemos su viaje al vagón en compañía de un Kiritó silencioso y enigmático. Antes de eso, la primera mención del vagón ocurre cuando el doctor desaparece de Sapukai. La narración del episodio termina con un párrafo que parece proyectarse hacia el futuro: «Sólo el destrozado vagón parece seguir avanzando, cada vez un poco más, sin rieles, no se sabe cómo, sobre la llanura sedienta y agrietada» [19]. En el episodio subsiguiente, el viaje de Vera y sus reflexiones van dando la dimensión mítica del vagón antes que éste sea presentado físicamente. En este exordio, Vera narra lo que ha oído, las creencias populares que rodean al vagón, y expresa lo difícil que le resulta creerlas. Poco a poco, sin embargo, la atmósfera mítica lo va rodeando también a él.

> Es decir, sí; ahora que marchaba detrás del guía impasible, sin otra cosa para contemplar que las cicatrices de su espalda y las cicatrices del terreno, el cielo arriba turbio, una verdadera lámina de amianto, podía tal vez concebir el viaje alucinante del vagón sobre la llanura; un viaje sin rumbo y sin destino, al menos en apariencia razonable.

---

[17] *Ibid.,* p. 14.
[18] *Ibid.,* pp. 42-43.
[19] *Ibid.,* p. 60.

> Podía ver al hombre... Así, siempre, bajo el tórrido sol del verano o en las lluvias y las heladas del invierno, inquebrantable y absorto en esa faena que tenía la forma de su obsesión. Y esa mujer junto a él, contagiada, sometida por la fuerza monstruosa que brotaba del hombre como una virtud semejante al coraje o a la inconsciente sabiduría de la predestinación[20].

No sólo a Vera lo ha impresionado la historia del vagón. Vamos viendo luego, antes de saber en detalle y en realidad la historia completa, cómo la fantasía popular, en un «fenómeno de sugestión colectiva»[21] transmitió su locura a un número cada vez mayor de gente creando «la leyenda de que el vagón estaba embrujado»[22]. El vagón, lejos de ser la alucinación de un hombre, es el sueño de todo un pueblo. Por algo Freud definió los mitos como «fragmentos distorsionados y fantásticos de los deseos de la humanidad»[23].

Y es envuelto en esta aura mítica y colectiva que el vagón va surgiendo en la imaginación de Vera:

> Y ya en la tierra salvaje y desierta, merodeadores, vagabundos, parias perseguidos y fugitivos, hasta los leprosos de la colonia fundada por el médico ruso, habrían ayudado al hombre, a la mujer y al chico a empujar el vagón para compartir un instante ese simulacro de hogar que avanzaba por la llanura o retrocedía hacia el pasado, sin rumbo, sin destino, pero desplazando una victoriosa, impávida, salvaje, alucinada atmósfera de seguridad, de coraje, de misterio, lo que también a ellos les comprometía a guardar el secreto[24].

La descripción de estos tres objetos míticos ha dejado en claro, pensamos, cuál es el segundo rasgo propio de toda imagen mítica, y también de toda narración mítica. El mito no es la creación de un solo hombre, como lo es la imagen artística, por enraizada que esté en su circunstancia. El mito —la narración o la imagen— es una representación colectiva, como decía Lévy-Brühl; es un hecho social, tanto en su origen como en su repercusión[25]. No corresponde exactamente ni a la historia de un hecho real ni a la figuración que un hombre efectúe de ese hecho. Pensemos, por ejemplo, en Macario cuando narra la historia de Gaspar Mora. Cuenta «no la verdad tal vez de los hechos, pero sí su encantamiento»[26], «cambiándola un

---

[20] Roa Bastos, *op. cit.,* p. 123.
[21] *Ibid.*, p. 123.
[22] *Ibid.,* p. 124.
[23] Esta frase de Freud está citada por C. G. Jung: *Psychology of the Unconscious,* Dodd, Mead and Company, New York, 1947, p. 29.
[24] Roa Bastos, *op. cit.,* p. 125.
[25] Véase Cassirer, *op. cit.,* p. 124.
[26] Roa Bastos, *op. cit.,* p. 15.

poco cada vez. Superponía los hechos, trocaba nombres, fechas, lugares...» [27]. Nos quedamos, como quería Ortfried Müller al hablar de mito, con una narración que une lo real y lo ideal [28]; lo «objetivamente» real y lo «sicológicamente» real, para hacer esa distinción que no efectúa el primitivo. Macario, «cuya senectud era un terreno fértil para las contradicciones, los olvidos y los símbolos» [29] es ahora nuestro narrador pero más que un individuo es «la memoria viviente del pueblo» [30], la misma memoria que reconoce, tras el perro, la figura del doctor; la misma que teje en torno del vagón toda la tela de ilusiones que le dan su fuerza. Es el pueblo quien proyecta sus propios sueños en el objeto mítico; es el pueblo el que le da su fuerza física preternatural —*mana*— y también sus rasgos distintivos. Los mitos retratan al pueblo que los nutre y los crea, y expresan, de manera propia, experiencias que están en el transfondo síquico de la humanidad [31]. Como el arte, como los sueños, como las alucinaciones —y sin que de modo alguno se pretenda poner en un mismo nivel todas estas manifestaciones— la memoria popular, fabuladora, nos pone en contacto con el inconsciente colectivo. La memoria colectiva no entrega los hechos tal como realmente sucedieron, sino adaptados a su peculiar estructura de pensamiento: «La memoria popular retiene difícilmente acontecimientos 'individuales' y figuras 'auténticas'. Funciona por medio de estructuras diferentes: *categorías* en lugar de *acontecimientos, arquetipos* en vez de *personajes históricos*» [32]. En muy poco tiempo, el hecho real va perdiendo su singularidad y revistiéndose de los rasgos propios de la conciencia mítica.

La técnica literaria que Roa Bastos emplea para ponernos frente a esta realidad se concentra especialmente en la perspectiva narrativa. La dimensión fantástica de los objetos precede a su dimensión real, según vimos, y los dota así de todos los atributos maravillosos que les ha dado la imaginación popular; más aún los transforme en imágenes primordiales creadas por el inconsciente colectivo. Aun cuando quien presenta el Cristo de Itapé es Miguel Vera, hemos visto que su presentación no corresponde a una impresión individual, sino a la de todo el pueblo; más aún, la de Macario, encarnación de la conciencia mítica. Al presentar al perro, la narración está en tercera persona, y se enfatiza la presencia del pueblo: «dice la gente» [33], «el pueblo puede decirse que acaba de despertarse a su paso», «decían

---

[27] *Ibid.*, pp. 20-21.
[28] Citado por Chase, *op. cit.*
[29] Roa Bastos, *op. cit.*, p. 22.
[30] *Ibid.*, p. 14.
[31] Cfr. Jung, *op. cit.*, p. 29.
[32] Eliade, Mircea: *El mito del eterno retorno,* Emecé editores, Buenos Aires, 1968, p. 47.
[33] Roa Bastos, *op. cit.*, p. 40.

los naturales» [34], «casi lo ven andando todavía tras el perro» [35]. Hemos visto también cómo Vera, en su viaje hacia el vagón, va contando lo que ha oído cerca de él, resumiendo las leyendas y los mitos que el pueblo ha forjado en torno a ese viaje. Antes de saber la realidad, conocemos los sueños que esa realidad ha originado; el autor nos coloca, en cada caso, en la misma posición y actitud que podría tener un espectador que los viera por primera vez, luego de haber oído sobre ellos múltiples y contradictorias opiniones. Es sólo después de esta presentación fantástica que conoceremos la historia tras el mito: es decir, las realidades —siempre menos sugerentes— que dieron origen al proceso de fabulación colectiva.

Hijo de hombre nos presenta algunos hechos «no muy antiguos, pero que habían formado ya su leyenda» [36], como la historia del Cristo, del perro y del vagón; nos presenta también lo que en el futuro será otra leyenda: la historia de Kiritó y la imagen alucinante del camión en llamas. En este último caso, la técnica se repite: el objetivo mítico es visto primero en dimensión irreal, fantástica:

> En el silencio que siguió, oí el jadear de un camión. Cada vez más próximo. El camión ha aparecido por fin en la boca de la picada, es un camión aguatero... *Ella* (la muerte) continúa tentándome. Sus engaños, sus sarcasmos son incalculables. En medio de una nube de polvo, con las ruedas en llamas, el camión ha avanzado zigzagueante por el cañadón. He disparado también sobre él varias ráfagas, toda la cinta, sin poder pararlo, sin poder destruir ese monstruo de mi propio delirio. Ha seguido avanzando, con el tanque bamboleante y las ruedas en llamas, erizado de vívidos penachos de agua, hasta embicar contra un árbol. Está ahí..., está llamándome [37].

Sólo al final de la lectura de un capítulo tan fuertemente expresivo como «Destinados» puede apreciarse el carácter de alucinación, de fenómeno increíble, que adquiere para el narrador la llegada de este fantástico camión. Para él no puede ser otra cosa que un monstruo del delirio: es el único sobreviviente de una pesadilla, y ya ha perdido hace tiempo todo sentido de la realidad. Como en el caso del vagón, como en el caso del perro, un objeto material se ha transformado en algo maravilloso. Lo que en las otras imágenes se daba a través de la perspectiva colectiva, de la visión de todo el pueblo, se da aquí desde el ámbito alucinado de la locura. Ya antes, a través de las extrañas y proféticas palabras de María Rosa, la loca

---

[34] *Ibid.*, p. 41.
[35] *Ibid.*, p. 42.
[36] *Ibid.*, p. 13.
[37] Roa Bastos, *op. cit.*, p. 203.

de Caroveni, el autor nos había insinuado esta perspectiva que, metafóricamente, expresaba los aspectos más profundos de la realidad. Tanto la fabulación popular como la locura apuntan derechamente a la actividad inconsciente [38]. Si «los mitos son el sueño colectivo del pueblo, y los sueños los mitos del individuo» [39], podemos ver cómo aquí la perspectiva fantástica, relacionada con las imágenes primordiales del inconsciente colectivo, se alcanza a través de la visión de un loco, como es común en la conciencia religiosa primitiva. En cuanto al modo de presentación del objeto mítico, que es lo que nos interesa en este momento, podemos ver que Roa Bastos utiliza la misma técnica que en los casos anteriores: vemos al objeto primero en su dimensión irreal (aunque profundamente verdadera, de verdad sicológica) y luego conocimos su verdad histórica. Tal como los sueños revelan al individuo su realidad más profunda, esta alucinación de Vera tiene, como las palabras de María Rosa o las interpretaciones populares, un significado simbólico.

Como bien dice Mario Benedetti [40], Roa Bastos emplea con virtuosimo las diversas perspectivas de la narración en *Hijo de hombre.* Alterna la narración en primera persona (hecha por Vera en los capítulos I, III, V, VII) y que es indispensable para darnos su visión explicativa «desmitificada» del mundo), con una visión épica, que exige la tercera persona, en los capítulos pares. Vera se presenta a través de una descripción sicológica detallada e introspectiva; los demás personajes que ocupan en algún momento el centro de la acción están presentados desde fuera (Gaspar Mora, el doctor, Casiano, Kiritó) y nos resultan así, «hijos de sus obras», caracterizados por sus acciones. El juego de las perspectivas narrativas sirve precisamente para hacer más vívido el contraste entre una y otra forma de conciencia, entre la visión secularizada y la visión religiosa —o mítica— del mundo. Gran parte del poder de sugestión que adquieren los objetos presentados en *Hijo de hombre* proviene justamente de su doble presentación, primero «fantástica» y luego «histórica». Nos quedamos así con un objeto que concentra en sí mismo una doble realidad: su existencia física, su historia, y además todo el influjo imaginativo que ha ejercido o puede ejercer en las personas. Las diversas perspectivas narrativas sirven, fundamentalmente, entonces, para suscitar en el lector una forma de aprehensión de estos objetos que es análoga a la del pensamiento mítico, para el cual un objeto es inseparable de las reacciones emotivas que provoca. «No es posible hablar de las cosas como de una

---

[38] Dice Mircea Eliade: «...el chamán, antes de volverse un sabio, debe conocer la 'locura' y descender entre las tinieblas, por que la creatividad está siempre en relación con una cierta 'locura' u orgía solidarias del simbolismo de la muerte y de las tinieblas. C. G. Jung explica todo esto por la revivificación del contacto con el inconsciente colectivo» *(Mitos, sueños y misterios,* p. 270).

[39] Jung, *op. cit.,* p. 29 (citando a Abraham).

materia muerta o indiferente..., lo que se ve o se siente se halla rodeado de una atmósfera especial, de alegría o de pena, de angustia, de excitación, de exaltación o de postración...» [41]. El sentido de misterio, de poder, de *mana* que es inherente —en la novela— al Cristo, al vagón, al camión en llamas, se revela como la proyección de anhelos profundos, los cuales, antes de explicitarse lógicamente, se expresan en forma simbólica a través de estos objetos. El juego de perspectivas de la novela es un procedimiento literario que busca dotar a las imágenes novelescas del poder y del misterio que el pensamiento mítico, fabulador y colectivo, otorga a sus propios símbolos [42]. Cada objeto se presenta, en primer lugar, en su dimensión misteriosa y fantástica, creada por la imaginación popular o por la alucinación extrañamente clarividente, lo cual crea una reserva de interés y de suspenso en torno a él y le confiere una importancia significativa y estructural muy grande. De este modo, el objeto mítico adquiere su propia realidad: es más real que cualquier otro objeto, porque reúne en sí dos órdenes de realidad: la «objetiva» y la «imaginativa». Esta es precisamente la definición de mito que da Ortfried Müller [43] y es el efecto literario que se consigue en *Hijo de hombre* mediante el uso de una perspectiva colectiva y fabuladora que va junto a otra, más «realista» u objetiva, en la presentación de un mismo objeto [44].

---

[40] Benedetti, Mario: Letras del Continente mestizo, Ed. Arca, Montevideo, 1967.

[41] Cassirer, *op. cit.*, p. 119 y ss.

[42] Claude Lévi-Strauss afirma que el «salvaje» es capaz de atención sostenida, de «observación sostenida y metódica» de los fenómenos, pero su afán «científico» se diferencia del conocimiento moderno por «una devoradora ambición simbólica» y «una atención escrupulosa totalmente orientada hacia lo concreto». En vez de explicitar, el salvaje simboliza: «se comprende que una observación atenta y meticulosa, vuelta por completo hacia lo concreto, encuentre en el simbolismo su principio y su culminación a la vez. El pensamiento salvaje no distingue el momento de la observación y el de la interpretación...» *El pensamiento salvaje,* F.C.E., México, 1964, 321 a 323).

[43] Citado por Chase, *op. cit.*

[44] Una presentación parecida de un hecho en doble perspectiva podemos encontrar, por ejemplo, en *El reino de este mundo,* de Alejo Carpentier; la muerte de Mackandal es vista primero por los negros creyentes y luego por «muy pocos» que presenciaron el hecho real. «Es interesante ver en este punto —dice el investigador checo Emil Volek— cómo Carpentier oscila entre su explicación racionalista del transcurso de la ejecución y la impuesta perspectiva de la fe negrista» (en «Análisis e interpretación de *El reino de este mundo* y su lugar en la obra de Alejo Carpentier, Revista *Unión* (Revista de la Unión de Escritores y Artistas de Cuba, año VI, núm. 1, marzo de 1969, p. 108). En el texto de Carpentier se dan ambas perspectivas casi juntas, en la misma página; *Hijo de hombre,* en cambio, lo hace a través de una narración larga, manteniendo el suspenso en torno al misterio encerrado por las imágenes.

c) *La imagen mítica: la concentración temporal y la situación-límite*

La imagen del camión con las ruedas en llamas, una de cuyas facetas acabamos de presentar, es, sin duda, la más importante en *Hijo de hombre*. Este camión aguatero, guiado por Cristóbal Jara, alcanza Boquerón, tras increíbles penurias. Miles de hombres han muerto de sed allí, y el camión es recibido por una salva de balas, disparada por el único y enloquecido sobreviviente, Miguel Vera. Tanto se destaca esta imagen que está presentada dos veces, y desde distintos puntos de vista, en la novela más aún, da fin y culminación a dos importantísimos capítulos: «Destinados» (donde Miguel Vera narra sus trágicas experiencias en Boquerón) y «Misión» (relato en tercera persona de la heroica acción de salvamento que, a costa de su vida, cumple Cristóbal Jara). Como analizaremos a continuación, la importancia de esta imagen en la estructura de la obra no está solamente en su ubicación y en la fuerza de la situación que presenta, sino, fundamentalmente, en que repite otras imágenes similares que ya se han presentado en la novela, y alcanza, por lo tanto, una intensidad expresiva muy grande. El último capítulo, «Ex combatientes», no hace más que dar un desenlace a la trama, mostrar los efectos del sufrimiento y la guerra tanto en Miguel Vera como en Crisanto Villalba, prototipo del «hombre sufriente y vejado»; pero el verdadero clímax de la obra, su momento de suprema tensión, se concentra en el camión en llamas, síntesis de toda la narración anterior.

Hemos analizado ya, como primer rasgo de la imagen de objetos míticos en esta novela, el hecho de que ella adquiere su fuerza, en parte, a través de expresar, sintentizar, objetivar, una narración anterior; es decir, la narración, que transcurre en el tiempo, se expresa también en el espacio mediante la existencia y presentación de un objeto que reúne en sí el sentido de lo narrado, cosa que, tras la lectura de los capítulos «Misión» y «Destinados», queda clarísima en el caso del camión en llamas. En segundo lugar, vimos que otra característica de la imagen mítica consiste en la perspectiva desde la cual se enfoca el objeto dentro de la obra, y veíamos que ésta no era individual ni racional, sino colectiva y fabuladora; afirmamos también que un matiz de esta perspectiva se aprecia en la presentación del camión, ya que ésta se ve desde la «alucinación» de Vera antes de que sepamos su historia real.

Pero la imagen del camión en llamas habrá de servirnos también para ilustrar otra cualidad de la imagen mítica, tal vez la más importante de todas. La imagen mítica de la impresión, según dijimos, de algo colocado fuera del tiempo, ajeno el acontecer temporal, y marca un momento estático dentro de la novela; como en *El siglo de las luces,* de Carpentier, el autor «pinta» un cuadro, compone una escena evidentemente cargada de significado, y nos hace detenernos a contemplarla, sustrayéndola del tiempo de la acción [45]. En «el tiempo inmemorial, difuso y terrible como un sueño» [46] en el cual se instalan los mitos, pierden fuerza las nociones temporales de presente, pretérito y futuro. Releamos nuestros ejemplos. El vagón avanza hacia el pasado, se proyecta a la catástrofe que le dio origen y recuerda su historia, pero también apunta al futuro, a través de las guerrillas que se organizan en torno a él, en la vida de Kiritó y en la fuerza de la leyenda que ha creado. El perro lleva consigo una sombra del pasado, y vive «en la órbita misteriosa donde lo vivo y lo muerto se mezclan de tan extraña manera» [47], esperando un retorno imposible. Y el Cristo de Itapé, además de recordarnos la historia de Gaspar Mora, es una especie de llamada permanente a la acción, a la rebelión, a la insurgencia; es un Cristo hereje, rebelde, un Cristo leproso. La visión que tenemos de estas imágenes no es cronológica; concentra en un objeto múltiples dimensiones temporales. El presente del objeto implica un pasado y encierra el germen del porvenir. Como en *Cien años de soledad,* donde el tiempo «sufría tropiezos y accidente, y podía, por tanto, astillarse y dejar en un cuarto (el de Melquíades) una fracción eternizada» [48], la imagen del objeto mítico nos traslada al plano de lo intemporal.

Podemos verlo más claramente a través del análisis de la imagen del camión en llamas. Según dijimos, tenemos de ella dos versiones. Vimos ya —al hablar de la perspectiva— la de Miguel Vera; tenemos ahora la que concluye el capítulo «Misión»:

> Un rato después entraba en el cañadón, aparentemente abandonado. Avanzó a la deriva con las ruedas en llamas, bamboleando por entre las armas y bagajes y los bultos esparcidos bajo los árboles calcinados. Varias ráfagas de ametralladora, imprecisas, balbuceantes, como disparadas por un ebrio o un loco astillaron finalmente los vidrios, pero el camión siguió avanzando en zigzag, avanzó unos metros más. Se detuvo. Al chocar contra un árbol se detuvo. Un gran chorro de agua salió por la boca del tanque sobre las llamaradas que llenaban de sombras el cañadón de nuevo silen-

---

[45] Véase, por ejemplo, la escena en que el viejo revolucionario Billaud-Varennes (en prisión, donde todos los afanes, según lo dicho en el capítulo, se vuelven vanos) «escribía a la luz de un candil... Cerca de él, echada sobre un camastro, la joven Brígida, desnuda, se abanicaba los pechos y los muslos con un número viejo de *La décade philosophique (El siglo de las luces,* Editorial. Seix Barral, Barcelona, 1965), p. 241.

[46] Roa Bastos, *op. cit.,* p. 19.

[47] *Ibid.,* p. 43.

[48] García Márquez, Gabriel: *Cien años de soledad,* Editora Sudamericana, página 296.

cioso. La bocina empezó a sonar, trompeteando largamente, inacabablemente. El camionero estaba caído de bruces sobre el volante, en la actitud de un breve descanso [49].

Si el lector compara las dos citas que hemos hecho, verá que a través de un mismo objeto real, descrito en términos semejantes —«bamboleante», «zigzag», «varias ráfagas»— tenemos dos visiones muy distintas. Este juego de perspectiva, constante a lo largo del libro, nos expresa aquí, como en otras ocasiones, el contraste entre dos formas de conciencia y dos modos de ver la existencia humana. La visión que Miguel Vera tiene del camión está al fin de un capítulo significativamente titulado «Destinados» y que relata lo que le sucede a Vera desde que es encarcelado por el frustrado intento guerrillero en Sapukin, que él mismo delató estando ebrio, hasta que se salva de morir de sed en Boquerón. Quien haya leído este capítulo, narrado íntegramente por Vera, podrá recordar cómo éste se nos presenta atormentado por todos los dilemas del hombre contemporáneo; abrumado por un oscuro sentimiento de culpa, profundamente escéptico respecto de la posibilidad de determinar su destino (por algo el nombre de capítulo), acosado por el absurdo de todas sus empresas y aun de sus recuerdos (véase la escena con Lágrima González). Es el mismo Vera que, vuelto ya a Itapé, no encontrará otra alternativa que el suicidio. Al terminar su manuscrito, este hombre, testigo de los sufrimientos más terribles de su país, se siente abrumado por el peso de todo cuanto ha visto, de todo lo que, a modo de testigo, nos ha comunicado. «Debe haber una salida… porque de lo contrario sería el caso de pensar que la raza humana está maldita para siempre, que *esto* es el infierno y que no podemos esperar salvación» [50]. Si el infierno es uno mismo y son los otros —como resulta ineludible para Vera— el absurdo final (pero más misericordioso, tal vez) será suicidarse, arreglar su propia muerte a manos de un niño también víctima de la guerra y frente al cual Vera se siente oscuramente responsable. No cabe la menor duda que Vera podría hacer eco a la célebre frase de Stephen Dedalus: «History is a nightmare from which I am trying to awake» (La historia es una pesadilla de la que estoy tratando de despertarme). Toda su vida, toda la guerra de su pueblo, todo el inmenso caudal de sufrimiento humano y de muerte que narra esta novela provocan «el terror de la historia», esa sucesión de arbitrariedades sin más rasgo común que el de provocar intolerables sufrimientos y hacer siempre al hombre culpable de su propia desgracia y de la de su prójimo. Miguel Vera no encuentra justificación a su existencia ni al destino de su pueblo; no encuentra tampoco modo de perdonarse a sí mismo por la oscura carga de culpa

[49] Roa Bastos, *op. cit.*, p. 251.
[50] Roa Bastos, *op. cit.*, p. 280.

que ha ido acumulando («mis traiciones y olvidos de hombre, las repetidas muertes de mi vida»). «¿Cómo podrá el hombre» —se pregunta Mircea Eliade, planteando el problema del historicismo— «soportar las catástrofes y los horrores de la historia —desde las deportaciones y los asesinatos colectivos hasta el bombardeo atómico— si, por otro lado, no se presiente ningún signo, ninguna intención trashistórica, si tales horrores son sólo el juego ciego de fuerzas económicas, sociales o políticas o, aún peor, el resultado de las 'libertades' que una minoría se toma y ejerce directamente en la escena de la historia universal?» [51].

En la imagen del camión en llamas está quizá la oscura clave que Vera buscó siempre, y que la novela sugiere a través del constante contrapunto entre la visión individual, privada, racional del mundo y la experiencia de la «conciencia primitiva», que encuentra en el mito su más firme soporte. Alucinado, Vera cree percibir en el sonido de la bocina (que empieza cuando Cristóbal se desploma muerto sobre el manubrio) un llamado. «Está ahí... está llamándome...», dice, al terminar la narración, frente a ese lamento que sonaba «inacabablemente». Resulta irónico que su vida sea salvada por la acción del mismo a quien delató y puso en peligro de muerte, y que sea él quien le llame —metafóricamente— a recordar su pasado, su niñez, Macario, los primeros episodios de la manifestación de una fe que abandonaría —«desertor», se dice [52]— al emprender la carrera militar. Desde entonces, sus acciones se ven cargadas de una futilidad característica, de una esterilidad, de un sentido de impotencia frente al destino. No tiene hijos, y esto en la novela se destaca claramente: durante el sitio de Boquerón tiene un asistente (que no en vano se llama «Niño Nacimiento», y lleva como apodo «Pesebre») que «ha venido a resultarme hijo de la Lágrima González», la muchacha que amó en su niñez, y a quien encontró más tarde en un prostíbulo. Este niño «pudo ser hijo mío», dice. «Es sólo mi ordenanza. La guerra lo ha puesto a mi cuidado, por casualidad. Las leyes inflexibles del azar, está visto, eligen las entrañas del caos para cumplirse» [53]. Para este hombre «histórico», el destino es una sucesión de hechos puramente casuales, absurdos, sobre los cuales no tiene control. Así, en la guerra, su papel será pasivo: el capítulo que narra uno de los hechos bélicos más importantes de la guerra del Chaco, el sitio de Boquerón, lo presenta como «destinado», obligado a sufrir una suerte determinada por fuerzas ajenas. «Sólo un milagro podría salvarnos. Pero en este rincón del Edén maldito, ningún milagro es posible» [54], y la oscura culpa de ser inconscientemente «desertor»

---

[51] Eliade, *El mito del eterno retorno,* p. 150.
[52] Roa Bastos, *op. cit.,* p. 63.
[53] *Ibid.,* p. 184.
[54] *Ibid.,* p. 199.

y «delator» [55] asfixia cada vez más sus posibilidades de acción. Fundamentalmente, las acciones de Vera están «desprovistas de sentido», es decir, «carecen de realidad» desde el punto de vista del hombre primitivo [56], para quien la «realidad» y la significación de las cosas y de los actos se adquieren exclusivamente a través de la repetición y de la participación en un modelo ejemplar [57]. En el mundo de Vera no hay milagros y, por tanto, no hay sentido ni esperanza; hasta la muerte es un absurdo.

Pero en la novela hay «una fuerza que hace los milagros» [58], hay una repetición paradigmática, hay otra forma de conciencia que constantemente está oponiéndose a la conciencia histórica del absurdo, y ésta es la conciencia mítica. Nada es absurdo para el hombre que asume la responsabilidad de su propio destino y sabe que en él se repetirán las claves significativas de otro destino ejemplar. La línea de fuerza Gaspar Mora-Casiano Jara-Kiritó es el eje estructural de uno de los planos narrativos de la obra, y se concentra entera en la imagen del camión en llamas.

En primer lugar, el destino final de Kiritó, su muerte en un vehículo con las ruedas en llamas, nos remonta a su nacimiento y a su infancia. No es azar que Cristóbal Jara haya nacido en un vehículo en movimiento, en esa trágica carreta que puso fin a una de las fugas de su padre, ni que su «hogar» —así se llama otro capítulo— no haya sido una casa, sino un alucinante vagón que emprendió un viaje imposible, y cuyas ruedas, según la leyenda popular, estaban «untadas de fuego fatuo» [59]. Si en la vida de Vera hay sólo azares, en la de Kiritó nos persiguen los significados. Es, por esencia, un *homo viator,* un hombre peregrino, que repite la acción de quienes se apartan de la vida ordinaria para dedicarse a una empresa aparentemente inútil y vana, pero realmente de mayor trascendencia que todas las otras empresas posibles. Gaspar Mora encarna un espíritu de solidaridad, de reflexión y de rebeldía, que hará de Sapukai un lugar en que se centran muchos destinos. Casiano Jara, empujando su vagón, dará origen a una leyenda que creará las guerrillas, símbolo de este mismo espíritu. Y la acción quijotesca de Cristóbal es justamente la clase de acción anónima que, según el general Estigarribia, decidiría la suerte de la guerra: «Triunfará el ejército que consiga dominar las comunicaciones del enemigo. Sobre todo, el que consiga llevar agua a sus líneas. Porque ésta va a ser la guerra de la Sed» [60]. Y además de la guerra de la sed, fue la

---

[55] *Ibid.,* pp. 63 y 178.
[56] Eliade, M.: *El mito del eterno retorno,* p. 40.
[57] *Ibid.,* p. 14.
[58] Roa Bastos, *op. cit.,* p. 245.
[59] *Ibid.,* p. 124.
[60] *Ibid.,* p. 185.

guerra de la heroica resistencia —por ambas partes [61]— y de la muerte, la fraternidad última entre todos los hombres [62]. Los valores absolutos no están, según se señala clarísimamente, en las turbias causas que encienden toda guerra; «nuestro patriotismo va a acabar teniendo olor a petróleo», dice uno de los personajes. Los valores absolutos provienen siempre de aquel «ser cabal con el prójimo» que predicaba Macario Francia; de esa solidaridad que es la única puerta abierta a una vida más allá de la muerte. El Cristo, el vagón, el camión en llamas, encierran todos ese fuego de unión entre los hombres. De Cristóbal —portador de Cristo— puede decirse como de El que amó a sus semejantes hasta la muerte, y muerte de cruz. En la conciencia mítica, el sacrificio nunca es estéril: la muerte del sacrificado significa siempre una nueva vida y regenera las fuerzas del mundo. «La creación no puede realizarse sino a partir de un ser viviente que se inmola» [63] y la muerte es así una misteriosa forma de fecundidad.

Puede establecerse una curiosísima relación entre las palabras claves de esta novela y el conocido estudio del profesor Gastón Bachelard, *Psicoanálisis del fuego.* Si consideramos que la acción de Casiano Jara prefigura la de su hijo Cristóbal, y que esta relación se indica a través de la semejanza entre la imagen del camión con las ruedas en llamas y la del vagón de ruedas embrujadas, es decir, en ambos casos, a través del fuego; si decimos, una vez más, que ambas acciones tienen también otro modelo mítico, que es la existencia de Gaspar Mora y su Cristo, en el capítulo significativamente titulado «Madera y carne», no nos ha de extrañar ver cómo el profesor Bachelard afirma que «el fuego es hijo de la madera», del rítmico frotamiento de dos trozos de madera, cargado de significado amoroso por el hombre primitivo, y que «el amor no es sino un fuego que transmitir» [64], como entre Gaspar, Casiano y Kiritó se transmite el ideal de solidaridad humana. Más todavía: en la conciencia del primitivo, el fuego se relaciona antes que nada con ese movimiento humano, con «la mano que empuja el palo por la ranura, imitando las caricias más íntimas. Antes de ser hijo de la madera, el fuego es hijo del hombre» [65]. Y la coincidencia misma de estas palabras con el título de la novela nos lleva a explicitar una vez más la relación simbólica que ya advertimos entre las acciones —aparentemente disímiles o inconexas— de los personajes que nom-

---

[61] *Ibid.,* p. 198.

[62] *Ibid.,* p. 191: «Uniformes kakis y verdeolivos confundidos, hilvanados por cuajarones carmesíes, cosidos a una indestructible fraternidad».

[63] Eliade, Mircea: *Mitos, sueños y misterios,* p. 220. Esta obra trata con alguna extensión el sentido de la muerte y del sacrificio en el mundo primitivo.

[64] Bachelard, Gastón: *Psicoanálisis del fuego.* Alianza Editorial, Madrid, 1966, pp. 44-45.

[65] *Ibid.,* p. 46.

bramos. Hay una fuerza que hace los milagros aparentemente imposibles, que salva a Vera, primero, de morir a manos de los mellizos Goiburú («me salvé porque creía firmemente en algo... en el abombamiento de la asfixia sentía que la mano de madera de Gaspar me sacaba a la superficie)[66], y luego de morir de sed en la guerra, a través del sacrificio de Cristóbal Jara. Y esta fuerza es el mismo afán de trascendencia, de inmortalidad y de amor que lleva a un Gaspar Mora a tallar el Cristo inmortal y leproso, como un modo de dejar algo de sí a los que le amaban y necesitaban; el mismo afán enloquecido de Casiano, quien quiso expulsar el vagón que trajo la muerte a su pueblo; el mismo afán de Kiritó, quien dio su vida por los demás. El hombre superior hace de su destino —cualquiera que éste sea: la muerte por lepra, la locura, la guerra— una suerte conscientemente asumida, una oportunidad de amor, la transmisión de un fuego. La madera tallada por Gaspar engendra el fuego y éste se transmite de Casiano a Cristóbal, y tal vez de éste a Alejo y Cuchu'í: siempre habrá quien lleve el fuego, quien sea portador del Cristo leproso y rebelde.

Ya hemos dicho que esta novela está impregnada de simbolismo cristiano. Bastaba recordar los nombres de los personajes, las incesantes alusiones al Edén perdido, etc. Sin embargo, cualquier lector advierte a primera vista que esto no significa en absoluto una visión tradicionalmente cristiana de la existencia, sino todo lo contrario. Hay muchas ocasiones en que la Iglesia Católica se presenta como antagonista del fervor popular y de la verdad misma. Podemos recordar el episodio en que Macario, el apóstol de la nueva religiosidad, se enfrenta con el sacerdote de Itapé, lleno de prejuicios y de argucias, empeñado en destruir al Cristo hereje; o la descripción que hace Vera del padre Fidel Maíz[67], importante figura de la historia paraguaya, que se equipara con un papagayo que repite palabras de un idioma extinguido, tal como aquel papagayo que queda solo en el penal, junto a la tumba de Jiménez, quizá el último representante del individualismo romántico. La presencia del Cristo leproso y hereje es signo de un nuevo orden, de una nueva religiosidad, de un nuevo mito. El cristianismo tradicional —más todavía— se siente como un falseamiento de la condición del pueblo; no en vano se alude al ardid famoso de los primeros misioneros, quienes transformaron a *Zumé* —deidad indígena— en santo Tomás, apóstol que, como castigo a su incredulidad, fue enviado a evangelizar estas remotas tierras. Y el nuevo *Paí Zumé* no es ya santo Tomás, sino míster

---

[66] Roa Bastos, *op. cit.*, p. 23.

[67] *Ibid.*, p. 173: «el viejo loro de la oratoria sagrada, revestido con los ornamentos, senil y desmemoriado, graznando sobre el campo ardido de sol el Sermón de las Siete Palabras. Ahora se me antojaba que él no hacía más que repetir también algunas palabras de un idioma extinguido».

Thomas, el dueño del yerbal en que los pobres paraguayos, «esos cristos descalzos y oscuros, morían de verdad, irredentos, olvidados» [68]. «El patrono legendario de la yerba y el dueño de ahora del yerbal se llamaban lo mismo» [69]. Sobran aquí los comentarios.

Si la religión tradicional no puede ser la religión del pueblo, tampoco las semiolvidadas leyendas de indígenas pueden proporcionar la alternativa mítica necesaria. A ellas se alude con respeto («Ellos no se equivocan» [70], dice Cristóbal), pero no intervienen decisivamente en el simbolismo de la novela [71]. Como el trágico individualismo de Jiménez —y del mismo Vera, más escéptico y «moderno»— cristianismo y religiosidad basada en el folklore se sienten en esta novela como alternativas superadas. Sólo será suficiente una visión que, junto con ser profundamente religiosa, rechace toda intervención de lo sobrenatural y encuentre en el hombre mismo «la fuerza que hace los milagros»: «Lo que no puede hacer el hombre, nadie más puede hacer», dice Cristóbal solemnemente, tan solemnemente que luego el autor tiene que hacerle decir: «No sé. No entiendo lo que se dice con palabras» [72]. En este contexto, el simbolismo del Cristo «hijo de hombre» adquiere su vigencia plena. Son los sufrimientos y los heroísmos humanos los que hacen los milagros; es la solidaridad entre los hombres lo que da sentido a los destinos. Cada hombre humilde que lleva a cuestas digna y generosamente su desgracia es un Cristóbal, un «portador de Cristo», y es también la actitud ante el prójimo lo que abre las puertas de la inmortalidad: «Porque el hombre, mis hijos... tiene dos nacimientos. Uno al nacer, otro al morir... Muere pero queda vivo en los otros, si ha sido cabal con el prójimo. Y si sabe olvidarse en vida de sí mismo, la tierra comerá su cuerpo, pero no su recuerdo...» [73], [74]. Bien claramente vemos a través de la novela que este «olvidarse de sí mismo» implica la rebeldía y la militancia. Si el plano Gaspar Mora - Casiano - Cristóbal se caracteriza por una progresión y no simple repetición de des-

---

[68] Roa Bastos, *op. cit.*, p. 81.

[69] *Ibid.*, p. 88.

[70] *Ibid.*, p. 244.

[71] Tal vez esto pueda atribuirse al barniz romántico-modernista con que estas leyendas y mitos se fueron recubriendo. Muestra de ello es el libro de María Concepción L. de Chaves, *Río lunado, Mitos y costumbres del Paraguay,* Ed. Peuser, Buenos Aires, 1951.

[72] Roa Bastos, *op. cit.*, p. 245.

[73] Roa Bastos, *op. cit.*, p. 38.

[74] A este respecto dice con mucho acierto Josefina Pla: «El hombre paraguayo entra en la novela y sale de ella con la cruz a cuestas. En el primer capítulo es la cruz elaborada por un leproso, bendecida a la fuerza; en el último, es la cruz de cobre contrahecha con que obsequian en inconsciente, pero cruel sarcasmo, al veterano obseso sus propios camaradas». («Literatura paraguaya en el siglo XX», *Cuadernos Americanos,* México, enero-febrero 1962, vol. CXX, número 1, p. 84).

tinos, esta progresión se encuentra en el creciente compromiso con la realidad. La etapa encarnada en Gaspar Mora es la de reflexión y purificación. La de Casiano se encarna en un acto de valor puramente simbólico. La de Cristóbal, en cambio, encuentra expresión a través del intento de guerrillas y de la posterior actuación militar. El destino se repite pero a la vez se renueva. En torno al eje central de la solidaridad, cada individuo traza su propio círculo, semejante a los demás pero también propio y progresivo. Frente a esta espiral que dibujan los destinos solidarios, el trazo aislado de la existencia de Miguel Vera, hombre histórico, muestra en un triste paralelismo la contrafigura del héroe mítico [75], [76].

Volvamos al camión en llamas. Dijimos que la fuerza extraordinaria de esta imagen consistía en gran parte en sintetizar y repetir muchas otras imágenes similares que se dan en la novela y de colocarse fuera del tiempo cronológico de la narración, fija y suspendida, encerrando el presente, el pretérito y el futuro. Después de este análisis, estamos en mejor situación para comprender estas afirmaciones.

---

[75] Para agregar otro más de los innumerables detalles simbólicos que comprueban esta relación de oposición que se establece entre Vera y Cristóbal Jara, pensemos en la relación Lágrima González-Miguel Vera y la de Salu'í con Cristóbal. Miguel Vera encuentra a Lágrima González, a quien amó de niño y con quien habría podido, dice, tener un hijo, en un prostíbulo; sale de allí «amargado, estéril, viejo». Cristóbal, en cambio, produce en Salu'í el cambio que la librará de la prostitución y de la vergüenza (véase p. 245).

[76] Damos a esta esquematización un valor meramente referencial, ilustrativo. Con E. M. Forster, no consideramos un «diseño» geométrico y exacto un requisito para la novela. La estructura interna de una novela no es un «diseño», ya que éste puede encontrarse incluso ausente, sino más bien una serie de «ritmos» inapresables en una figura geométrica. Ejemplos en esta misma novela: nuestro esquema no considera el episodio del doctor —«madera y carne» ni «la fiesta», ni tampoco el episodio final, «Ex combatientes». La relación de estos capítulos con la estructura interna de la novela es bastante más sutil, y se basa en la repetición («repetición más variación» dice Forster que es el ritmo, al tratar de darle una definición fácil) de ciertos elementos estructurales, todos ellos muy significativos en la novela. En el caso del doctor, por ejemplo, nos encontramos con un personaje visto también en perspectiva épica, como Casiano y Kiritó; un personaje que también se entrega a los demás, llevado al principio por la solidaridad, y que por esto es amado por María Regalada (una de las figuras de la serie María Rosa-María Regalada-Salu'í (María Encarnación) y por el pueblo; sin embargo, la codicia lo aparta del destino que originalmente había elegido. (Ya que el libro presenta distintos estratos de la sociedad paraguaya, no sería extraño que pudiéramos ver aquí una alegoría de algunas intervenciones extranjeras en el continente). «La fiesta» es tal vez el capítulo en que dos de los principales motivos del libro —el sentido religioso de la existencia y la experiencia de la muerte— se presentan con más fuerza. «Ex combatientes», como señala Josefina Pla, retoma el motivo inicial de la cruz y también muestra la desintegración final del propio Vera, quien rehusó enfrentar la dimensión religiosa de su existencia. La presentación de estos capítulos nos muestra que *Hijo de hombre* es mucho más que una simple «novela de tesis», artificialmente construida en torno a un «diseño» meramente intelectual, y que su estructura interna es compleja y rica en significados.

La imagen del camión encierra el tiempo histórico, por mostrar un hecho real e imprescindible en la narración; como antítesis, incorpora también el eje temporal centrado en Vera; y, entrando en el tiempo cíclico del mito, repite la figura del Cristo y del vagón. En ella está el pasado, el presente, y también la proyección al futuro; el ser ella misma repetición de otros actos, además de otorgarle sentido, hace prever el surgimiento de imágenes similares, tal vez en la existencia de Alejo o de Cuchu'í.

No podemos soslayar aquí el tema de la muerte, tal vez el más hondo estrato de significación de toda la novela. Si el mensaje religioso y social que hemos expuesto está clarísimamente —podríamos decir alegórica y explícitamente— expresado en *Hijo de hombre,* la experiencia de la muerte va coloreando una a una las situaciones y las imágenes, presentándosenos a través de la lepra de Gaspar, a través de la imagen de Iris, a través de la alucinante «fiesta» en que los leprosos se mezclan con los habitantes del pueblo como muertos en vida. (La fiesta podría definirse —dice Gusdorf— como «la situación límite de la ontología primitiva» en que hay una «visita a este bajo mundo por el ejército fertilizante de los muertos»)[77]. La lepra es el signo visible de esta mortalidad, y hasta el Cristo es leproso. La muerte es la fraternidad última entre todos los hombres, es la puerta para una vida distinta, es la expresión paradójica y máxima de la vida. Es, sin duda, ir más allá de los límites de un estudio crítico como el que hemos emprendido decir que Augusto Roa Bastos «pensó» un tema —la solaridad como fuente de sentido mítico para la existencia humana— y que otro tema se le «impuso», se introdujo casi en forma subrepticia, ciertamente menos consciente; en el análisis de personajes vimos cómo el sentido de la muerte, que «me va tallando despacito», como dice Gaspar Mora[78] es el instrumento que hace al hombre consciente y responsable de su destino, la situación-límite que concentra todos los planos de la vida. Si Faulkner hablaba del sexo y de la muerte como las situaciones que revelan al hombre su propia esencia, en *Hijo de hombre* encontraremos que es la muerte la definición por excelencia, el *leit motiv* de toda existencia heroica. Cristóbal Jara y los que le preceden y prefiguran representan al «hombre hecho, héroe mítico de la antigüedad, prudente y seguro de sí mismo, para quien la muerte es un acto de fe que demuestra la fuerza de su cordura»[79]. Sin duda que la misma presentación de la conciencia mítica está motivada por la honda intuición del dramatismo de la muerte. El mito mismo nace de la necesidad humana universal de no morir del todo y de integrar cada vida huma-

---

[77] Gusdorf, *op. cit.,* pp. 84 y 81.
[78] Roa Bastos, *op. cit.,* p. 25.
[79] Bertaux, Pierre: *Hölderlin,* París, 1936, p. 171, citado por Bachelard en *Psicoanálisis del fuego,* p. 36.

na en una estructura de sentido. En la novela de Roa Bastos, es la muerte la manifestación suprema del hombre, el momento en que se pasa del tiempo histórico y fáctico al tiempo mítico y sagrado, en que se comienza a vivir de aquel otro modo que presagiaba Gaspar Mora: «es bueno saber por lo menos que uno no acaba, que se continúa en otra vida, en otra cosa» [80]. No es extraño que sea entonces la imagen del camión en llamas, muerte y vida, muerte y solidaridad, muerte y llamado, muerte y salvación, la que encarna más hondamente el sentido de la novela [81].

Para resumir finalmente los rasgos de la imagen mítica, diremos que el mito convierte al objeto en un centro en el cual convergen múltiples fuerzas: la de la narración (sabida o esperada) como en todas las imágenes novelescas; la de la perspectiva colectiva o inconsciente, cargada de todo el simbolismo más arcano de la humanidad; y finalmente, la coincidencia final de los mútiples ejes del tiempo (pretérito, presente, futuro) hasta instalarse fuera del devenir, eternizándose como un gesto intemporal y trágico. En la imagen mítica existe una confluencia final y perfecta de todos los niveles de significación de lo narrado. Creemos que estos rasgos no sólo son aplicables al estudio de *Hijo de hombre* en particular, sino que pueden aportar algunas luces sobre procedimientos semejantes utilizados en otras novelas latinoamericanas contemporáneas. Veamos un ejemplo: *Cien años de soledad,* novela publicada algunos años después que *Hijo de hombre,* se centra también —aunque de modo diferente, según veremos en un estudio próximo— en el fenómeno mítico. En *Cien años de soledad* todos los planos de significación están misteriosamente contenidos en el manuscrito de Melquíades: «imagen que se superpone a una imagen, tiempo concentrado en un instante, son las coordenadas fundamentales de la obra y están concretadas en este manuscrito decisivo... El último Aureliano lo descifra, cumpliéndose el ciclo de acontecimiento previstos y coexistentes en un solo instante, y cerrándolo para siempre en una imagen que coincide exactamente con las imágenes sucesivas del actuar de los Buendía» [82]. Igualmente vemos en dicha novela cómo Amaranta sólo muere cuando vio en el espejo que «su imagen coincidía con la que ella tenía mentalmente

[80] Roa Bastos, *op. cit.,* p. 25.

[81] El contraste de las actitudes de Vera con las de Cristóbal Jara y sus predecesores es, una vez más, notable. Al comenzar su narración, Vera habla de «mis traiciones y olvidos de hombre las repetidas muertes de mi vida» (p. 14). Se aplica aquí perfectamente la conocida expresión de Shakespeare según la cual «a coward dies a thousand deaths, the valiant taste of death but once». (El cobarde muere mil muertes; el valiente sólo prueba la muerte una vez.)

[82] Foxley, Carmen: «Enfoque mítico y persepctiva narrativa en *Cien años de soledad*», incluido en el Seminario de Graduación *Cien años de soledad, novela mítica,* Universidad Católica de Chile, Departamento de Castellano, Santiago, 1969, p. 50.

de sí misma»[83]; Aureliano muere como había nacido, con los ojos abiertos; Rebeca es encontrada muerta en posición fetal y con el dedo en la boca, etc., así como Cristóbal muere en peregrinación. En ambas novelas, el momento de la muerte une las perspectivas histórica y mítica en una estructura significativa total. En *Hijo de hombre,* para los personajes míticos («morir es lo único que saben») la muerte es, como la fiesta, el momento en que coinciden dos mundos, el «real» e histórico, el «irreal» y mítico; el umbral supremo en que el hombre participa de ambos. Y es como si cada hombre estuviera buscando a través de su vida una fisonomía propia, una fisonomía que sólo su propia muerte habrá de revelarle.

Como todo el mundo sabe, el fenómeno de la introducción de elementos míticos en literatura no es, de modo alguno, un hecho americano. Se ha dicho muchas veces que nuestras literaturas imitan a las europeas, pero con cincuenta años de retraso, y si nos remontamos un poco más de cincuenta años, podemos comprobar que las obras de T. S. Elliot, de Erza Pound, el *Ulises* de Joyce, especialmente, incorporan lo mítico como punto de referencia indispensable[84]. Al tratar las obras literarias contemporáneas, tal vez lo importante en una conclusión no consista en resumir lo dicho ni en hacer precipitados juicios que la perspectiva histórica tendrá que corregir; quizá importe más formular las preguntas que pueden conducir a la adecuada valoración y ubicación del fenómeno literario que hemos descrito e interpretado. Tres son, a nuestro modo de ver, las preguntas fundamentales, y no nos proponemos contestarlas, sino meditarlas en el contexto de nuestro trabajo. La primera: ¿Es la introducción del mito, con lo que implica de estructura total de sentido y de negación del tiempo histórico, un fenómeno literario regresivo? En otros términos: ¿expresa acaso el mito una especie de nostalgia de un paraíso perdido, e implica con ello que el novelista rehúsa conocer el tiempo histórico en que se halla inmerso, como dice Philip? En el caso de *Hijo de hombre,* y a través de nuestro análisis, nos parece que no. El mito resulta en esta novela justamente el punto de partida de la militancia y del compromiso histórico; el mito es una *fuerza social,* como parece natural que lo sea en sociedades donde gran parte de la población participa aún de la conciencia mítica; el mito es en *Hijo de hombre* rebelde, insurgente, y la novela tiene para Paraguay y para América un sentido evidente de llamado a la acción. En este caso, es el hombre «histórico», encarnado por Mi-

---

[83] *Ibid.,* p. 77.

[84] Existe un estudio notable a este respecto, que por desgracia sólo conocemos por referencia. Es el de Joseph Frank, «Spatial Form in Modern Literature», incluido en el volumen *Criticisms the Foundations of Modern Literary Judgment,* editado por Mark Schorer, Josephine Miles y Gordon McKenzie (Nueva York, 1948). Algunas ideas y citas de este ensayo se encuentran en el de Philip Rahv que citaremos más adelante.

guel Vera, el que se ve impulsado a la inacción y al absurdo; en cambio, los personajes míticos son los que activa y heroicamente participan en la construcción de una sociedad nueva y en la eliminación de los errores de la antigua. No existe aquí, en absoluto, una actitud esteticista, sino una evidencia de compromiso. Y esto nos demuestra —a través de este caso concreto, como podría hacerse con muchos otros— que el mito puede tener su lugar en una literatura que quiera darse a sí misma el gastadísimo título de «comprometida» con la realidad histórica. Despertarse de la historia para caer en el mito no es necesariamente llegar a un «estado de insomnio permanente», como dice irónicamente Rahv [85], dando a entender con ello que se deja de lado toda actividad significativa. En este caso, resulta más exacto pensar, con Carlos Fuentes [86], que la presencia del escritor «en un mundo histórico y personal contradictoria y ambiguo, si lo despoja de las ilusiones de una épica natural, si lo convierte en un hombre de preguntas angustiosas que no obtienen respuesta en el presente, sino hacia el futuro y hacia el pasado», lo hace encontrarse frente a frente con el mito, «en el que se puede reconocer tanto la mitad oculta, pero no por ello menos verdadera, de la vida, como el significado y la unidad del tiempo disperso» [87]. Es sin duda de la actitud de más honda preocupación por la realidad histórica, que se traduce en la búsqueda del significado trascendente de ella, que el mito surge en *Hijo de hombre;* lejos de arrebatarnos a mundos quiméricos e imposibles, los recursos míticos nos enfrentan a las más hondas dimensiones de la realidad en que vivimos.

¿En qué novelas hispanoamericanas encontramos un sentido similar para lo mítico? ¿Podríamos decir que Roa Bastos expresa, no una visión individual, sino una actitud compartida por otros escritores de nuestra América? Sin duda, la aparición y desarrollo de los temas míticos y de nuevas formas novelescas que los expresan es una de las constantes de la novela hisponoamericana de nuestra época; hasta pensar en Borges, Asturias, Cortázar, Rulfo, Vargas Llosa, Fuentes..., para citar sólo algunos nombres. En cada uno de estos autores, el mito presenta aspectos diferentes y a veces contradictorios. Pero hay algunas novelas que presentan más que coincidencias accidentales y temáticas con *Hijo de hombre,* y permiten postular que el sentido que en esta novela adquiere el mito se vincula con toda una corriente de pensamiento, con una actitud literariamente significativa que ya tiene una historia y que puede prolongarse en obras futuras.

---

[85] Rahv, Philip: «Myth and the Powerhouse», incluido en The Partisan Review Anthology, editada por William Philips y Philip Rahv, Macmillan & Co., Ltd., Londres, 1962.

[86] Fuentes, Carlos: *La nueva novela latinoamericana,* Cuadernos de Joaquín Mortiz, México, 1969.

[87] *Ibid.,* p. 19.

Pensemos, por ejemplo, en *Hombres de maíz:* también vemos un mito que estructura cíclicamente el tiempo, que repite ciertas situaciones significativas, que busca encontrar «en la corrosión de cada momento» la aparición de lo eterno; y este mito es, como en *Hijo de hombre,* de «origen humano y se inventa según las necesidades diarias de cada hombre y mujer», terminando por hacerse real gracias a que la fe de los hombres le da poder sobre su conducta. «Al dársele crédito, ya logra su cometido» [89]. Y ña Moncha nos explica que «uno cree inventar muchas veces lo que otros han olvidado..., pero lo que uno efectivamente está haciendo es recordar lo que la memoria de tus antepasados dejó en tu sangre...» [90], lo cual nos remonta, no sólo a la figura de Macario, sino al epígrafe que Roa Bastos puso a su novela: una parte del *Himno de los muertos de los guaraníes,* como si todos los olvidados del Paraguay quisieran hacer oír su voz: «He de hacer que la voz vuelva a fluir por los huesos... Y haré que vuelva a encarnarse el habla... Después que se pierda este tiempo y un nuevo tiempo amanezca...». El mito es, en ambas novelas, expresión de los más misteriosos anhelos de pueblos enteros, manifestación de múltiples experiencias sólo aparentemente perdidas.

El reino de este mundo nos introduce también en un modo de conciencia popular y colectivo. Como ya vimos, Carpentier nos presenta muchos hechos desde la perspectiva de una negrista que «concibe como reales y efectivas tanto la realidad como la ficción» [91] (es decir, lo que hemos llamado lo «objetivamente real» y lo «subjetivamente real»), y en esta novela coexisten un plano realista y otro plano mágico que representa la conciencia del pueblo. En forma menos exuberante, pero igualmente efectiva, según vimos al tratar las imágenes, es la memoria popular, en *Hijo de hombre*, el origen de la fuerza mítica que adquieren algunos objetos significativos. Y nuevamente aquí la realidad se estructura en ciclos, Ti Noel repite el destino de Mackandal y Brockman y va, como Gaspar, Casiano o Cristóbal, pasando de la realidad al símbolo, llenando su acción de sentido alegórico, predicando silenciosamente un evangelio del hombre. Si Ti Noel comprende que «la grandeza del hombre está... en imponerse tareas», Cristóbal nos dirá: «Tengo una misión. Voy a cumplirla. Eso es lo que entiendo»; si en una novela «el hombre sólo puede hallar su grandeza, su máxima medida, en el Reino de este Mundo», en la otra «lo que no puede hacer el hombre nadie más puede hacer». Sería largo e inútil seguir anotando semejanzas que cualquier lector atento puede descubrir; basta señalar que dos no-

---

[89] Véase Dorfman, Ariel: «*Hombres de maíz:* el mito como tiempo y palabra», en *Atenea,* núm. 420, abril-junio 1968, p. 150.
[90] *Ibid.,* pp. 151-152.
[91] Volek, Emil, *op. cit.,* p. 106.

velas muy diferentes, dotadas cada una de robusta originalidad, enraizada cada una en situaciones distintas, nos presentan un enfoque del mito que se asemeja en muchos puntos y que determina estructuras formales y significativas similares en la narración. Ambas establecen la ligazón de episodios a primera vista disímiles —no ha faltado quien hable de «falta de unidad»— en torno al eje que representa el mito concebido como fuerza viva y actuante en la conciencia del pueblo. La concepción del tiempo, la caracterización de los personajes, la presentación de las escenas y las imágenes; en fin, los principales elementos estructurales relacionan a *Hijo de hombre* con esta perspectiva novelística amplia y fecunda, que enfoca la experiencia americana desde un ángulo abierto a lo universal y trascendente. En ella, la visión mítica del mundo existe como una realidad para gran parte de los personajes; es decir, es un hecho presente en el mundo histórico que sustenta algunos planos de las novelas, y se nutre de la conciencia primitiva del pueblo. Por otra parte, y desde una perspectiva diferente, el mito existe como una voluntad estructuradora de estas novelas, como la expresión significativa y formal de un anhelo de trascendencia que los fenómenos históricos considerados aisladamente no logran ofrecer. Como dice Volek respecto de *El reino de este mundo,* existe una «poda» de la realidad histórica que sirve para destacar sus aspectos trascendentes y que expresa la intención de que «el mundo concreto de la novela se eleve de este modo a ser un extracto 'mágico' de la historia humana eterna» [92]. Expresa la necesidad de sustituir los mitos considerados caducos por otros que, canalizando las posibilidades del fervor y la devoción de los pueblos, los conduzcan hacia un sentido más claro y profundo de responsabilidad histórica. En este sentido es que se puede afirmar más enfáticamente que el mito se pone al servicio de la causa revolucionaria, y que los procedimientos alegóricos que hemos venido analizando corresponden íntegramente a esta voluntad, se explican a través de ella. Existe un juego constante entre la visión histórica (representada, en *Hijo de hombre,* por Miguel Vera) y la visión «mítica», que revela estratos más profundos de la experiencia. En la compleja relación entre historia y mito encontramos la polaridad fundamental que estructura tanto *El reino de este mundo* como *Hijo de hombre,* y que proviene de una visión semejante de la circunstancia histórica de América.

Las formas novelescas que hemos analizado se manifiestan también en novelas posteriores que, como *Cien años de soledad,* se estructuran también a través de lo mítico. En la obra de García Márquez, sin embargo, el mito incorpora en su propia estructura las categorías históricas, absorbe toda referencia a un «plano real» y nos entrega una novela que, en la frase de Fuentes, es «mito, lenguaje y estruc-

[92] Volek, *op. cit.,* p. 102.

tura». El mito se hace aquí «tautegórico» [93], resiste cualquier interpretación unívoca; no «significa» nada, *es*, y, tal como un poema, no «quiere decir» sino lo que dice. No implica el doble juego de conciencia, la disociación entre «lo real objetivo» y una superrealidad mítica, que exige el estudio de *Hijo de hombre.* Hay motivos que se repiten: el sentido de la recuperación del pasado, de la tradición («en la integración de su pasado llega el hombre a conocerse a sí mismo») [94], la estructuración cíclica del tiempo, la perspectiva colectiva que en la obra de García Márquez se mantiene como punto de vista fijo y contribuye a colocar en el mismo plano lo fabuloso y lo posible. Sin embargo, las dos novelas se diferencian fundamentalmente en el papel que corresponde al mito, en el sentido que éste toma en la narración. Podemos decir que *Hijo de hombre* expresa, más que una conciencia mítica orientadora y total, la necesidad angustiosa de una creencia que otorgue sentido a los hechos históricos y a la experiencia de quienes los viven. La doble perspectiva que se advierte en la narración, los dos planos temporales que se entrelazan y relacionan, resultan así la expresión formal de una conciencia desgarrada entre el palpable absurdo de la existencia histórica y las categorías trascendentes que podrían otorgarle, finalmente, un sentido: el de la «religión del Hombre».

---

[93] Cfr. Gusdorf, *op. cit.*, p. 24.
[94] Volkening, *op. cit.*, p. 144.

Nota sobre el punto de vista narrativo en «Hijo de hombre», *de Roa Bastos* *

David William Foster

---

* Este trabajo apareció originalmente en *Revista Iberoamericana,* 36 (1970), páginas 643-650. En la versión aquí reproducida, la 5.ª parte es nueva.

Yo era muy chico entonces. Mi testimonio no sirve más que a medias (p. 13).

I

La primera impresión que da una lectura de *Hijo de hombre* es que los nueve capítulos son la narración de Miguel Vera, el ex militar que muere al final del noveno capítulo y cuyos escritos son descubiertos y dados a luz por su amiga Rosa Monzón con la esperanza de que algún fin sirvan «en estos momentos en que el país vuelve a estar al borde de la guerra civil» [1]. La mayoría, si no la totalidad, de los que han estudiado la novela han llegado fácilmente a la opinión de que Vera es el único narrador y que, dada la carta de Monzón al final del libro, debemos comprender la historia relata-

[1] Augusto Roa Bastos, *Hijo de hombre* (Buenos Aires: Losada, 1960), página 228. Todas las citas de la novela son de esta edición.

da hasta este punto como una combinación de recuerdos, evocaciones, y diarios de Vera. Así, Seymour Menton, en un reciente análisis, nota cierta variación en la forma presentacional del militar, pero no ve inconveniente alguno en aceptar a Vera como el único narrador [2].

Yo también había mantenido esta posición de la exclusividad narrativa de Vera —con la obvia excepción de la carta de Monzón, la cual nos suministra ciertos datos ya evidentes sobre la personalidad y el «romanticismo» endeble de aquél— en mi estudio sobre la obra de Roa Bastos [3]. Sin embargo, una nueva lectura de la novela me ha convencido de que esa caracterización de su estructura es poco acertada y que es preciso admitir que sólo una mitad de los capítulos son narrados por Vera y el resto viene narrado por otro.

La razón por la cual se había llegado a la conclusión de que Vera es el narrador se debe a que él mismo se coloca dentro de la acción novelesca de varios capítulos, y así viene a ser no sólo espectador-narrador, sino también un partícipe directo en los acontecimientos que está detallando. Efectivamente, en cierto momento se transforma en catalizador cuando traiciona en una borrachera a Jara y su grupo revolucionario (capítulos V-VII), cuando se encuentra cercado sin agua en el Chaco y despachan a Jara y su camión de agua para salvar a él y a sus hombres (capítulo VIII), cuando provoca el entusiasmo vacío del pueblo a la vuelta a Itapé de uno de los ex combatientes, espiritualmente destrozado y quemado por dentro, entusiasmo que lleaga a simbolizar la hipocresía a la guerra oficial (capítulo IX).

II

Sin embargo, y a pesar de que Vera participa directamente, «observándose a sí mismo» como partícipe en algunos de los capítulos, nosotros ahora queremos insistir en que sólo los capítulos impares son narrados directamente por Vera. Y, excepto una referencia a Vera y su traición por los personajes principales del sexto capítulo, Vera no participa en los acontecimientos del segundo, cuar-

---

[2] «Realismo mágico y dualidad en *Hijo de hombre*», *Revista Iberoamerica,* 33 (1967), pp. 55-70. Ver p. 67 «Los nueve capítulos se narran alternativamente entre la tercera persona y la primera (Miguel Vera). Vera mismo explica esta técnica y nota sus efectos fantásticos». La implicación es que Vera narra también los capítulos de tercera persona para crear un efecto fantástico. Hugo Rodríguez Alcalá, en «*Hijo de hombre,* de Roa Bastos y la intrahistoria del Paraguay», *Cuadernos americanos,* 121 (1963), pp. 221-234, también nos da a entender que Vera es el único «relator» (p. 224).

[3] David William Foster, *The Myth of Paraguay in the Fiction of Augusto Roa Bastos* (Chapel Hill: University of North Carolina Press, 1969), p. 55.

to, sexto y octavo capítulos [4]. En el primer capítulo, que establece el contexto tanto histórico como «espiritual» de la novela [5], Vera nos cuenta lo que recuerda de Macario, de Gaspar Mora, y del Cristo que talló Mora. El Cristo, ahora colgado de una cruz y situado en un lugar sagrado sobre un collado de las afueras de Itapé, es el símbolo recurrente del libro, como dice Vera en sus tentativas de interpretar a Mora y al pueblo paraguayo, o del hombre crucificado que tienen que vengar o del Cristo que tienen que castigar por no haber cumplido con su promesa de aliviar el sufrimiento del hombre [6]. En términos de la totalidad de la novela, este capítulo establece el tono unificador de una historia de dimensión mítica del pueblo paraguayo. En términos de Vera, es su mejor vuelo sentimental de recreación de un momento decisivo, en sus ojos, del pueblo que apenas penetra en sus esfuerzos de comprensión.

En el tercer capítulo, Vera nos relata su viaje de Itapé a la escuela militar de Asunción. Viaja con una mucama de la casa y su criatura enferma, a quien durante la noche Vera le roba la leche de los pechos de su madre, incidente que Vera narra sin evaluación para subrayarnos las primeras manifestaciones de sus graves debilidades de carácter. Para que haya ilación entre los capítulos, uno de los incidentes del tercer capítulo tiene que ver con el médico ruso Dubrovsky, cuya historia se ha desarrollado ya en el segundo capítulo. En el quinto capítulo, que es el centro geométrico de la novela y el primer encuentro entre las dos figuras antitéticas, Vera y Jara —uno el Judas y otro el Cristo— Vera recuerda su caminata con Jara al viejo vagón de tren donde los esperan los revolucionarios que quieren pedir a Vera que les dé instrucciones militares. Casi la totalidad del capítulo se dedica a la caminata. Vera recuerda para nosotros que se acordaba de los acontecimiento anteriores del pueblo, como el bombardeo de los revolucionarios de la generación del padre de Jara, los mismos padres, ya legendarios, de Jara, el médico ruso, y las leproserías que construyó y que todavía se divisan

---

[4] En el sexto capítulo leemos el siguiente trozo de diálogo: «—¡Teniente Vera!... —barbotó el oficial—. ¿Me ha oído? —lo removió a Vera con la punta de la bota»— (p. 115). ¿Es Vera, desdoblándose para tratar con fría objetividad la desgracia de su traición, o es la voz de otro narrador? No podemos saber con seguridad, pero este trozo igual representa un ejemplo de una voz narrativa que no es indudablemente la de Vera.

[5] Sobre el rol del primer capítulo, ver el trabajo de Rodríguez Alcalá citado en la segunda nota. En mi estudio mencionado en la tercera nota, se encuentra una discusión detallada de lo que sólo podemos mencionar sumariamente aquí.

[6] Ver p. 13 de la novela. La cuestión del Cristo es examinada en mi trabajo, «The Figure of Christe Crucified as a Narrative Symbol in Roa Bastos, *Hijo de hombre*», *Books Abroad,* 37 (1963), pp. 16-20. Sin conocer mi trabajo, Urte Lenherdt repite en un análisis más detallado de la novela las mismas observaciones, «Ensayo de interpretación de *Hijo de hombre,* a través de su simbolismo cristiano y social», *Revista Iberoamericana,* 34 (1968), pp. 67-82.

a alguna distancia del pueblo. Vera camina detrás de Jara y las espaldas cicatrizadas de éste le despiertan la memoria.

En el séptimo capítulo, Vera, por medio de entradas de un diario, recrea su estancia en el destino de Peña Hermosa, donde lo llevan después de su traición a Jara y donde queda hasta el estallido de la Guerra del Chaco cuando lo nombran oficial y va al frente para ser luego cercado sin agua. El uso del diario tiene la ventaja de crear la ilusión de una presentación objetiva de la personalidad interior de Vera, pues las entradas escritas cada tantos días constituyen una trayectoria que el diarista no habrá notado en su ensimismamiento, pero que nosotros percibimos inmediatamente. Es una trayectoria hacia el delirio y la alucinación, delirio y alucinación que otra vez sirven para revelarnos la inestabilidad del carácter del narrador. Aunque el lector descuidado va a aceptar esta ilusión del diario como confiable, hay al final algo que destruye en gran parte la posibilidad de que lo aceptemos como una composición hecha día a día. Me refiero a la entrada final donde Vera describe en detalle, cuando él y sus tropas ya no pueden más en su locura frenética producida por la falta de agua, su mismo desmayo en el momento en que llega el camión de agua de Jara. La sección viene encabezada con una fecha y tiene toda la apariencia de una entrada de diario. Pero las últimas palabras describen algo que Vera no pudo haber escrito al mismo tiempo que le pasaba:

> 29 de septiembre.
> [...] El camión ha aparecido por fin en la boca de la picada. [...] En medio de un nube de polvo, con las ruedas en llamas, el camión ha avanzado zigzagueando por el cañadón. [...] Ha seguido avanzando con el tanque bamboleante y las ruedas en llamas, erizado de vívidos penachos de agua, hasta embicar contra un árbol. Está ahí..., está llamándome... (p. 165).

Se supone que Vera se desmaya en ese momento. Así, aunque las otras entradas sean «legítimas» por eso confiables, esta última tiene que haber sido escrita y agregada al diario mucho después del acontecimiento descrito cuando Vera ya se sintiera capaz de recordar con detalle —o de imaginar con detalle— ese último día de su actuación militar.

El noveno capítulo, como ya hemos indicado, refiere la vuelta de un ex combatiente y el choque que él y sus subsiguientes actos, junto con los de otros ex combatientes, producen en la imaginación fértil de Vera. Aunque sus palabras finales expresen un profundo sentimiento de Roa Bastos, también son buenos indicios de su tendencia a romantizar, a sentimentalizar, a convertir todo en emocionalismo. Ver, por ejemplo, su evocación de lo que ha de suceder en el futuro (pp. 222-23). Será la verdad, pero es la alta emoción desenfrenada con la cual está evocada, lo que nos atrae la atención como revelante de Vera.

III

En contraste, los capítulos pares no sólo no incluyen a Vera como partícipe, sino también son momentos en lugares que a Vera le había sido difícil si no imposible presenciar. Se puede decir que el hecho de que Vera no aparezca en los capítulos pares como partícipe no tiene importancia. O Vera se habrá vuelto más controlado, optando por sofrenar el egoísmo que se destaca en los capítulos impares, o es una cuestión de Vera llenando con los capítulos pares las lagunas de su memoria a base de investigaciones posteriores. Lo cierto es que los acontecimientos de los capítulos pares, en contraste con los impares, relatan sucesos que Vera no pudo haber observado directamente. Como se sabe, la acción narrativa del segundo capítulo, dedicado al médico ruso, transcurre cuando Vera está en Asunción en la escuela militar. El cuarto capítulo, que relata la horrorosa experiencia de los padres de Jara en los yerbales del Alto Paraná, se refiere a una época antes del nacimiento de Vera o muy poco después. Como es de la misma edad de Jara, quien nace un poco antes del legendario éxodo bíblico de los padres de la inmensa hacienda de la empresa extranjera, Vera sólo podría narrar a base de lo que los otros le dijeron. Y con esto abordamos un problema más significativo. No es sólo una cuestión de que Vera no pudiera haber participado en los acontecimientos del cuarto capítulo —sus investigaciones e indagaciones posteriores le habrían provisto de tantos datos como recuerdos borrosos sobre los asuntos.

Pero, más importante es el hecho de que, aun con sus investigaciones, es poco probable que Vera hubiera llegado a poder reconstruir con tanto detalle la vida de Natí y Casiano en Tukurú-Pukú. ¿De dónde habrá sacado los datos? Seguramente no de los padres, quienes ya habían muerto cuando Vera está en Sapukai en el quinto capítulo, recién expulsado de la escuela militar. Y seguramente no de Cristóbal Jara, quien comunica más con los gestos que con las palabras. Aunque lo de los padres había llegado a ser un mito de Sapukai, los mitos del pueblo son a base de conflictos y valores y no registran los detalles necesarios para que Vera nos recree la vida del yerbal. Tampoco el sexto capítulo puede ser de Vera. Cuando traiciona a Jara, le mandan al destino de Peña Hermosa, donde está internado hasta la Guerra del Chaco. Otra vez, a base de indagaciones después de la guerra pudo haber completado la laguna, que en este caso tiene que ver con la suerte de Jara después de la traición, único sobreviviente de los revolucionarios que extermina con eficiencia el gobierno. Pero cuando uno recuerda que Vera muere como a un año después de la guerra, prácticamente hablando no tuvo tiempo no de hacer las indagaciones sobre estos acontecimientos, ni de imaginar todo *ex nihilo*. Puede ser que esto sea una hipótesis tentadora —que Vera escribiera los capítulos pares, pero a base de pura fantasía en el esfuerzo de imaginar lo que tuvo que haber pasado, dado el mito o el resultado de lo que sí pasó sin que él lo pudiera haber presenciado—. Pero dado el sentido de la obra y, como se va a señalar a continuación, la importancia central de los capítulos pares, yo no puedo creer que así sea el asunto. El *rol* central de los capítulos que no escribió Vera es tan fuerte por presentarnos la visión de Roa Bastos de la fuerza y el poder del pueblo paraguayo que el significado impresionante de su novela se esfumaría si uno tuviera que aceptar el que fueran simplemente el producto de la imaginación romántica de ese incapacitado moral. Por otra parte, quien siga insistiendo en que igual son de Vera, estará bajo la obligación para salvar la novela y rejustificarla, de suministrarnos una nueva interpretación de ella donde los capítulos imaginados por Vera en su fantasía, en contraste con los capítulos que no pretenden ser más que su memoria sentimental, cobren nuevo significado trascendente en el todo estructural de *Hijo de hombre* [7].

Si lo susodicho no fuera suficiente como para probar que Vera no narra los capítulos pares, están algunas otras características de la novela que nos apoyan en esta afirmación. Por ejemplo, si Gaspar Mora y Cristóbal Jara son las dos figuras cristológicas de la novela, una contemplativa y la otra activa, ¿por qué resultan tan distintos en su dimensión humana? Es decir, donde Jara es un hombre de carne y hueso [8], en el sexto y octavo capítulos (donde realmente llegamos a conocerlo, y más en el octavo), de cierto heroísmo callado —o mejor dicho, de un callado poder interior— Mora, a quien no vemos directamente porque ya había muerto cuando el joven Vera recuerda a Macario en el primer capítulo, sale una figura a cartón, completamente romantizado y completa-

[7] ¿Será que Vera, la persona, la máscara del autor, es incapaz de no ser sino sentimental cuando recuerda o evoca directamente (los capítulos impares), pero al mismo tiempo capaz de fuertes mitos del inconsciente colectivo cuando deja sus recuerdos egoístas al lado y se entrega completamente a la fantasía mística?

[8] Se trazan las líneas importantes de esta personalidad de carne y hueso de Jara en mi estudio: «La importancia de *Hijo de hombre,* de Roa Bastos, en la literatura paraguaya». *Duquesne Hispanic Review,* 3 (1964), pp. 95-106. Ver también las observaciones de Clara Passafari de Gutiérrez, «La condición humana en la narrativa de Roa Bastos», *Universidad* [Rosario], núm. 46 (1960), páginas 137-161.

mente mítico. Parte de la razón por este contraste de presentación está en que Mora, como dijimos, ya estaba muerto y convertido en mito, y parte está en que Vera recuerda lo que Macario relata en su chochez. Pero esto no es suficiente porque Vera, quien habla, pudo haber vuelto a Mora a una verosímil dimensión humana. Sin embargo, opta por aceptar la versión romántica —chocha— de Macario, quien es la inconsciente voz mítica del pueblo en su evocación de toda la prehistoria paraguaya. De esta manera, Mora sale romantizado porque ya es un mito y porque a Vera le gustan los mitos, especialmente los sentimentales que le tocan en una raíz básica de su personalidad. De ahí sus cavilaciones en el primer capítulo sobre qué significará el Cristo, por qué había sido acogido tan espontáneamente por el pueblo, por qué se sigue celebrando el misterioso rito del Viernes Santo «que nos ha valido a los itapeños el mote de fanáticos y de herejes» (p. 13).

IV

También hay una gran variación estilística entre los capítulos pares y los impares. Estos, siendo el vivo recuerdo de Vera, son algo sentimentales, algo románticos, algo hiperbólicos, y la presencia de Vera como partícipe los reduce al mismo nivel de este romántico incapacitado y espiritualmente manco, según lo describe Rosa Monzón. Por contraste, el estilo de los capítulos pares es de una dimensión bíblica, donde el novelista trata de captar el sentido trascendental de las grandes empresas humanas, que por lo insignificantes y nimias que sean hacen patente el poder del alma para sobrevenir, en esfuerzo monumental, su inmediata realidad degradante. El ruso, los padres de Jara, el mismo Jara son perfiles dotados de una fuerza de personalidad que Vera no había podido comprender a fondo, ni mucho menos representar con el despersonalizado estilo bíblico de los capítulos pares. Aunque el asunto merece un estudio detallado antes de que podamos aceptarlo como comprobado, se sugiere que hay una diferencia significativa entre el estilo sentimental de Vera en los capítulos Primero, III, V, VII y IX, y el estilo bíblico mítico de los capítulos II, IV, VI y VII. Y esta diferencia viene precisamente a apoyar la relativa importancia de éstos en comparación con aquéllos. Es en los capítulos pares donde el hombre es llevado a un nivel trascendental donde lo vemos en términos de las más radicales posibilidades de su ser: la lucha del médico entre un bien y un mal, igualmente poderosos los dos, la cual al final lo destruye; la afirmación inaudita y decisiva de los padres de Jara sobre una realidad que ya no pueden soportar porque va robándoles la dignidad de su ser, una dignidad que es reivindicada en su éxodo; la fraternidad de los hombres sufridos que permite la salvación de Jara, ya rodeado de la aureola de santo por la dignidad que ha heredado de sus padres; y, finalmente, la fuerza del espíritu, encerrado dentro de su débil cuerpo mortificado, en llevar a cabo lo que ha aceptado como su misión, como su responsabilidad para con sus hermanos. Contrastan con estos capítulos los capítulos narrados por Vera. Excepto el primer capítulo que, por lo sentimental que sea, tiene mayor importancia por establecer el contexto de toda la novela, los otros cuatro son impresionantes por la falta de «grandeza» que resalta en los capítulos pares. Efectivamente, a éstos (III, V, VII y IX) los he llamado transicionales con la idea de subrayar así los antitéticos que son en comparación con II, IV, VI y VIII [9].

La función de este contrapunto de alternancia entre Vera y otro narrador no es difícil de encontrar: sirve precisamente para hacer resaltar la grandeza del ser humano —al menos los seres que giran en torno a Jara— y la bancarrota espiritual de tipos sentimentales y románticos como Vera, que no sólo no pueden comprender a los Jara, sino que también al final vienen a traicionarlos en la pobreza y vileza inconscientes de su carácter. Entonces, huelga preguntar quién es el segundo narrador. Aunque he sugerido que podría ser otra cara «objetiva» de Vera, lo dudo mucho. Pero no es necesario que sea otro participante «histórico» de la novela: podemos decir simplemente que es el mismo Roa Bastos quien procede de esta forma para que el lector tenga el contraste tan significativo entre los dos puntos de vista que se entretejen en la novela. O si se quiere una explicación más altisonante, podemos decir que es el mismo Cristo o cualquier Dios que pueda aceptar Roa, con el fin de que percibamos la diferencia entre el verdadero punto de vista mítico y el punto de vista lastimosamente inadecuado de los Vera. Cualquiera que sea la conclusión sobre esta cuestión, en último plano no puede dejar de comprobar aún más la importancia de *Hijo de hombre* como uno de los más importantes —y mejor elaborados— documentos novelísticos de la literatura actual.

V

Como es válido en cualquier aproximación crítica a una obra, nos huelga preguntar sobre la importancia de la estructura narrativa de *Hijo de hombre* que hemos venido detallando, aunque escuetamente, en las páginas anteriores. Pareciera que Roa se propuso doble tarea novelística en su novela. Por una parte, quería desarro-

[9] Ver *The Myth...*, p. 72.

llar una actitud frente a la realidad —la «intra-historia», como la ha llamado Rodríguez Alcalá (ver nota 2)— de su país y frente a la candente necesidad de que «algo se haga» para romper con el desesperante ciclo de opresión e indignidad humana que ha sido su inescapable suerte. De ahí la unidad histórica de la novela, su denuncia social de la vida de los yerbales, de la estupidez de la guerra, de la herencia inconsciente del doctor Francia encarnado en el leproso terror que sirve de común denominador a la existencia del pueblo. Y también de ahí su enfoque en ciertos tipos humanos, en particular Gaspar Mora y Cristóbal Jara, para sugerir la personalidad, el callado compromiso con la humanidad, que han de tener quienes se ofrezcan a renovar las bases de la vida paraguaya, sea revolucionaria o moralmente.

Por otra parte, la visión fictiva de la novela de Roa se concentra precisamente en el problema ético-moral de esta renovación. Miguel Vera llega a cristalizar en su personalidad este problema, en una personalidad que conocemos, o por medio de una caracterización directa (sus propias palabras, por ejemplo, al final de la tercera parte) o por medio de la función de su voz narrativa tal como la hemos interpretado en nuestros comentarios que van arriba. Miguel Vera simboliza el problema moral de una manera insistente porque parece tener el compromiso con la renovación de la sociedad paraguaya. Pero al mismo tiempo es obvio que está increíblemente falto de suficiente carácter como para contribuir significativamente a la empresa de los Cristóbal Jara. Justamente, lo que parece suceder, lo que es inevitable, es que esta fatal combinación de idealismo sentimental y debilidad moral se convierte en el romanticismo barato del cual ya hemos hablado. Este romanticismo de que padece Vera es tan peligroso como el enemigo, y de ahí la traición casi inconsciente e involuntaria de Vera.

La novela de Roa, pues, se propone la doble tarea de elaborar no sólo la identificación con los nuevos Cristos, sino también de ver una de las razones por su fracaso en el carácter de los Vera, quienes creen que su compromiso verbal y superficial, sin nada de verdadero sufrimiento y sacrificio con el cuerpo, es bien suficiente. Sería tentador ver en Jara una máscara del propio autor —vale recordar que la novela se compone en gran parte de los escritos de Vera— o querer medir el compromiso de Roa por las estupideces de Vera, o deducir del carácter de éste un *mea culpa* del novelista que no ha podido desempeñar el *rol* de un Jara en la reivindicación de su pueblo. Posiblemente todo esto entre en el impulso creador de Roa; posiblemente explique por qué su obra manifiesta tan alto grado de tensión y emoción expresivas. Sin embargo, que el crítico se ponga a descubrir estas motivaciones, estas identificaciones extrínsecas a la propia narrativa, me parece más la tentativa de definir a Roa que a la novela autónoma que escribió. Decir que el hecho de que Vera fue escritor que padecía del deshabido sentimentalismo del intelectual-artista es una acusación que no puede dejar de comentarse, no es lo mismo que decir que Vera no es más que el *alter ego* de Roa Bastos. Efectivamente, la misma alternación de capítulos relatados por Vera y capítulos relatados por una inidentificada voz narrativa, tendería a señalar que ésta pertenece más directamente a Roa, quien se desasocia de los falaces Vera [10].

Hijo de hombre busca una salida a la más básica dificultad retórica de la novela, cómo sugerir una actitud editorial frente al material narrado [11], cómo proporcionar al lector un detalle concreto de la narración para que pueda llegar a las «apropiadas» conclusiones que pretende el autor. Por valerse de la alternación de voces narrativa y por facilitar la susodicha doble caracterización de Vera (sus propios comentarios autobiográficos y su chocante sentimentalismo donde no cabe), el novelista nos hace penetrar un segmento significante de su problema ético-moral. Vemos claramente, si captamos la sutileza del cambio de enfoque narrativo de los capítulos pares a los impares, la profunda diferencia que existe entre el tono sentimental pero ineficaz cuando no peligroso de los capítulos de Vera y el tono seudo-bíblico que evoca los sombríos silencios poderosos del pueblo encarnado en la persona de Cristóbal Jara. A veces este otro tono sale distante, casi frío, y la primera vez que leí la novela me molestó mucho el que no se resolvieran mejor las dificultades ético-morales ocasionadas por la historia del médico ruso Dubrovsky en el segundo capítulo de la novela. Aun cuando Dubrovsky es una suerte de Vera extranjero, pareciera merecer mejor tratamiento que la severa condenación que sentimos tras las palabras de las últimas escenas del capítulo. Pero sería obvio que esta severidad corresponde a la rigurosa moral que ha de suplantar, de imponerse al sentimentalismo destructor que desde tantos años se jacta de reconocer el problema del pueblo paraguayo sin realmente poder hacer nada para solucionarlo. Por eso creo que una de las últimas observaciones de Vera sobre sus relaciones con los verdaderos re-

---

[10] No creo necesario, dados los adelantos teóricos y técnicos de la crítica contemporánea, justificar el que este ensayo no tome más en cuenta la observación de Roa, participada en una carta personal de que 1) él mismo no se había dado cuenta de la alternación de tono de los capítulos , y 2) que él personalmente comparte la opinión de que «el autor [es] el *héroe* y el *antihéroe,* por antonomasia de sus obras». Pero también reconoce Roa que el mismo autor es el menos indicado para interpretar sus obras. Eso es sensato, diría yo, pues el autor todavía «vive» demasiado subjetivamente su obra.

[11] Un cuento de Roa «Borrador de un informe», posterior a *Hijo de hombre,* pareciera ser la misma encarnación de este problema. Ver el estudio de Hugo Rodríguez Alcalá, «Verdad oficial y verdad verdadera: 'Borrador de un informe', de Augusto Roa Bastos», *Cuadernos americanos,* núm. 156 (1968), pp. 251-267.

volucionarios-renovadores cobra aún más importancia dentro del contexto de lo que he estado detallando. No sólo es una observación patética; encierra toda la ironía de la posición de Vera frente al movimiento. Inclusive se podría decir que Vera se da más cuenta de lo que es al fondo que los mismos revolucionarios (el error fatal de Jara), y es por eso que se suicida, tanto para liberarse a sí mismo del peso de su responsabilidad como para ahorrar a los revolucionarios otra traición más:

> ... Yo sigo, pues, viviendo, a mi modo, más interesado en lo que he visto que en lo que aún me queda por ver.
>
> ... Pero para estos hombres sólo cuenta el futuro, que debe tener una antigüedad tan fascinadora como la del pasado. No piensan en la muerte. Se sienten vivir en los hechos. Se sienten unidos en la pasión del instante que los proyecta fuera de sí mismos, ligándolos a una causa verdadera o engañosa, pero a algo... No hay otra vida para ellos. No existe la muerte. Pensar en ella es lo que corroe y mata. Ellos viven, simplemente. Aun el extravío de Cristiano Villalba es una pasión devoradora como la vida. La aguja de la sed marca para ellos la dirección del agua en el desierto, el más misterioso, sediento e ilimitado de todos: el corazón humano. La fuerza de su indestructible fraternidad es su Dios. La aplastan, la rompen, la desmenuzan, pero vuelve a recomponerse de los fragmentos, cada vez más viva y pujante. Y sus ciclos se expanden en espiral.
>
> Algo tiene que cambiar. No se puede seguir oprimiendo a un pueblo indefinidamente. El hombre es como un río, mis hijos..., decía el viejito Macario Francia. Nace y muere en otros ríos. Mal río es el que muere en un estero... El agua estancada es ponzoñosa. Engendra miasmas de una fiebre maligna, de una furiosa locura, luego, para curar al enfermo o apaciguarlo, hay que matarlo. Y el suelo de este país ya está bastante ocupado bajo tierra. «¡Los muertos bajo la tierra no prenden!...»
>
> Temo que un día de éstos vengan a proponerme, como allá en Sapukai, que les enseñe a combatir. ¡Yo a ellos..., qué escarnio! Pero no, ya no lo necesitan. Han aprendido mucho. El camión de Cristóbal Jara no atravesó la muerte para salvar la vida de un traidor. Envuelto en llamas sigue rodando en la noche, sobre el desierto, en las picadas, llevando el agua para la sed de los sobrevivientes [12].

[12] *Hijo de hombre,* pp. 222-223.

Ensayo de interpretación de «Hijo de hombre» *a través de su simbolismo cristiano y social*

Urte Lehnerdt

Este trabajo tiene por objeto examinar los aspectos simbólicos que ofrecen los varios argumentos de la novela *Hijo de hombre,* de Augusto Roa Bastos [1], y determinar la posición del autor frente al problema central que plantea en esta obra. Resalta desde el mismo título de ella un dualismo fundamental, que arranca de la cuestión teológica sobre si a Cristo se le debe considerar Hijo de Dios o Hijo del Hombre. Este dualismo se refleja más adelante en el choque entre el cristianismo dogmático y el sentimiento religioso individual, en el choque, por decirlo así, entre la Iglesia y la religión. Una vez establecida la posición del autor, se entrelaza la cuestión religiosa con la trama social de la novela.

Es parte de la técnica de Roa Bastos el uso de una gran cantidad de símbolos, tanto cristianos como sociales. Tales símbolos van

---

[1] Augusto Roa Bastos, *Hijo de hombre,* 2.ª ed. Buenos Aires: Editorial Losada, S. A., 1961). Todas las citas se hacen por esta edición y se indicarán en el texto por página o páginas.

frecuentemente acompañados de alegorías de la vida y pasión de Cristo, y aquí se tratará principalmente de interpretar los símbolos y trazar las alegorías hasta su origen para averiguar el sentido que parezca más próximo a la intención del autor. No se trata, pues, de la interpretación tradicional de una novela, de una caracterización de sus personajes principales o de la discusión de la trama novelística, a menos que esto haya sido necesario para el fin principal de este ensayo. Su propósito está más bien en llegar a la esencia espiritual de esta obra, a través de la interpretación de sus símbolos.

La religión cristiana, tal como es entendida por el pueblo paraguayo en esta novela, un pueblo de «desheredados y afligidos» (p. 26), se basa en el concepto de que Cristo es Hijo de Hombre. El razonamiento es muy simple: «O era Dios y entonces no podía morir. O era hombre, pero entonces su sangre había caído inútilmente sobre sus cabezas sin redimirlos, puesto que las cosas sólo habían cambiado para empeorar» (p. 13). La creencia de que es hombre sobre todo le hace ver a Cristo «como a una víctima que hay que vengar, no un Dios que ha querido morir por ellos» (p. 13). El mismo Roa Bastos declara que «el Cristo leproso simboliza, en un plano concretamente humano, la crucifixión del hombre común en la búsqueda de solidaridad con sus semejantes» [2]. He aquí el núcleo del problema, la búsqueda de solidaridad: la historia del Cristo leproso es el símbolo utilizado para demostrarla.

La imagen del Cristo leproso fue tallada por Gaspar Mora. Éste, al descubrir que está enfermo de lepra, abandona su pueblo y huye al monte para no contagiar a sus convecinos. Talla la imagen para superar la soledad, de la cual sufre más que de la propia enfermedad. Como sólo dispone de algunas herramientas primitivas, y como la talla queda sin barnizar, las manchas de la madera hacen que se parezca de veras a un leproso. Esta imagen simboliza, por tanto el sacrificio de Mora, quien por un impulso de caridad se impone voluntariamente el aislamiento. El hecho de que el Cristo se parezca a un leproso expresa la solidaridad de su creador con los seres más humildes y desgraciados de la raza humana y, simbólicamente, con todos los «desheredados y afligidos», en este caso los indios paraguayos. No ha de sorprendernos, pues, que la imagen tallada por Mora sea la predilecta de los indios, que ven en ella a un hermano, a alguien nacido en su pueblo, de un espíritu de sacrificio y caridad, y que manifiesta así la máxima solidaridad con sus propias aflicciones. Tampoco sorprende que de ahí surja la creencia «en un redentor harapiento como ellos, y que como ellos era continuamente burlado, escarnecido, y muerto, desde que el mundo era mundo.

[2] Hugo Rodríguez-Alcalá, «*Hijo de hombre*, de Roa Bastos y la intrahistoria del Paraguay», *Cuadernos Americanos*, México, CXVII: 2 (1963), p. 224.

Una creencia que en sí misma significaba una inversión de la fe, un permanente conato de insurrección» (p. 13).

La búsqueda de solidaridad del hijo del hombre con sus semejantes es, pues, el último sentido de la religión tal como la entiende el pueblo indio de esta novela. Es una religión de humanidad, un socialismo cristiano, practicado ejemplarmente por Gaspar Mora, «padre» del Cristo leproso, ejemplo de un hombre bueno y figura simbólica del espíritu humanitario. La historia de Mora sugiere muy levemente una posible alegoría de lo que se sabe de María y José. Mora fue carpintero, y también construía instrumentos de música. Trabajaba la madera, como san José, y el viejo Macario cree firmemente que murió virgen. De lejos venían a buscar sus instrumentos y pagaban lo que él les pedía. No era tacaño. Sólo dejaba lo suficiente para comprar sus materiales y herramientas. El resto lo repartía entre los que tenían menos que él. Levantaba las deudas de los agricultores a los que el fuego, el granizo o las langostas habían inutilizado sus plantíos. Compraba ropas y bastimentos para las viudas y los huérfanos... Enseñaba el oficio y la solfa a los que querían aprender. También levantó la escuelita, y talló las cabriadas y los fustes de los horcones (p. 19). Cuando se ponía a tocar la guitarra, «la gente se tumbaba en los pastos» (p. 19). Su música llega directamente al corazón de los que la escuchan, y se sigue oyendo esa música aún después de muerto Gaspar. «En el silencio del anochecer en que ondeaban las chispitas azules de los muas, empezábamos a oír bajito la guitarra que sonaba como enterrada, o como si la memoria del sonido aflorase en nosotros bajo el influjo del viejo Macario» (p. 19). La música de Mora, emanación pura de un espíritu puro, sobrevive en los demás, «porque el hombre, mis hijos..., tiene dos nacimientos. Uno al nacer, otro al morir... Muere pero queda vivo en los otros, si ha sido cabal con el prójimo. Y si sabe olvidarse en vida de sí mismo, la tierra come su cuerpo pero no su recuerdo...» (p. 33). Esta vida en el recuerdo de los otros es, simbólicamente, en el caso de Gaspar Mora, la música que sigue sonando en el corazón de los hombres, y su «hijo», la imagen del Cristo leproso. Esto es el testamento verdadero del «hombre justo», símbolo de la solidaridad con los afligidos, y su evangelio que suena como música en los corazones, y los ablanda y fortifica al mismo tiempo. Tal religión de la humanidad, la idea cristiana, se halla así proyectada, en un plano concretamente humano, en la figura de Gaspar Mora. Conviene subrayar que se trata de un cristianismo puro, tal como es vivido en el alma de un hombre sencillo, y que en cierta manera choca con el que se predica desde el púlpito. En otras palabras, se produce un choque cristianismo-iglesia, otra manifestación del dualismo que es tan significativo a lo largo de esta novela.

La creación, o el nacimiento, del Cristo leproso ocurre por la época en que apareció el cometa Halley, que, a su vez, produjo el temor de que llegara el fin del mundo [3], e hizo que los amigos se olvidaran de Gaspar metido en el monte, abandonado a la mayor soledad. La mención del cometa, y el nombre de pila de Mora, Gaspar, constituyen tal vez otra alusión alegórica a la historia de Cristo: Gaspar fue uno de los Reyes Magos que siguieron a una estrella para hallar al Niño Jesús y adorarlo. Tales asociaciones, acaso no intencionales por parte del autor, sirven, sin embargo, para aclarar lo que queda dicho más arriba: el Cristo leproso simboliza un cristianismo puro, comparable al cristianismo primitivo de los primeros años, cuando todavía no estaba influido por las intervenciones de la Iglesia.

Cuando, desaparecido el cometa, los amigos se acuerdan de Gaspar y lo hallan muerto en el monte, también encuentran la imagen del Cristo, tallada según las propias facciones de su creador, de modo que verdaderamente parece hijo suyo. Trasluce aquí un paralelismo inverso con la creación del hombre, pero no pasa de ser una sugestión: según el Génesis, Dios creó al hombre del lodo; aquí, un hombre talla la imagen de Dios de madera; ambos lo forjan a imagen y semejanza suya. Como en la época del cometa, la tierra sufría de sequía; no sorprende que los indios atribuyan fuerzas divinas a la imagen cuando empieza a caer la anhelada lluvia en el momento en que la imagen es llevada al valle.

Cuando los amigos, los fieles de Mora, quieren meterla en la iglesia, les es imposible hacerlo, porque la puerta está cerrada. Cuando, al fin, llega el cura, representante de la Iglesia, se opone firmemente a que la talla entre en el templo. «Es la obra de un lazariento —dijo el cura—. Hay peligro de contagio. La casa de Dios debe estar siempre limpia. Es el lugar de la salud...» (p. 27). Tal lugar de la salud espiritual debe ser protegido, en la opinión del cura, del contagio, también espiritual, del movimiento de la solidaridad de los menesterosos y miserables, cuya expresión simbólica pide entrada en su propia casa. Pronto el sacerdote se da cuenta de que tales razonamientos sólo hallan resistencia, y pasa a atacar a Gaspar directamente: «... piensen quién talló esta imagen... ¡Un hereje, un hombre que jamás pisó la iglesia, un hombre impuro que murió como murió porque! » (p. 27). Tal calumnia de un hombre ejemplar divide a los vecinos en dos grupos. El choque entre la religión y la Iglesia se hace manifiesto. El viejo Macario se hace portavoz de su grupo: «Lo trajimos del monte, como si lo hubiéramos traído a él mismo. No está emponzoñado por el mal. La lluvia lo lavó y purificó cuando lo traíamos. ¡Y mírenlo! Habla por su boca de madera... Dice cosas

[3] Cfr., Agustín Yáñez, *Al filo del agua,* 4.ª ed. (México, 1963), en cuyo último capítulo la aparición del mismo cometa produce angustia semejante.

que tenemos que oír... ¡Óiganlo! Yo lo escucho aquí... dijo golpeándose el pecho—. ¡Es un hombre que habla! ¡A Dios no se le entiende...; pero a un hombre sí! » (p. 28). Lo que discute no es la religión, sino su sentido. Recordemos lo que dice Dante sobre el amor: «Chè Amore non è per se siccome sostanza ma è un accidente in sostanza» *(Vita Nuova,* XXV). Aplicado este pensamiento al cristianismo, que tampoco tiene una existencia propia, sino que tiene que hallar su vida dentro de «una sustancia», es decir, en el alma del hombre, se hace manifiesta la oposición del cristianismo vivido, practicado, con el representado por una institución. Roa Bastos va tan lejos que, aun con disimulo, compara lo que se predica por la Iglesia con algunas palabras de un pueblo muerto, recordadas por un papagayo, y que nadie entiende (p. 142); es decir, la Iglesia carece de esa sustancia a que alude Dante, dentro de la cual puede vivir el amor.

La imagen del Cristo leproso no entra, pues, en el templo. Se le veda la entrada a su propia casa, otro símbolo del apartamiento que Roa Bastos ve de la Iglesia, es decir, de la casa, o del cuerpo (la «sustancia» de Dante) donde naturalmente debe habitar el amor cristiano (simbolizado aquí por la imagen del Cristo leproso), del mismo espíritu, o sea, del sentimiento religioso que la imagen del Cristo leproso produce en los hombres. Tal sentimiento resulta, paradójicamente, incompatible con lo prescrito por la Iglesia.

El cura trata de persuadir a algunos que están de su lado a que destruyan, quemen, la imagen. Tales planes fracasan ante la vigilancia y los cuchillos de Macario y los suyos, quienes finalmente llevan al Cristo al rancho de Macario, donde por fin halla la paz. La persecución de la imagen, o sea, del símbolo del cristianismo puro, también sugiere una alegoría bíblica: el mandato de Herodes de matar a todos los niños, y la huida a Egito.

Los amigos de Gaspar llevan la imagen a un cerrito, donde la clavan en una cruz, «luego de pegarle con cola una renegrida cabellera de mujer» (p. 32). Más tarde, la curia autoriza la bendición de la imagen, «contra la voluntad del propio Macario. Nuestro Cristo no necesita la bendición de ellos» (p. 32), gruñó, manifestando de nuevo que para él los representantes del cielo en la tierra no tienen nada que ver con la religión tal como la vive y entiende él en el pecho. El cerrito se llama desde entonces «Tupa-Rapé», Camino de Dios, aunque Macario lo hubiera llamado «Kimbaé-Rapé», Camino del Hombre, de acuerdo con su creencia de que Cristo es hijo de hombre, y que la imagen del Cristo leproso simboliza más puramente la solidaridad de aquel Hijo de Hombre con los más humildes de sus semejantes. En el Cristo leproso sobrevive también el recuerdo de Gaspar Mora. Simboliza «la única eternidad a que podía aspirar el hombre: Redimirse y sobrevivir en los demás» (p. 33). La redención del hombre es, sin embargo, precisamente lo que lo aparta del cristianismo ortodoxo. Aquí también la redención está proyectada en el plano concretamente humano: consiste en «ser cabal con el prójimo» (p. 33), tal como lo fue Gaspar Mora, en la voluntad de buscar solidaridad con sus mejantes, últimamente simbolizado por el Cristo leproso. Para Roa Bastos no hay otra redención para el hombre, es decir, no hay redención por gracia de Dios, no hay fe en un poder sobrehumano, divino, que se preocupe de las aflicciones humanas.

En el capítulo sobre los yerbales lo expresa Roa Bastos explícitamente: «El cantar bilingüe y anónimo hablaba de esos hombres que trabajan bajo el látigo todos los días del año y descansaban no más que el Viernes Santo, como descolgados también ellos un solo día de su cruz, pero sin resurrección de gloria como el Otro, porque esos cristos descalzos y oscuros morían de verdad irredentos, olvidados» (p. 69). Pero si en su miseria no tienen fe en la gracia de Dios, tienen otra cosa: la voluntad de que cambien las cosas, la voluntad de purificarse a sí mismos, la confianza en su raza. Tal voluntad, que es su forma concretizada de la esperanza espiritual, se convierte en el motor casi todopoderoso del indio consciente de sí mismo: de Casiano Jara, de Cristóbal, de Salu'í.

La posición de Roa Bastos con respecto a la causa de los indios está clara. Tanto en *Hijo de hombre,* como en varios de sus cuentos cortos de *El trueno entre las hojas* [4], siempre resalta el mismo empeño de solidaridad con el pueblo oprimido y desheredado. «Amaba a los desvalidos y oprimidos. Sentía que eran sus únicos hermanos y que estaba definitivamente unido a ellos por la consanguinidad de la esperanza. Sabía, además, que sólo en medio del infortunio la santidad es posible y que el verdadero templo de Cristo es el corazón de los martirizados» («El viejo señor Obispo», de *El trueno entre las hojas,* p. 28). La pureza de un corazón humano que resulta de un martirio inmerecido, pero perpetuo al mismo tiempo, le da al indio esa superioridad moral, la integridad de carácter de donde puede sacar las fuerzas para mantener la esperanza. Sin embargo, el autor comprende también la inutilidad de tal pureza maltratada y la necesidad urgente de unir las fuerzas para una rebelión general: «Y encontró que la gente más martirizada era la más buena y noble. Pero encontró también que esta bondad y esta nobleza estaban tan degradadas y envilecidas que eran una cosa inútil y que, a menos que se rebelarán violentamente, seguirían siendo siempre una cosa inútil». («El regreso», de *El trueno entre las hojas,* p. 91). La causa social del indio, que no es nada más que la rebelión de un ser humano contra quienes lo traten y exploten como a bestia de carga, se

[4] Augusto Roa Bastos, *El trueno entre las hojas,* 2.ª ed. (Buenos Aires). Editorial Losada, S. A., 1961).

expresa con mejor claridad en «El trueno entre las hojas», de la misma colección (p. 190): «No olviden kená, che ra'y-kuera, que siempre debemo' ayudarnos lo uno a lo jotro, que siempre debemo' etar unido. El único hermano de verdá que tiene un pobre ko' e' otro pobre. Y junto' todo' nojotro' formamo la mano, el puño humilde pero juerte de lo' trabajadore...» Y Gabriel, el organizador intelectual de la revolución social, lo expresa con menos sentimiento pero con mayor objetividad: «Nuestra fuerza depende de nuestra unión... De nuestra unión y de saber que luchamos por nuestros derechos. Somos seres humanos. No esclavos. No bestias de carga» (p. 203). Así se pudiera definir el argumento social de la obra de Roa Bastos, que en *Hijo de hombre* está íntimamente entrelazado con el tema religioso. La necesidad primaria del hombre es la solidaridad con sus semejantes, y el ejemplo más grande que tiene de tal solidaridad, del amor al prójimo, es el ejemplo de Cristo. Roa Bastos sugiere un paralelismo entre el martirio y la crucifixión del hombre sin culpa, con el martirio inmerecido, interminable, del indio, como si el sacrificio de Cristo no le hubiera traído también a él la esperanza de que un día, por gracia de Dios, termine su sufrimiento. Cristo, con la misión divina de sacrificarse por el pecado de los hombres, se convierte en el Cristo leproso, imagen principal de la novela, que simboliza el sacrificio por la culpa de los hombres. La culpa de los hombres, que, para Roa Bastos, consiste principalmente en la falta de amor al prójimo, en el olvido del sacrificio de Cristo. Por este olvido se perpetúa el martirio (los mensúes en los yerbales), y se repetirá el sacrificio de «hijos de hombres» para una causa justa (Casiano, Cristóbal). Hasta que las cosas no hayan cambiado verdaderamente, nadie estará exento de esta culpa colectiva de la cual el hombre solamente podrá redimirse cuando decida identificarse hasta la última consecuencia con la misión cristiana: la solidaridad absoluta con sus semejantes. Cristóbal Jara es el personaje épico-simbólico que reúne en sí el mensaje del Cristo leproso y el argumento social: también él tiene una misión, que procura cumplir hasta la abnegación: la misión de cambiar las cosas. Simboliza, por tanto, esa solidaridad ideal, es decir la cristiana, que ahora se cristaliza, en un plano concretamente humano: el de la solidaridad «social», en una especie de imperativo categórico que halla su expresión en la voluntad de cambiar las cosas. Esa voluntad nace, naturalmente, de la esperanza, pero lo importante es que en cada carácter íntegro como el de Casiano o de Cristóbal, sólo hay un paso desde la voluntad a la acción, y la voluntad de conseguir justicia social para el pueblo indio es la clave del tema social de la novela.

Roa Bastos ve en la voluntad la gran virtud del hombre. «El hombre es como un río. Tiene barranca y orilla. Nace y desemboca en otros ríos. Alguna utilidad debe prestar. Mal río es el que muere en un estero» (p. 14). Estas palabras del viejo Macario tienen honda significación para comprender plenamente el espíritu de sublevación que vive entre los indios, los desheredados que no quieren más que «un poco de tierra y libertad».

La primera revolución agraria, organizada por campesinos y unos pocos militares, es aplastada a causa de la delación del telegrafista del pueblo. Para acabar de una vez con los elementos revolucionarios, el gobierno envía una locomotora cargada de bombas contra el tren en que van hacia la capital. La locomotora choca con el tren en la misma estación ferroviaria del pueblo, y la enorme explosión destroza no sólo el tren entero y la mayoría de sus «viajeros», sino que también abre un cráter profundo y ancho en torno del lugar de la catástrofe. Ese cráter, «que tarda en llenarse» (p. 42), se convierte más tarde en el símbolo del espíritu de la insurrección. Como de un cráter volcánico, se pueden esperar nuevas erupciones, al mismo tiempo que es un recuerdo de lo que había pasado y silenciosa advertencia de lo que pueda suceder. «Pese a los años, a las refacciones, al cráter por fin nivelado, las huellas no acababan de borrarse. Sobre todo, las que estaban dentro de cada uno» (p. 42). Simboliza, por tanto, el sacrificio del hombre por una causa justa: el rechazo de sus derechos puramente humanos, y, al parecer, su opresión definitiva por la violencia brutal. Roa Bastos usa el mismo símbolo en el capítulo sobre los yerbales, comparando «el pueblo muerto del yerbal» con «un cráter tapado por la selva» (p. 92). Lo que duerme, pues, en el fondo del cráter, es la insurrección contra la injusticia absoluta, impuesta sobre seres humanos indefensos.

Otro vestigio que queda de esa primera erupción de insurrección es uno de los vagones del tren revolucionario. Empujado por la fuerza de la explosión al final de una vía muerta, llega a convertirse en el germen de la nueva vida del espíritu rebelde, en vehículo de la voluntad, que ya parece obsesión de un loco, de uno de los líderes de esa primera rebelión. Como parte de un todo, quedará como símbolo tanto de la revolución misma, como también de su fracaso catastrófico. Al fin será el hogar de Casiano Jara, su mujer y su hijo Cristóbal.

Casiano Jara, uno de los pocos que pudieron escapar de las pesquisas gubernamentales después de la catástrofe, acaba por trabajar como mensú en los yerbales paraguayos. Todo el capítulo sobre la vida de los mensúes es una apasionada protesta social, una protesta contra la explotación de seres humanos que allí dejan de ser considerados como tales y se convierten en carne, en animales maltrechos, a quienes no se les reconoce cualidades humanas. Las atrocidades que refiere Roa Bastos sirven ante todo para expresar qué es lo peor de todo: No es el trabajo durísimo, no la pobreza o la comida insuficiente. Es la anulación sistemática de todo lo que diferencia al hombre del animal. No tarda mucho en nacer en Casiano el deseo de huir, que se convierte en obsesión cuando le quieren robar lo único que le había podido garantizar que era hombre y no animal: su mujer, Natí, que espera un hijo.

Sin embargo, hasta entonces nadie había logrado huir de los yerbales. Nadie, sino una canción, el único «juido» al que no habían podido fusilar: «No más, no más compañero / rompas cruelmente nuestro corazón» (p. 69). Ello personifica la libertad del espíritu, que no se puede alcanzar físicamente. Esta canción es el triunfo del espíritu de la revolución, que más tarde va a hallar su encarnación en Casiano Jara.

Escaparse de los yerbales se considera, pues, imposible; pero Casiano tiene la obsesión de hacer posible lo imposible. Su nombre en guaraní es Casiano Amoité, «que designaba en lengua india lo que era distante, no la lejanía solamente, sino lo que estaba más allá del límite de la visión y de la voluntad en el espacio y en el tiempo» (página 109). Tal nombre ya indica lo característico de la persona que lo lleva: intentar lo que parece imposible, lo que está más allá de toda imaginación.

El primer intento de huir del infierno de los yerbales queda frustrado por el nacimiento de su hijo Cristóbal. Nacido en un «cráter tapado por la selva» (p. 92), en medio de una huida considerada imposible, este niño ya tiene su estigma, al que seguirá fiel hasta la muerte. La segunda huida se hace como a ciegas. Los sufrimientos inhumanos del calabozo en que lo metieron al ser descubierto su primer intento de fuga, han turbado la mente de Casiano de tal manera que sólo le queda un pensamiento, una obsesión; huir. La presencia del hijo refuerza su voluntad de fuga: tiene que huir por él. Casiano y su mujer ya han olvidado el por qué, sólo tienen conciencia de que tienen que huir, a toda costa, a pesar de todo. La obsesión se convierte en pesadilla. «Hora tras hora, las de dos días y dos noches, hace que vienen arrastrando en esta pesadilla. Pero ellos ya han olvidado el comienzo. Tal vez vienen huyendo desde la eternidad. Y ahora no saben si se alejan realmente o siguen dando vueltas de ciego alrededor del pueblo muerto del yerbal, alrededor de un cráter tapado por la selva» (p. 92). Es como una idea ciega que gira alrededor de su punto de partida, sin saber qué dirección tomar, pero con la obsesión de llegar. Es como toda idea de rebelión, que puede ser incapacitada temporalmente por falta de medios para llevarla a un fin, cuya vida, sin embargo, no cesa por esto. O es como la lava hirviente en el fondo de un cráter, que espera el momento propicio para una nueva erupción. El pueblo indio es ese volcán durmiente, y aunque el gobierno o los explotadores tratan de tapar por fuerza su «cráter», no pueden impedir que salga el humo: que se perpetúe la libertad del espíritu humano, aquí simbolizada en el canto del mensú, o en la figura de Casiano Jara, y heredada por su hijo Cristóbal.

La fuga de la familia tiene éxito. Logran huir, sobreviven a los sufrimientos de la fuga, y vuelven a su pueblo. Casiano tiene la mente trastornada. No cabe en ella más que esa obsesión de hacer posible lo imposible. No vuelven a su rancho, sino que eligen ese vagón suelto, vestigio del tren revolucionario, como su nuevo hogar. Pero no se contentan con sólo vivir allí: Casiano se propone la tarea loca, increíble, de alejar el vagón del pueblo y meterlo en el monte, como si quisiera proteger, lejos de todo peligro de contaminación, a un tierno vástago de alguna planta de gran valor. Si antes el cura quería proteger su iglesia del contagio del Cristo leproso, o sea, si quería guarecerse de la influencia perniciosa del símbolo de la solidaridad humana, Casiano Jara ahora procura proteger el hogar de donde ha de salir su hijo, un hijo de hombre, en quien se encarnará esa solidaridad. Así va a perpetuarse la influencia a lo que el cura se oponía. El vestigio de una insurrección sofocada se convierte en el germen de la esperanza. El valor simbólico de esta acción, la de llevar un vagón al monte, sin rieles, sin maquinaria que lo facilite, es evidente: Es el mismo tema de la novela: «Lo que no puede hacer el hombre, nadie más puede hacer» (p. 199).

Excluye la posibilidad de un milagro por gracia de Dios, permite el milagro sólo por la voluntad del hombre. El milagro de haber podido huir de los yerbales se repite ahora con el viaje misterioso del vagón, que lentamente cruza campo y ríos, «un viaje sin rumbo y destino, al menos en apariencia razonables» (p. 102). Casiano lo lleva a un sitio «más allá del límite de la visión y de la voluntad en el espacio y en el tiempo», fiel a su nombre en guaraní. Lo lleva como «a cuestas» (p. 110), como si llevara una cruz como ese otro Hijo de Hombre, una cruz que ahora simboliza la culpa de los otros y que es llevada por alguien sin culpa, testimonio y símbolo de esperanza a la vez.

Cristóbal Jara, el hijo nacido en «el cráter» de los yerbales durante el primer intento de huida, se cría en este vagón, está presente a lo largo de la realización de un milagro humano, y es el heredero de la obsesión que lo hizo posible. Así perpetúa el espíritu de insurrección que ya se había encarnado en su padre. Aunque el vagón, años más tarde, deja de ser el hogar de familia después de muertos los padres, sigue siendo el símbolo de la pasada revolución, amonestación para la nueva generación de no dejar caer en olvido los sacrificios pasados. Para Cristóbal es una misión que tiene que cumplir. Se pone a buscar los medios. Ya se ha formado un grupo de campesinos y peones, que tiene sus conferencias secretas en el vagón. Pero les falta un líder, y entonces deciden dejar entrar en su secreto a Miguel Vera, un oficial de la escuela militar, de la cual fue exiliado por haber tomado parte en una insurrección. Este hecho les inspira confianza, y cuando Vera acepta, sienten que han dado un paso más adelante: ya están organizados, para eventualmente conseguir un fin nada presuntuoso: Un poco de tierra y libertad, o sea, justicia social. Es la expresión de «esa esperanza irrevocable, que remitía a un futuro incierto la certidumbre de una fe más fuerte sin embargo que toda adversidad, porque su objeto era demasiado humano» (p. 133). La esperanza pone a la voluntad en acción, la voluntad de que cambie la situación del indio. Saben muy bien que en esta vida no les sirve para nada esperar la ayuda divina. Si quieren que las cosas cambien, tienen que luchar por ello, tienen que sacrificarse aunque no vean un resultado inmediato: «No sabían nada, ni siquiera tal vez lo que es la esperanza. Nada más que eso: querer algo hasta olvidar todo lo demás. Seguir adelante, olvidándose de sí mismos... Uno caía, otro seguía adelante, dejando un surco, una huella, un rastro de sangre, sobre la vieja costra pero entonces la feroz y elemental virginidad quedaba fecundada» (p. 201). Siguen entonces en el surco de las revoluciones pasadas, honrando así a sus víctimas. Pero se han equivocado en Miguel Vera, que es demasiado débil para soportar hasta el final la responsabilidad.

Miguel Vera es, a lo largo de la novela, el tipo perfecto del antihéroe, el personaje-contraste de Cristóbal Jara. Si Cristóbal ante todo es el tipo de acción directa, sin reflexión que se lo impidiera, Miguel Vera se pierde en la introspección, la reflexión, y en su incapacidad total para la acción. Y no es que Miguel Vera no «quiera» actuar. Simboliza lo que dijo Cristo: «Que si bien el espíritu está pronto, la carne es flaca» (Mat. XXVI, 41). Tal discrepancia, tal dicotomía de carácter, de que él mismo sufre tanto (como san Pedro) y que nunca puede perdonarse, es su tragedia. Roa Bastos acentúa simbólicamente esa voluntad fallida: Cuando Vera, de niño, sale de su pueblo para ir a la Escuela Militar, se pone su primer par de zapatos, de que está a la vez orgulloso y avergonzado. Pero durante la noche que tiene que pasar en Sapukai, el pueblo del «cráter», pierde uno de los zapatos, y «con un pie descalzo iba tocando la tierra de la desgracia» (p. 65). Ya ha dejado de ser campesino, pero todavía no es otra cosa, y resulta que a lo largo de su vida tendrá «un pie descalzo», que no sirve para lo uno ni para lo otro. Roa Bastos usa otro símbolo análogo del carácter de Vera cuando relata lo que sucede en el calabozo donde lo han echado después de delatar la insurrección campesina inmediata: «La puerta entornada del calabozo le dejaba, caer en mitad del cuerpo una polvorienta barra de sol que parte a su cuerpo en dos pedazos sombríos» (página 115). La falta del saber cómo solidarizarse hasta la última consecuencia con sus prójimos, y, al mismo tiempo, el anhelo de contacto humano, de esa misma solidaridad, son los elementos básicos de su personalidad. Despreciado, odiado por todos por su delito, tanto el de haber participado en la organización de la insurrección, como, y mucho más, el de haberla delatado, se odia aún más a sí mismo.

En una borrachera los delata antes del día señalado, y la insurrección queda nuevamente ahogada en sangre. El gobierno procura exterminar por completo todo elemento sospechoso, y los fusilamientos y las detenciones empiezan de nuevo. Cuando ya todo está acabado, la cacería humana se concentra en una sola persona: Cristóbal Jara, a quien no han podido hallar. Cristóbal, el vástago del espíritu encarnado de la revolución, se ha escondido en el cementerio. Allí, entre los muertos, estará seguro. No van a buscar a un hombre vivo en el camposanto. Del movimiento revolucionario queda otra vez sólo el espíritu; cuando todo ya se cree muerto, extinguido, se produce una verdadera «resurrección» de lo que trae nueva esperanza al pueblo martirizado. La alegoría de la pasión de Cristo se repite. Tenemos aquí otra vez, lo que más preocupa a Roa Bastos: La crucifixión del hombre común en la búsqueda de solidaridad con sus semejantes. La imagen del Cristo leproso es el símbolo, la historia de Cristóbal es la alegoría. «No evoca, por tanto, a un dios sufriente por el pecado, sino a un hombre como los demás, sacrificado como infinitos hombres, pero cuya virtud, río caudaloso de compasión y de solidaridad, fluye infinitamente en el cauce de otros ríos, es decir de otros hombres, en cuya memoria es inmortal» [5]. Si Roa Bastos define esto como «religión de la humanidad», la extraña «resurrección» de Cristóbal en el cementerio significa precisamente la resurrección del espíritu de tal religión, en un plano concretamente humano. La correspondencia alegórica con la resurrección de Cristo está presente sólo por sugerencia. El escondite de Cristóbal, lo describe así: «El hombre... se tumbó de nuevo entre los yuyos que crecían en la depresión de la vieja sepultura, hasta desaparecer por completo, como si realmente la tierra se lo hubiera tragado de nuevo» (p. 115). Escondido así, lo encuentra María Regalada, la sepulturera del pueblo: «Creí que se había desenterrado alguno. Pero no había habido lluvia ni nada. Entonces él me dijo: No te asustes, María Regalada. Si me dejas estar aquí, no me van a encontrar. Ellos andan buscando a un hombre vivo, pero aquí están los muertos solamente» (p. 133). Recuérdese lo que está escrito en Marcos XVI, 6: «No tenéis que asustaros...».

Al fin escapa de sus verdugos, con la ayuda de los más humildes y más martirizados del pueblo: los leprosos, que con sus cuerpos espectrales causan un verdadero desbarajuste entre los que lo querían apresar. El hecho de que son precisamnete los leprosos los que le salvan la vida, correlaciona, simbólicamente, a Gaspar Mora, y a Cristóbal, con el Cristo leproso. La solidaridad entre los más humildes es núcleo y germen de la fuerza que hace sobrevivir a la es-

---

[5] Rodríguez-Alcalá, *op. cit.*, p. 232.

peranza, encarnada en la figura de Cristóbal Jara. Se escapa y se salva pues, ya que su misión todavía no está cumplida.

Al estallar la Guerra del Chaco, Cristóbal se alista como camionero en las fuerzas paraguayas. Tiene un puesto humilde; sin embargo, le dará la ocasión de desarrollar su personalidad heroica y pura, esa voluntad de dominar las circunstancias adversas para llevar a cabo una misión, a la que renunciará sólo ante la muerte misma. Si antes su misión era la de perpetuar el espíritu revolucionario, tal misión idealista se concretiza ahora en algo tangible, substancial: Cristóbal tendrá la misión estratégica de llevar agua al frente del Boquerón, detrás de las líneas de combate, a un regimiento paraguayo que se está muriendo de sed, y la acepta sin vacilar. El cumplir con esta misión se convierte pronto en ciega obsesión para Cristóbal. No sabe nada del por qué o para qué de esta tarea, y no le interesa saberlo. Sólo sabe que ha aceptado una misión y que tiene que llevarla a cabo, sin considerar sacrificios. La misión se deshumaniza, porque a Cristóbal no le interesan los soldados paraguayos cuya vida depende del agua que les lleva. Para él, esta misión es algo abstracto, es «la» misión, que viene a simbolizar ahora esa otra obsesión idealista, de la que es heredero: la lucha para que cambien las cosas, por un poco de tierra y libertad para sus prójimos. Cualquiera que sea la misión, la que siente dentro de sí, o la que le es impuesta, Cristóbal antes perdería la vida que dejar de cumplirla. Sabe que en esta misión se jugará la vida, pero no le importa. Intuye que esta misión es su destino, al que forzosamente tiene que llegar, cueste lo que cueste. Ya no hay alternativas. Sabe también que es el mismo afán de llegar a ese destino lo que le puede brindar esa «redención» de que hablaba el viejo Macario: «Y si sabe en vida olvidarse de sí mismo, la tierra come su cuerpo, pero no su recuerdo» (p. 33). Es el afán de solidaridad con su destino, concretado en una peligrosa tarea militar, que empuja a Cristóbal, quien no sabe, y nunca sabrá, su última consecuencia: llevar agua al único sobreviviente de un regimiento muerto de sed: Miguel Vera el delator de la última insurrección campesina, el que traicionó a Cristóbal y los suyos, o sea: el traidor al ideal. Cristóbal, herido varias veces por el camino, también el único sobreviviente de la patrulla aguatera, muere al llegar a su destino, o sea al llegar a Miguel Vera. El hecho irónico de que Cristóbal había hecho posible lo aparentemente imposible para salvarle la vida precisamente a Miguel Vera, sólo interesa desde el punto de vista novelístico. Como ya queda dicho, la misión se había deshumanizado para Cristóbal, su sentido abstracto no hubiera sufrido transformación ninguna sabiendo para quién era el agua. Sin embargo, Roa Bastos vuelve a sugerir una correlación con la muerte de Cristo: también Él se sacrificó para cumplir una misión, que era traer la salvación al pecador.

El último capítulo de la novela es a la vez su epílogo. La narración vuelve a tomar lugar en Itapé, el pueblo del Cristo leproso, después de terminar la Guerra del Chaco. Se cierra el círculo de los hechos, y resulta que no ha cambiado nada. Roa Bastos expresa una negación total de valores tangibles, para cuya adquisición se ha vertido tanta sangre, derrochado tanto heroísmo, se han frustrado tantos ideales. Todo sacrificio fue en vano, semejante al sacrificio de Cristo, «cuya sangre había caído inútilmente sobre sus cabezas sin redimirlos, puesto que las cosas sólo habían cambiado para empeorar» (p. 13). La evidente falta de sentido de la vida se hace aún más manifiesta después de la guerra, que parece haberlo destruido todo sin dar nada en cambio. El hombre se ve ante el fracaso total, ante la nada. La figura simbólica de tal fracaso es Crisanto, ex combatiente, que vuelve finalmente a su pueblo, más tarde que nadie, porque para él la guerra se había convertido en la única realidad que sabía manejar, y a su fin, ya no podía reintegrarse a su vida anterior de campesino. El «hombre» se había quedado en la guerra; lo que vuelve es una «triste sombra parada en la luz cenital, la escueta, la indomable sombra de un hombre» (p. 209). Esa sombra, que parece enteramente muerta, ha perdido el nexo con su cuerpo, o sea, con lo que antes era su vida. Es la sombra suelta de una existencia, es un fantasma. La ruina de un hombre que ha perdido su alma, su substancia. (Se ofrece aquí otra alusión al problema Iglesia-religión: la Iglesia, tal como la presenta Roa Bastos en esta novela, también es una ruina sin substancia vital.) Apenas reconoce a su hijo, y aún al reconocerlo, no da muestras de vida interior, de emoción. El choque directo con su pasado, con su «vida», tiene lugar al ver su rancho abandonado. En este momento, y sólo por unos instantes, se da cuenta de la discrepancia entre las dos realidades, o sea la de su vida humana antes de convertirse en máquina combatiente, y la de su semiexistencia ahora. Comprende con claridad cruel la inutilidad de sus sacrificios, cuya recompensa es la nada. De un golpe sabe que la guerra ha deshecho todo lo que tenía valor, y, con esta conciencia, se quiebra por completo. En un último afán furioso destruye con unas granadas de mano esos vestigios de su hogar que parecen burlarse de él. Ante su fracaso total reniega de la vida, y su mente se trastorno definitivamente. «Fue abriendo un ancho boquete en el plantío invadido por el yavorai y rajando el anochecer con el estruendo y los relámpagos amarillos de las explosiones» (p. 226). Abre así un nuevo cráter, otra advertencia del sacrificio humano y su fracaso, de la sinrazón de la vida, para la que no parece existir salida. La negación de la esperanza en este círculo vicioso de la vida humana es el siniestro punto final de la novela de Roa Bastos.

Sin embargo, ante este fracaso colectivo, simbolizado por Crisanto, surge el problema de la culpa. Los paisanos de Crisanto sienten un fuerte malestar al ver a esa ruina de hombre. El hijo Cuchuí, abandonado por completo, se convierte para ellos en un caso de conciencia, como si fuera el símbolo de la culpa colectiva que todos sienten. «Eso sería lo que las alojeras y chiperas de la estación comprendían oscuramente, porque nunca le faltaba a Cuchuí la punta de algún chipá, alguna butifarra enmohecida o un vaso de refresco. Algo de piedad sentirían, pero también un poco de miedo, de culpa, de vergüenza, como lo sentía yo al verlo» (p. 215). El sentimiento de culpa ante el sacrificio de un inocente entrelaza la novela de nuevo con el sacrificio de Cristo. Lo amargo de la obra de Roa Bastos es la completa ausencia de algo que dé sentido a la vida: «Alguna salida debe haber en este monstruoso contrasentido del hombre crucificado por el hombre. Porque de lo contrario sería el caso de pensar que la raza humana está maldita para siempre, que *esto* es el infierno y que no podemos esperar salvación. Debe haber una salida, porque de lo contrario...» (p. 227). Roa Bastos no nos da ninguna respuesta. Su novela concluye así. Lo único que se puede vislumbrar es el comienzo de una nueva vuelta de ese círculo vicioso: el hijo de Crisanto, de ese hombre-sombra, del fracasado, muestra señales de letra, y establece así el nexo entre ese otro Hijo de Hombre, el Cristo leproso, que ahora parece haber descendido de su cruz para otra vez tomar cuerpo humano. ¿Será una nueva víctima de la culpa colectiva?

Universidad de Hamburgo,
Alemania.

Estudio estructural de «Hijo de hombre» *de Roa Bastos*

Andris Kleinbergs

La novela *Hijo de hombre,* surge de un «cuento frustrado» y en «un tirón de dos meses» [1] que le da el primer premio del concurso Internacional Losada de 1959 y el Primer Premio Municipal de Buenos Aires de 1961 al autor, Augusto Roa Bastos.

En este sentido, la intención de este estudio será la presentación de los elementos estructurales que se encuentran en esta obra, teniendo como referencia la definición de que la estructura es un concepto que incluye el contenido y la forma de una obra de arte [2] y dejando aparte el simbolismo religioso que podría desviarnos de un intento analítico concreto de descubrir cómo un «cuento frustrado» puede convertirse en una novela.

---

[1] Hugo Rodríguez Alcalá, «*Hijo de hombre,* de Roa Bastos, y la intra-historia del Paraguay», *Cuadernos Americanos,* 2 (marzo-abril, 1963), pp. 221-234.

[2] Wolfgang Kayser, *Interpretación y análisis de la obra literaria,* Gredos (Madrid, 1954), p. 141.

I

La motivación del autor viene del deseo de presentar al lector los problemas del hombre paraguayo, a partir de la Dictadura Perpetua del Supremo (Dr. José Gaspar Francia) hasta la tentativa fecha de la guerra civil de 1947 [3]. Roa logra esto con la presentación de su tema principal por medio de dos personajes: el protagonista, Miguel Vera, que actúa como narrador de los acontecimientos y por intermedio de la doctora Rosa Monzón que encuentra y publica los manuscritos después de la muerte de Vera.

Vera nos habla de «este monstruoso contrasentido del hombre crucificado por el hombre» (p. 227) y la doctora Monzón de que la publicación de esas historias nos «ayude, aunque sea en mínima parte, a comprender a este pueblo tan calumniado de América, que durante siglos ha oscilado sin descanso entre la rebeldía y la opresión, entre el oprobio de sus escarnecedores y la profecía de sus mártires...» (p. 229). En otras palabras, el tema central es la interpretación intrahistórica de la tragedia de un pueblo angustiado, por la cual el autor llega más allá de los sufrimientos corporales hacia un sufrimiento espiritual, advirtiendo por medio de Macario Francia, personaje del primer capítulo, que la vida es un círculo vicioso que continúa su marcha sin esperanzas de cambio: Macario, en efecto, muere como un niño volviendo al punto de partida: «Lo enterraron en un cajón de criatura» (p. 34).

II

La trama incluye nueve narraciones o historias, relatadas por Miguel Vera que actúa como protagonista-narrador en cinco de las historias y como narrador-observador omnisciente en las cuatro restantes.

La presentación del problema del hombre paraguayo comienza con la imagen del pueblito de Itapé en el año de 1912 y con el personaje llamado Macario Francia, hijo mostrenco del dictador, que a su vez nos traslada al pasado paraguayo por unos relatos de la dictadura del Supremo y de la época del Mariscal López y de la Guerra Grande. Miguel Vera desaparece y vuelve a aparecer después de introducir omniscientemente por medio de otras historias, personajes como: Gaspar Mora, el doctor Dubrovsky, Casiano Jara, Cristóbal Jara y otros personajes que en conjunción contribuyen al

---

[3] Harris Gaylord Warren, *Paraguay, An Internal History,* Univ. Oklahoma Press, (Norman, Okla., 1949), pp. 349-351.

desarrollo de la novela. Vera a su vez nos describe los acontecimientos históricos que actúan como incidentes separados o conjuntivos sobre él y los otros personajes, alcanzando el clímax en los sucesos de la Guerra del Chaco y concluyendo con el retorno de los ex combatientes a su pueblo natal, Itapé. La trama termina con la muerte de Vera, descrita por la doctora Monzón, en las manos de un «verdugo inocente» (p. 228).

El conflicto se revela como una telaraña tejida entre los pueblitos de Itapé y Sapukai. Sus hilos sujetan a los personajes que aparecen como insectos insignificantes delante de la araña del destino:

> —A veces me siento en la picada como una mosca...
> —¿Mosca?
> —Sí, un hombre pero como una mosca.
>
> Siento que se me empieza a hinchar el vientre. Y entonces, de repente, me enredo todo en una tela de araña y las patas peludas de una tarántula grande como el camión se echan sobre mí... (página 189).

En ocasiones, los personajes logran alejarse de esta telaraña por su eterna lucha contra la vida implacable, pero solamente para encontrar una vida peor que la anterior en los yerbales o en los desiertos destructores del Chaco. Si los personajes sobreviven a estos cambios, los hilos de la telaraña los arrastran al punto de su origen y a sus miserias anteriores. Nadie logra escaparse de este círculo vicioso sin dejar en pago su propia vida, y con cada generación nueva la esperanzas se empequeñen achicharrándose como el cuerpo del viejo Macario.

III

La sombra de la telaraña y de los insectos cae sobre el espacio abarcado por la novela y allí vemos los movimientos frenéticos de los personajes atrapados. El espacio quemado por la «chapa incandescente del cielo» (p. 12) señala la ubicación del pueblito de Itapé, donde todo estaba envuelto en un polvo seco y rojizo, y,

> el andén de tierra soltaba su aliento bajo los pies desnudos que lo trajinaban. Los pómulos cobrizos y los andrajos de las chiperas y alojeras que se atareaban una vez por semana al paso del tren, estaban teñidos por esa pelusilla encarnada... (p. 12).

La vida prosigue y «los trenes pasan más a menudo» y las innovaciones traen su «ruido y movimiento», pero las cosas en Itapé vuelven a su estado anterior acabando «por tomar otra vez el color de antes» (p. 12). El tren de los rieles rojizos pasa por «una estación y otra. Siempre parecía la misma. La gente en los andenes. Caras de tierra en sequía» (p. 62) hasta llegar a Sapukai, otro pueblito aún más impresionante:

> Junto a los rieles que se pierden en el campo con sus tajos brillantes y en arco como los de una luna nueva, los escombros ennegrecidos tiritan, coagulados todavía de noche. Los cuadrilleros están rellenando poco a poco el socavón dejado por las bombas, pero el agujero parece no tener fondo. Allí yacen también las víctimas de la explosión: unas dos mil personas, entre mujeres, hombres y niños. Cada tanto tumban adentro carretadas de tosca, tierra y pedregullo, pero siempre falta un poco para llegar al ras... Hay muchas paredes parchadas con adobe, techos de paja o de cinc remendados con troncos de palmera brava, que van tomando hacia las crucetas el color del maíz maduro bajo el naciente sol... (p. 35).

Con la explosión de las bombas revolucionarias la continuidad de los rieles rojizos es interrumpida y la acción se traslada con Casiano Jara y su mujer a los obrajes de los yerbales paraguayos donde ellos se convierten en algo «menos que seres humanos» (p. 67).

> Takurú-Pukú era, pues, la ciudadela de un país imaginario, amurallado por las grandes selvas del Alto Paraná, por el cinturón de esteros que forman las crecientes, infestados de víboras y fieras, por las altas barrancas de asperón, por el río ancho y turbionado, por los repentinos diluvios que inundan en un momento el bosque y los bañados con torrenteras rojas como sangre... (p. 68).

El destino en turno hace un movimiento inexplicable y las vidas de Casiano, Natí y su hijo Cristóbal no son tronchadas por un milagro. Los hilos de la telaraña los atrae al punto de partida, Sapukai, para comenzar una vida misteriosa arrastrando el vagón de las ruedas flameantes.

Para describir las cercanías y los movimientos del vagón pasan unos veinte años y Cristóbal Jara es el guía de los curiosos que llegan a esta región, incluyendo al mismo Miguel Vera. La debilidad de Vera, su estado de ebriedad y la delación de los revolucionarios causa la destrucción del famoso vagón y el traslado de la escena a la isla-prisión, Peña Hermosa:

> Estamos fondeados en medio de la lenta y atigrada corriente, de más de un kilómetro de anchura, que ahora, por la bajante, hiede a limo recalentado por el sol. Cuando se la mira fijamente, a ciertas horas, parece también detenida, inmóvil, muerta... (p. 139).

Los sucesos políticos ponen otra vez en movimiento a los personajes que llegan a un nuevo lugar, el Chaco. Comienza la guerra con los bolivianos, que no sólo resulta una destrucción del hombre por el hombre, sino también una destrucción de los hombres por la naturaleza:

> Calor sofocante. Cada partícula de polvo, el aire mismo, parece hincharse en una combustión monstruosa que nos aplasta con un bloque ígneo y transparente. La sed, la *muerte blanca* trajina del bracete con la otra, la *roja,* encapuchada de polvo... (p. 155).

Los que logran salvarse de las balas enemigas y de la *muerte blanca* son atraídos otra vez por los hilos de la telaraña al punto de origen y la escena de los ex combatintes se efectúa otra vez en el pueblito de Itapé donde las cosas no han cambiado: los viejos, en el boliche, exhiben sus heridas recibidas en el Chaco, mientras los más jóvenes planean una nueva sublevación; Itapé ha vuelto al punto de partida también y el círculo intrahistórico se inicia de nuevo.

El espacio se une al ambiente o atmósfera. El mundo empolvado de Roa crea un sentimiento único de tristeza, calor y sufrimiento. La pobreza de la naturaleza circundante influye en los personajes que reflejan su condición desesperada en sus acciones. La falta de comunicación, el miedo y la superstición son factores de la creación de un ambiente de una tensión constante. La tensión no sólo es sentida por el gran número de acontecimientos sino también por las imágenes empleadas en las descripciones de la Guerra del Chaco y de los yerbales. Los pueblitos adormecidos también contribuyen a esta tensión y las rivalidades entre los partidarios del jefe político y del cura llegan al punto de echar chispas. Chispas o machetazos que pueden causar la destrucción de un pueblo o país entero.

IV

La dimensión del tiempo abarca una época muy extensa. La novela comienza en el año 1912, pero por medio de una serie de *flashbacks* el autor retorna a la dictadura de Francia. Su intención principal de este proceso es demostrar la influencia del dictador sobre el pueblo y sus condiciones inhumanas. La mención del Mariscal López nos traslada al tiempo de la Guerra Grande por unos instantes muy breves para volver al año 1910 con la llegada del cometa Halley y la fundación del pueblo de Sapukai. El protagonista, Miguel Vera, confirma estos hechos que quedaron grabados en la mente de un chico de cinco años. En el mismo año de 1912, en que los itapeños logran la colocación del Cristo de Gaspar Mora en el cerrito, en Sapukai, ocurre el desastre revolucionario y el pueblo queda destruido. Los años siguientes (1912-1914) son presentados a través de Casiano y Natí en los yerbales e incluyen su retorno a Sapukai. De ahí en adelante hay un lapso de veinte años y Cristóbal llega a su condición de guía; entretanto Miguel Vera retorna de sus andanzas militares y de sus fracasos revolucionarios a Sapukai en 1932. Ese mismo año es enviado a la prisión y también comienza sus aventuras en el Chaco. Vera participa en la guerra hasta el 29 de septiembre de 1932 (última fecha de su diario escrito en el Chaco), y otra vez la continuación cronológica es quebrada por un lapso de unos cuatro años. El retorno de Crisanto indica que es «un año desde que se hizo el Desfile de la Victoria» (p. 207), o sea 1936. Días después Crisanto es enviado a un hospital para enfermos mentales y Miguel Vera recibe el balazo en la columna vertebral de las manos de Cuchuí. Lo único que no lleva una fecha concreta del autor es la carta de la doctora Monzón que explica el fin de Vera y su decisión de publicar los manuscritos «después de los años» (p. 228) de la muerte de Vera en 1936. La posible indicación es que el país está «al borde de la guerra civil entre oprimidos y opresores» (p. 228) al momento de publicar las historias y ese pudiera ser posiblemente el año 1947, o sea, la fecha de una nueva guerra civil.

Dejando al tiempo concreto aparte, notamos que Roa une el presente con el pasado y viceversa, por medio de su técnica de *flashbacks*. Ni el libro ni los capítulos tienen una organización cronológica sino que saltan de un tiempo a otro para introducir algún acontecimiento importante o para presentar a un personaje como ocurre en el caso del doctor Dubrovsky. Los comentarios de los personajes del pueblo de Sapukai presentan al doctor después de su desaparición que continúa con la introducción del doctor y su llegada al pueblo, relatada por Vera en el capítulo siguiente.

V

Aparte de la construcción temporal tenemos otro aspecto exterior que corresponde a la estructura de la obra. El andamiaje consta de nueve capítulos de extensión irregular que actúan muy independientemente. La unidad de la novela se debe en general a tres cosas: a Miguel Vera, a la imagen del vagón destrozado —o al camión de Cristóbal que toma su lugar— y a la repetición de ciertos acontecimientos o imágenes.

La presencia de Miguel Vera como protagonista-narrador da cierta unidad a los cinco capítulos de la novela donde él participa, pero la imagen más frecuente es la del vagón destrozado que es substituida luego por la imagen del camion de Cristóbal. El vagón-camión de las ruedas flameantes atraviesa la novela entera, desde la llegada de los «rieles rojizos» a Itapé, hasta la última página del manuscrito de Vera:

> Sólo el destrozado vagón parece seguir avanzando, cada vez un poco más, sin rieles, no se sabe cómo, sobre la llanura sedienta y agrietada. Tal vez el mismo vagón del que arrojaron años atrás al Doctor, de rodillas, sobre el rojo andén de Sapukai, en medio de las ruinas... (cap. II, p. 51).
>
> Vimos los vagones destrozados. Uno estaba a más de mil varas de la estación, en un desvío, como si hubiera volado por el aire para caer allí, casi entero... (cap. III, p. 64).
>
> Natí desde atrás podía adivinar el brillo alucinado de los ojos. Lo siguió sumisamente. Al final de una vía muerta, entre árboles talados y quemados por las ráfagas de metralla, había un vagón menos destruido que los otros (cap. IV, p. 97).

Los años pasan y el vagón ha dejado la vía muerta para internarse en la vegetación del monte. El traslado es inexplicable, aunque un capítulo entero gira alrededor de las posibilidades. También aquí es donde aparece la imagen que llegará a substituir al vagón:

> Afuera estaba el camión, un Ford destartalado. Llevaba un tosco letrero con el nombre de la ladrillería y del propietario. Sobre el borde del techo se leía un refrán en guaraní pintado más toscamente aún con letras verdes e infantiles... (cap. V, p. 106).
>
> Lo malo fue que el vagón apareció de golpe en un claro del monte, donde menos lo esperaba... Vi las plataformas corroídas por la herrumbre, los pasamanos de bronce leprosos de verdín, los huecos de las ventanillas tejidos de ysypós y telarañas... (cap. V, página 109).
>
> Ayer quemaron el vagón. Desde el arroyo todavía se ve el humo... (cap. VI, p. 113).

Y antes de que desaparezca el humo, Roa ya tiene una nueva imagen continuadora: el camión de Cristóbal seguirá su marcha hasta el final de la obra:

> Ha seguido avanzando con el tanque bamboleante y las ruedas en llamas, erizado de vívidos penachos de agua, hasta embicar contra un árbol. Está ahí..., está llamándome... (cap. VII, p. 165).
>
> Al final de la ringlera había un Ford pequeño y maltrecho. En la chapa de la patente se leía: Sapukai - 1931... (p. 169).
>
> Las ruedas se quejaban sobre el suelo liso y firme de la picada, cada vez más rápido. A lo lejos, las gomas empezaron a soltar dos negras ramazones en los remolinos que iban borrando la traqueteante silueta... Avanzó a la deriva con las ruedas en llamas... Al chocar contra un árbol se detuvo. Un gran chorro de agua saltó por la boca del tanque sobre las llamaradas... (cap. VIII, p. 204).

> El camión de Cristóbal Jara no atravesó la muerte para salvar la vida de un traidor. Envuelto en llamas sigue rodando en la noche, sobre el desierto, en las picadas, llevando el agua para la sed de los sobrevivientes... (cap. IX, p. 223).

Para dar todavía más continuidad a la novela, Roa introduce otra técnica hilativa que corresponde a la repetición de relatos posteriores. Las presentaciones de la tragedia de Sapukai son hechas por los diferentes relatos con un indefinido número de personajes, ofreciendo al lector una serie de imágenes de varios ángulos diferentes.

Otra imagen frecuente es la figura de Cristo del leproso Gaspar Mora, en el cerrito de Itapé. También esta imagen es presentada desde ángulos diferentes por los distintos personajes:

> El Cristo estaba siempre en la cumbre del cerrito, clavado en la cruz negra, bajo el redondel de espartillo terrado, semejante al toldo de los indios, que lo resguardaba de la intemperie... (p. 12).

Desde las ventanillas del tren en movimiento Miguel Vera ve a un Cristo muy distinto:

> ... apareció el cerrito en un recodo, casi al alcance de la mano. Desde su rancho de espartillo en lo alto, el Cristo leproso nos miraba pasar, clavado en la cruz negra, los cabellos de mujer moviéndose en el aire caliente de la siesta, como si estuviera vivo, en medio de las mariposítas amarillas que subían del manantial, entre los reverberos... (p. 55).

y con el retorno de Crisanto Villalba, el ángulo de la descripción cambia otra vez:

> El sendero sinuoso subía hacia el rancho del Cristo. Desde abajo parecía estaqueado contra el cielo. De la cabeza gacha caían las crenchas moviéndose en el airecito caliente de la tarde... (página 223).

Para María Rosa, que se corta el cabello para completar la figura de Cristo, ésta asume la imagen de Gaspar Mora:

> Se durmió en el corazón de la madera. Estaba muy cansado, porque tuvo que luchar todo el tiempo con el gran murciélago... Pero algún día despertará y vendrá a llevarme. ¡El cometa lo volverá a traer!... Le clavaron las manos y los pies... Pero el cometa lo despertará y lo volverá a traer del monte... (p. 19).

Por último, la continuidad es expresada por el ciclo vital de los personajes; la continuación de la miserable y dolorosa vida pasa de padres a hijos por medio de unas similitudes muy notables: María Rosa, la loca de Itapé, «pasa» su profesión de prostituta a su hija Juana Rosa, que a su vez «pasa» la lepra de su padre, Gaspar Mora, a su hijo Cuchuí. Otra similitud es el abandono de la prostitución por dos mujeres distintas para una «purificación virginal». María Rosa lo hace por su amor hacia Gaspar Mora y Salu'í por Cristóbal. Las similitudes entre Casiano Jara y su hijo Cristóbal son aún más notables y sin elaboración alguna por parte del autor las cicatrices del padre, adquiridas por el trabajo más cruel del yerbal, aparecen en la espalda de Cristóbal:

> Su espalda, llena de cicatrices, estaba aceitada de sudor bajo los guiñapos. No tendría veinte años, pero desde atrás parecía viejo. Seguro por las cicatrices o por ese silencio, que aun de espaldas lo ponía taciturno e impermeable, pesado y elástico, al mismo tiempo (p. 101).

Vera intenta echar algo de luz sobre este fenómeno, pero se escapa en el simbolismo sin aclarar nada:

> Yo iba caminando tras el último de los tres. Veía sus espaldas agrietadas por las cicatrices. Pero aun así, aun viéndolo moverse como un ser de carne y hueso delante de mis ojos, la historia seguía siendo una historia de fantasmas, increíble y absurda, sólo quizá porque no había concluido todavía (p. 109).

VI

Como vimos, los personajes que representan tres generaciones sirven para dar unidad o continuidad a la obra. La descripción de ellos es hecha directa o indirectamente, creando personajes estáticos, o sea, sin desarrollo interior. En ocasiones el lector los ve desde ángulos diferentes, pero esto solamente representa su exterior. Estimamos que no hay un verdadero desarrollo interior por cuanto la obra carece de conflictos espirituales de complejidad real y las pocas veces que notamos emociones como amor y odio éstas no tienen la duración o la fuerza necesarias para desarrollar a los personajes interiormente. La única desviación hacia lo interior se encuentra en el protagonista que está redactando sus memorias con alguna reflexión a su niñez:

> Yo era muy chico entonces. Mi testimonio no sirve más que a medias. Ahora mismo, mientras escribo estos recuerdos, siento que a la inocencia, a los asombros de mi infancia, se mezclan mis traiciones y olvidos de hombre, las repetidas muertes de mi vida. No estoy reviviendo estos recuerdos; tal vez los estoy expiando.

También la doctora Monzón trata de aclarar las acciones de Miguel Vera explicando su origen y sus debilidades:

> Pese a haber nacido en el campo, no tenía la sólida cabeza de los campesinos, ni su sangre, ni su sensibilidad, ni su capacidad de resistencia al dolor físico y moral... Le horrorizaba el sufrimiento, pero no sabía hacer nada para desprenderse de él. Se escapaba entonces hacia la desesperación, hacia los símbolos. Su estilo muestra la impronta de su destino. Era un torturado sin remedio, un espíritu asqueado por la ferocidad del mundo... (p. 228).

que le hace sentir las «repetidas muertes de *su* vida», o sea, las muertes de los otros hombres que por ser hombres son parte de Vera, quien sufre intensamente las injusticias cometidas contra ellos por él y por la vida. Desde su escape del cañadón del Chaco, Vera se había dado cuenta de la inutilidad de su vida:

> Yo estaba en mi pueblo natal como un intruso. Me hallaba sentado a la mesa de un boliche, junto a otros despojos humanos de la guerra, sin ser su semejante... Mis uñas y mis cabellos siguen creciendo, pero un muerto no es capaz de retractarse, de claudicar, de ceder cada vez un poco más... Yo sigo, pues, viviendo a mi modo... (p. 222).

Su modo de «vegetar simplemente» (p. 140) lo lleva a la imagen de Macario, de los ríos que terminan en el estero por carecer de alguna utilidad en la vida:

> El hombre, mis hijos... es como un río... Nace y desemboca en otros ríos. Alguna utilidad debe prestar. Mal río es el que muere en un estero... (p. 14).

y Vera es uno de ellos: su falta de coraje se refleja hasta el último momento al morir en las manos de un «verdugo inocente» (p. 228).

El enorme número de personajes que figuran en la novela puede ser dividido en tres grupos distintos: héroes como Casiano Jara, su hijo Cristóbal, el sargento Aquino Silvestre y Gaspar Mora. Los antihéroes como el protagonista Miguel Vera, el ex telegrafista Atanasio Galván y el jefe político Melitón Isasí. El tercer grupo está compuesto por un gran número de hombres y mujeres simples que actúan heroica o antiheroicamente en las manos del destino indomable.

Aunque los personajes de Roa no son dinámicos por falta de desarrollo interior, su valor literario es creado exteriormente por medio de las descripciones multiangulares y sus acciones para completar las imágenes e impresiones deseadas por el autor.

> Hueso y piel, doblado hacia la tierra, solía vagar por el pueblo en el sopor de las siestas calcinadas por el viento norte... Brotaba en cualquier parte, de alguna esquina, de algún corredor en sombras. A veces se recostaba contra un mojinete hasta no ser sino una mancha más sobre la agrietada pared de adobe. El candelazo de la resolana lo despegaba de nuevo. Echaba a andar tantaleando el camino con su bastón de tacuara, los ojos muertos, parchados por las telitas de las cataratas, los andrajos de aó-poí sobre el ya visible esqueleto, no más alto que un chico (p. 11).

Los reflejos y el encantamiento creado por las palabras de Macario resucitan a otro personaje que se desborda de la imagen visual en los otros sentidos:

> ... todo él envuelto en la capa negra de forro colorado, de la que sólo emergían las medias blancas y los zapatos de charol con hebillas de oro, trabados en los estribos de plata. El filudo perfil de pájaro giraba de pronto hacia las puertas y ventanas atrancadas como tumbas, y entonces aun nosotros, después de un siglo, bajo las palabras del viejo, todavía nos echábamos hacia atrás para escapar de esos carbones encendidos que nos espiaban desde lo alto del caballo, entre el rumor de las armas y los herrajes.

La motivación de los personajes es variada; en la mayoría de los casos su acción viene a describirnos las injusticias cometidas contra el hombre paraguayo. En sus diálogos se reflejan los problemas sociales creados por el mal gobierno de donde parten los deseos de sublevación como en el caso de la discusión de los dos soldados que no sabían por quién peleaban (p. 121). No sólo aparecen los conflictos de padre contra hijo, sino que las miserias sociales presentes se extienden en una guerra completamente innecesaria:

> —Por los títulos y acciones flamantes, guardados en las cajas fuertes de los terratenientes del tanino. Cada uno de ellos es más poderoso que nuestro gobierno, que nuestro país... En la mitad del Chaco, todavía estamos en sus latifundos. Ahora tendremos que pedirles permiso para ir a morir por sus tierras... (p. 148).

y así los pobres mueren por conservar las tierras de los ricos y las injusticias siguen su rumbo dejando como única salida de este infierno terrenal el «cajón de criatura» de Macario.

VII

Concluido el análisis del contenido, nos queda por estudiar la forma y el estilo del autor. Comenzando con su método narrativo podemos decir que su prosa es altamente poética y el lector tiene que participar con todos los sentidos. La maestría poética de Roa también aparece en la creación de imágenes inolvidables: ... ardía la tarde entre los cocoteros... (p. 170). ... El polvo tragaba el ruido de sus pasos... (p. 31). ... La noche cayó de golpe sobre el pueblo... (p. 64). ... Los escombros ennegrecidos tiritan, coagulados todavía de noche... (p. 35). ... Los pasamanos de bronce leprosos de verdín... (p. 109). Las imágenes causan los efectos deseados y hay veces en que las frases cortas tienen un número medido de sílabas de efecto musical.

El paso de la narración es acelerado o detenido por Roa para crear el ritmo necesario en los acontecimientos de la novela y la narración es controlada por el abundante uso del diálogo que concede un buen equilibrio a la obra.

El punto de vista cambia de la primera persona a la tercera para dar más libertad al autor y el narrador-protagonista se vuelve a la vez en un narrador-observador omnisciente. Abriendo aquí un paréntesis, encontramos que solamente en dos lugares el autor habla de su protagonista en tercera persona. En el capítulo VI no sabemos quién es el que relata las miserias del teniente Vera:

> —¿Teniente Vera...? —barbotó el oficial—.
> —Yo no sé nada... —*dijo* solamente... (p. 115).
>
> ....
>
> —Yo no delaté a esos hombres... —*dijo* otra vez la monótona voz... (p. 16).

En el capítulo IX, Roa introduce a la doctora Monzón para tener más libertad en las explicaciones acerca de la muerte de su protagonista.

Forman parte del estilo la anticipación y el *suspense.* La anticipación salta de capítulo en capítulo con la repetición de ciertos acontecimientos que en su mayoría son aclarados con mayor intensidad en cada presentación. Lo mismo pasa con el *suspense,* que es aclarado por los múltiples *flashbacks* de la novela, pero hay veces donde el *suspense* se convierte en simbolismo y queda sin aclarar, como en el caso del viejo carretero que salva a los tres Jara en su escape del yerbal. ¿Quién era este personaje misterioso que se parecía tanto al abuelo muerto de Cristóbal? Nadie lo sabe.

VIII

Con esto hemos llegado al final del análisis estructural, y por las diferentes partes de este estudio hemos visto cómo un «cuento frustrado» de Roa se ha convertido en una obra literaria excelente. La técnica de Roa está bajo una fuerte influencia cinematográfica que depende enteramente del «juego de las luces con las sombras... y... el conocimiento fragmentario de los hechos» [4] donde los mismos acontecimientos están expuestos varias veces por diferentes personajes desde distintos ángulos para que el lector o espectador pueda participar con sus propios sentidos y su propio juicio.

Roa también ha descubierto que el lector moderno no es el mismo lector anterior que se contentaba con «sólo oír la narración», sino que el lector moderno tiene que «ver contar las historias» [5]. Por eso él da un paso más allá, no sólo obsequia al lector con lo visual, sino que sus imágenes y metáforas se desbordan en los otros sentidos donde los sonidos nocturnales recobran vida por medio de las palabras de Roa y el lector siente el calor sofocante de los mediodías itapeños y se ahoga con el aire polvoriento del Chaco.

---

[4] Juan Goytisolo *Problemas de la novela,* Seix Barral, Barcelona, (1959), página 40.
[5] *Ibid.*, p. 21.

Realismo mágico y dualidad en «Hijo de hombre» *

Seymour Menton

* Leído, en versión abreviada en el Congreso de la P.A.P.C. celebrado en Berkeley, California, en noviembre de 1966.

La publicación en 1960 de *Hijo de hombre* representa un verdadero hito en la evolución de la novela hispanoamericana. Escrita por el paraguayo Augusto Roa Bastos (1917), ya se va colocando al lado de obras consagradas como, entre otras, *Los de abajo, Don Segundo Sombra* y *Doña Bárbara* [1]. Como Azuela, Güiraldes, Galle-

---

[1] Véanse Jorge Campos, «Una novela paraguaya: *Hijo del* (sic) *hombre*», *Ínsula,* XV, 168 (noviembre 1960), 13; Hugo Rodríguez Alcalá, «*Hijo de hombre* de Roa Bastos y la infrahistoria del Paraguay», *Cuadernos Americanos,* XXII, 2 (marzo-abril, 1963), pp. 221-234; David William Foster, «The Figuere of Christ Crucified as a Narrative Symbol in Roa Bastos' *Hijo de hombre*», *Books Abroad.* XXXVII, I (1963), pp. 16-20; Joseph Sommenrs, «The Indian-Oriented Novel in Latin America», *Journal of Inter-American Studies,* VI (1964), páginas 256-260; Oswaldo Arana, «El hombre en la novela de la Guerra del Chaco», *Journal of Inter-American Studies,* VI (1964), pp. 347-365; Fernando Alegría, *Novelistas contemporáneos hispanoamericanos* (Boston: D. C. Heath, 1964), pp. 130-131. En 1965, Rachel Caffyn publicó la primera traducción de la novela: *Son of Man* (Londres: V. Gollanez, 1965), 256 p.

gos y tantos otros escritores hispanoamericanos entre 1920 y 1945 [2], Roa Bastos se empeña en captar la esencia de su patria. Sin embargo, a diferencia de éstos, funde su visión nacional con una visión universal del hombre, sirviéndose de varios recursos técnicos introducidos por Borges y los otros cosmopolitas que dominaron la escena literaria entre 1945 y 1960.

Esta fusión de dos tendencias antagónicas [3] ayuda a establecer el tono predominante de realismo mágico y constituye el primer ejemplo de la dualidad [4] sobre la cual se estructura toda la novela. Aunque la dualidad, en general, es un fenómeno bastante común, proviene aquí de la misma realidad paraguaya. La nación paraguaya, una de las más homogéneas de la América Latina, consta paradójicamente de dos razas, dos lenguas, dos geografías y dos historias. Aunque Roa Bastos tiene en cuenta los orígenes dualísticos de su patria, queda fiel a la realidad subrayando los elementos que le han dado unidad.

Para crear la impresión del hombre paraguayo en general, Roa trata el problema racial con cierta ambivalencia. Por una parte, simpatiza más con los personajes de aspecto más guaraní, pero por otra no los distingue mucho de sus compatriotas más blancos. En contraste con lo que ocurre en la novela de México, Guatemala y los países andinos, el mundo paraguayo no se divide entre indios y blancos, ladinos o cholos, y eso a pesar de que las estadísticas nos aseguran que el 65 por 100 de la población paraguaya es guaraní [5].

---

[2] Para el Ecuador, *Cholos* (1938) de Jorge Icaza y *Juyungo* (1942) de Adalberto Ortiz; para el Perú, *El mundo es ancho y ajeno* de Ciro Alegría (1941) y la rezagada *Todas las sangres* (1964) de José María Arguedas; para México, *El luto humano* (1943) de José Revueltas; y para Guatemala, *Entre la piedra y la cruz* de Mario Monteforte Toledo. Véase mi trabajo «In Search of a Nation», *Hispania,* XXXVIII (1955), pp. 432-442.

[3] En México se discuten desde hace mucho tiempo los valores relativos de las novelas de la Revolución y las obras de los *colonialistas* y de los *contemporáneos*. En la década de 1950-1960, esas diferencias se manifestaron en la polémica entre los partidarios de Juan José Arreola y los de Juan Rulfo. Rulfo y los otros autores comprometidos suelen salir triunfantes en México. En cambio, en Chile, Mariano Latorre y sus discípulos criollistas se encuentran desprestigiados entre los autores cosmopolitas que ejercen la hegemonía literaria.

[4] La dualidad o el dualismo existe en todo el mundo. Edwin M. Moseley, en su *Pseudonyms of Christ in the Modern Novel, Motifs, and Methods* (Pittsburgh, 1962), comenta el «orthodox dualism of Christianity and countless other religious-and-philosophical traditions» (p. 19). Sin embargo, el Paraguay, tal vez más que ninguna otra nación, se identifica completamente con la dualidad. La primera oración del libro de Juan Natalicio González, *Proceso y formación de la cultura paraguaya,* 2.ª ed. (Asunción, 1948) es «El hombre es una dualidad» (página 9). El segundo párrafo reza, «La nación es igualmente una dualidad» (página 9). González, uno de los intelectuales paraguayos más sobresalientes fue presidente entre 1948 y 1949, fecha en que fue derrocado por un golpe militar.

[5] Aunque Preston James calcula que el 65 por 100 de la población es guaraní, 30 por 100 mestizo y 5 por 100 de ascendencia europea, muchos de ellos

Fusión de dos razas antagónicas, el Paraguay es también fusión de dos regiones antagónicas: la meseta oriental, que cuenta con un suelo rico, mucha lluvia y los centros de población más importantes; y las tierras bajas del noroeste, que constituyen los dos tercios del territorio nacional, con un suelo poroso aluvial, poca lluvia, esteros secos y muy poca gente. Aunque la división territorial es muy clara, Roa Bastos funde las dos regiones por medio del clima para reforzar su concepto de un Paraguay homogéneo. El calor y la sequía del Chaco en el noroeste (capítulos VII y VIII) no se diferencian mucho del calor y la sequía de los meses secos en los pueblos sudestinos de Itapé (capítulos I y IX) y de Sapukai (II, V y VI). De la misma manera, el calor húmedo de la hacienda en el centro-este (capítulo IV) es tan opresivo como el del campamento militar en el río Paraguay cerca de Puerto Casado (capítulo VII).

A pesar de la gran distribución geográfica de la novela, Roa estrecha la unidad de su mundo dualístico dividiendo a todos sus personajes en oriundos o del viejo pueblo colonial de Itapé o del nuevo pueblo de Sapukai, fundado en 1910.

De la misma manera con que Roa funde dos elementos demográficos y dos geográficos, también funde dos elementos históricos para producir una sola visión del Paraguay. La división entre la época precolombina y la poscolombina se borra con la narración de antiguas leyendas y con la amenaza unificadora de las dos guerras internacionales [6]. La identificación del lugar en el Chaco con el paraíso terrenal y las alusiones a la versión judeo-cristiana de la creación tienden a fundir la cultura guaraní con la española.

> Creo que en el libro de León Pinelo se afirma y se prueba que el Paraíso Terrenal estuvo situado aquí, en el corazón del continente indio, como un lugar «corpóreo, real y verdadero», y que aquí fue creado el Primer Hombre. Cualesquiera de estos árboles pudieron ser el Árbol de la Vida y el Árbol del Bien y del Mal, y no sería difícil que en la laguna de Isla Po'í se hubieran bañado Adán y Eva, con los ojos deslumbrados aún por las maravillas del primer jardín. Si el cosmógrafo y teólogo de Chuquisaca tuvo razón, ésta serían las cenizas del Edén, incinerado por el Castigo,

---

inmigrantes desde 1870 que viven en la capital Asunción (Preston James, *Latin America,* New York: Odyssey, 1950, pp. 244-245), Juan Natalicio González en su *Proceso y formación de la cultura paraguaya* afirma que se realizó el proceso de mestizaje entre españoles e indias para 1785. También hace hincapié en el carácter homogéneo de la población: «A la larga el pueblo se convirtió en un conglomerado étnicamente homogéneo» (p. 221).

[6] La fusión relativamente fácil de dos culturas antagónicas puede atribuirse también a su cooperación frente a los enemigos comunes: los incas, los indios del Chaco y los bandeirantes brasileños (González, pp. 99-109).

sobre las cuales los hijos de Caín peregrinan ahora trajeados de kaki y verdeolivo.

De aquellos lodos salieron estos polvos (p. 160) [7].

La fusión de la leyenda cristiana de santo Tomé con el mito indio de Zumé, realizada por los misioneros [8], se convierte en otro puente irónico entre el pasado y el presente cuando los peones semiesclavizados dirigen sus oraciones a Santo Tomás, santo patrón del mate, para que él los proteja contra su explotador extranjero..., Mr. Thomas.

La unidad de la visión histórica se refuerza aún más por el papel diabólico del caballo frente a la carreta de bueyes. El capataz demoníaco Aguileo Coronel y su asistente Chaparra persiguen a caballo a sus víctimas; la sublevación malograda de 1930 fue suprimida por la caballería; y la figura del dictador diabólico, el doctor Francia (1812-1840), se evoca a caballo llevando una capa negra con forro colorado y los ojos como carbones encendidos (p. 15). En cambio, Casiano y su familia logran escaparse de sus perseguidores a caballo gracias a una carreta de bueyes.

Aunque Roa alude en su panorama nacional a ciertos acontecimientos históricos, sobre todo a la Guerra de la Triple Alianza (1865-1870) y a la Guerra del Chaco (1932-1935), su visión nacional depende mucho más del carácter del pueblo paraguayo y de sus símbolos. Los paraguayos son capaces de resistir tanto la opresión doméstica como la extranjera. Condenados a guerrear constantemente —«un pueblo cuya fatalidad ancestral parecía residir en la guerra» (página 221)—, nunca se rinden [9]. Siguen conspirando en un ciclo eterno que hace pensar en el concepto borgiano del universo: «Y sus ciclos se expanden en espiral. En todo Itapé, como en muchos otros

---

[7] Los números de las páginas son de la 2.ª ed., Buenos Aires, Losada, 1961.

[8] «El sacerdote católico, hábil en su catequesis, en lugar de negar esos mitos, les buscó fisonomía cristiana. Enseñó a conjurarlos con la oración, la cruz y el agua bendita. El mito del peregrino blanco, que cruzó estas regiones para enseñar el cultivo del maíz, rey de los cereales, 'jefe altanero de espigada tribu', fue transformado en la leyenda dorada de Pai-zumé, santo Tomás, cuyas pisadas quedaron grabadas en el cerro del Paraguarí. Pai-zumé vivió en México, transitó por Guatemala, por Colombia, por el Brasil, y se ciudadanizó en el Paraguay», Justo Pastor Benítez, «El colorido folklore paraguayo», en el *Journal of Inter-American Studies,* VI (1963, p. 372). La aparente confusión entre santo Tomás (p. 75) y santo Tomé (p. 45) en *Hijo de hombre* puede atribuirse a san Bartolomé quen, según la leyenda, le sacó el veneno a la yerba paraguaya: «The Paraguayan grass, also called the grass of St. Bartholomew, for the saint was supposed to have taken the poison out of it and made it wholesome» (François Cali, *The Spanish Arts of Latin America,* New York, 1961, traducido del francés, p. 122).

[9] La palabra «guaraní» significa «guerra» (González, p. 36). Refiriéndose sólo a la época colonial, González escribe que «la vida del paraguayo era un continuo guerrear» (p. 242).

pueblos, fermenta nuevamente la revuelta, en una atmósfera de desasosiego, de malestares y resentimintos» (p. 222).

Debilitados por el calor y por el polvo, los paraguayos resucitan a orillas de los ríos que forman la espina dorsal de la nación y que constituyen para el Paraguay el símbolo más universal y más importante de la vida y de la libertad [10].

Otros símbolos netamente paraguayos son la guitarra, los leprosos y el guacamayo. Gaspar Mora, el personaje más «cristiano» de los varios redentores de la novela, es fabricante de guitarras [11]. Dos estudiantes de Derecho y un periodista, que vuelven del destierro, lamentan la desaparición de los grandes guitarristas paraguayos. La purificación de Salu'í se anuncia con serenatas de guitarra y de arpa (p. 174). Antes del escape de Casiano Jara, «lo más que había conseguido escapar de Takurú-Pucú eran los versos de un 'compuesto', que a lomo de las guitarras campesinas, hablaban de las penurias del mensú, enterrado vivo en las catacumbas de los yerbales» (p. 69). Para realzar el aspecto heroico de la guitarra, el capataz Coronel se siente sin talento para tocarla: «luchando con la guitarra» (p. 84).

Gaspar Mora representa el carácer heroico de su patria no solamente por su guitarra, sino también por su enfermedad: la lepra. Las estadísticas indican que de toda Hispanoamérica, el Paraguay tiene la incidencia más alta de casos de lepra: uno o dos por cada mil habitantes [12]. Esos leprosos que simbolizan al Paraguay por su capacidad para sobrellevar un sufrimiento eterno, participan activamente en el escape de Cristóbal Jara, el redentor moderno.

Otro símbolo del Paraguay que también se relaciona con el tema del escape es el guacamayo [13], que se hace querer de los prisioneros militares con sus gritos en guaraní de «Yapia-ké... Yapia-paiteké...» (¡Escapemos!... ¡Escapemos todos!) (p. 142). La carreta, la guitarra, el leproso, el guacamayo, éstos son los verdaderos símbolos del pueblo paraguayo en contraste con los símbolos oficiales y artificiales: la vieja bandera descolorida y llena de telarañas y el mapa roto (p. 213).

---

[10] «El río paterno distiende su influjo en la banda de oriente y en la banda de occidente, introduciendo en ambas regiones antitéticas elementos de conciliación, factores de homogeneidad, un solo espíritu. En su fuga hacia los mares, la gran arteria fluvial no sólo realiza una labor de síntesis, sino que da un sentido de universalidad a lo mediterráneo. Abre las puertas del mundo al corazón de América» (González, p. 24).

[11] El imbaracá, la guitarra indígena, era el instrumento sagrado de los guaraníes antes de la llegada de los españoles (González, p. 53).

[12] *Hechos sobre problemas de salud,* Publicaciones Varias, núm. 63 (Washington: Organización Panamericana de la Salud, 1961), p. 25.

[13] «El recuerdo del loro que habla se halla unido a una de las tradiciones fundamentales y más antiguas de la raza, relacionada con el problema de los orígenes» (González, p. 52).

Bastaría esta presentación épica del Paraguay para que *Hijo de hombre* fuera considerada una buena novela, pero se enriquece aún más con los temas universales, que también tienen una estructura dualística. El mismo título, *Hijo de hombre,* se refiere a las muchas relaciones entre padre e hijo, u hombre y niño, que demuestra el concepto que el hombre se parece a un ría «—El hombre, mis hijos —nos decía—, es como un río. Tiene barranca y orilla. Nace y desemboca en otros ríos. Alguna utilidad debe prestar. Mal río es el que muere en un estero...» (p. 14).

El hombre nace dos veces, cuando nace y cuando muere. Cuando muere, sigue viviendo en sus niños [14]. La lucha por la libertad empezada por Casiano Jara continúa bajo la dirección de su hijo Cristóbal. El espíritu de Crisanto sigue viviendo en su hijo Cuchu'í. La denuncia de la santidad de Gaspar Mora pasa de Nicanor Goiburú a sus hijos gemelos.

Esta relación entre padre e hijo se extiende a cualquier hombre y a cualquier niño [15] porque según el autor «todos los hombres eran uno solo» (p. 22). Al doctor Dubrovsky lo golpean y lo echan del tren cuando trata de curar al niño de Damiana. El teniente Vera protege a Pesebre, hijo de su ex novia y luego lo mata para que no siga sufriendo. La concurrencia de varias generaciones en un solo río se simboliza aún más por el entierro del anciano Macario Francia en un ataúd de niño (p. 35) y por los ojos brillantes y juveniles del viejo carretero (p. 96). El hecho de que Casiano, al delirar, confunda al viejo con su propio abuelo Cristóbal, refuerza la visión del autor de que el mundo es un ciclo eterno —el niño también se llama Cristóbal.

En realidad, el «hijo de hombre» más importante es la estatua de Cristo engendrada por el escultor leproso Gaspar Mora. «¡Es su hijo! Lo dejó en su reemplazo...» (p. 26). Protagonista del primer capítulo, Gaspar Mora es también la piedra angular para otros dos ejemplos de la dualidad [16]. En los primeros dos capítulos, Roa establece un paralelismo muy claro entre Gaspar Mora en Itapé y el doctor Alexis Dubrosky en Sapukai. Los dos viven solos, fuera del pueblo; a los dos casi todo el mundo los respeta; cada uno tiene una mujer solitaria que le lleva la comida; y los dos son crucificados. Gaspar Mora se enferma de lepra; el leñador revela su escondite; los hombres de Itapé se olvidan de él durante la sequía; y

---

[14] «En pocas razas del mundo el amor paternal ha tenido expresiones más delicadas, tiernas y tan profundas. El hijo era un ser sagrado a cuya formación cultural y moral se consagraban los mayores sacrificios» (González, p. 71).

[15] Existía el canibalismo entre los guaraníes porque ellos creían que los valores morales de la víctima podían transmitirse directamente. También creían en la transmisión del alma (González, pp. 81-82).

[16] Para los varios tipos de Cristos novelísticos, véase Edwin M. Moseley, *Pseudonyms of Christ in the Modern Novel, Motifs, and Methods, op. cit.*

algunos tratan de destruir su estatua. Después de ser echado del tren, el doctor Alexis vive como ermitaño hasta que se le reconoce el talento de curandero. Sin embargo, en contraste con Gaspar Mora, el doctor Alexis es un profeta falso. Al descubrir que hay monedas de oro escondidas en las estatuas coloniales con que le pagan los enfermos, las decapita secretamente, guarda el dinero, se emborracha, viola a María Regalada y desaparece.

Aún más importante que el contraste entre el redentor nacional y el extranjero es el contraste entre el redentor viejo y el joven. Gaspar Mora muere en 1910; Cristóbal Jara muere en 1935. A Jara como a Mora, el pueblo lo adora y lo respeta. Los dos están envueltos en un ambiente misterioso y los dos son ayudados por una prostituta redimida. La vida de Cristóbal Jara está llena de simbolismo cristiano: su nacimiento en el yerbal, el escape milagroso de los padres, la traición del teniente Vera, la última cena (p. 197) y la crucifixión en el volante del camión de agua (p. 204). El mensaje de Roa queda muy claro. Gaspar representa a un Cristo pasivo, sufrido y religioso cuyo espíritu sobrevive en una estatua de madera; en cambio, Cristóbal es el redentor ateo con raíces en la cultura guaraní y cuya determinación inquebrantable frente a los obstáculos más espantosos se inmortalizará en todas las sublevaciones que sean necesarias para conseguir la libertad y la justicia.

> Lo que no puede hacer el hombre, nadie más puede hacer (página 199).
>
> En todo Itapé, como en muchos otros pueblos, fermenta nuevamente la revuelta... Las montoneras vuelven a pulular en los bosques. El grito de *¡Tierra, pan y libertad!* resuena de nuevo sordamente en todo el país... El camión de Cristóbal Jara no atravesó la muerte para salvar la vida de un traidor. Envuelto en llamas sigue rodando en la noche, sobre el desierto, en las picadas, llevando el agua para la sed de los sobrevivientes (pp. 222-223).

Intimamente relacionadas con el motivo de Cristo son las traiciones, las redenciones de prostitutas y las resurrecciones. Éstas a menudo se llaman renacimientos, fundiendo el milagro cristiano de Lázaro con el concepto universal del autor de que el hombre es un río que fluye eternamente. El escape de Macario Francia durante la Guerra de la Triple Alianza se presenta como un verdadero milagro: «él mismo era un Lázaro resucitado del gran exterminio» (p. 17). Paradójicamente, la segunda guerra paraguaya, la del Chaco, hace posible la resurrección del teniente Vera de su lenta agonía en el campamento militar: «Hasta han vuelto a dirigirme la palabra. Quiñónez nos trata de nuevo como a camaradas» (p. 150). El espíritu de Silvestre Aquino sobrevive por medio de su sombrero utilizado por Cristóbal Jara para «vendar» su mano gangrenosa: «La otra mano en alto, monstruosamente hinchada dentro del sombrero esbozaba sobre el vidrio lanudo una cabeza alerta y larval. La cabeza de Silvestre Aquino, cercenada por la bomba (p. 20). El mismo Silvestre Aquino fue quien antes se dio cuenta del sacrificio de Salu'í y le dijo: «Estás naciendo de nuevo, Salu'í» (p. 186).

La variedad de prostitutas redimidas indica el gran cuidado con que el libro está planeado. Además de la ya mencionada Salu'í, María Rosa sacrifica su pelo por el Cristo de Gaspar Mora. Lágrima González, la ex novia del teniente Vera convertida en prostituta, se resucita pero no se redime por su Niño Nacimiento (Pesebre). La única prostituta que no tiene ninguna esperanza de redimirse es Flaviana, la mujer llevada al yerbal por el capataz Coronel desde la ciudad de Villa Encarnación. Sin embargo, su baile lascivo en medio de la borrachera general llama mucho la atención por su valor dualístico: el contraste con la pureza de la «Santa familia» (Casiano, Natí y el niño Cristóbal) y al mismo tiempo en entretenimiento del capataz que permite el escape.

Otro motivo bíblico, y tal vez el más importante porque es la clave de todo lo que ocurre en la novela, es la traición del hombre por su prójimo. Para representar esta traición, Roa vuelve a fundir dos motivos: el de Judas y el de Caín (p. 160). Las variaciones sobre el tema del hombre condenado a crucificar a su prójimo —«este monstruoso contrasentido del hombre crucificado por el hombre» (p. 227)— abundan a través de toda la novela. Las traiciones más obviamente cristianas son las que se relacionan con Gaspar Mora y su Cristo de madera. El leñador revela su escondite sin querer. Por ser involutaria, esta delación junto con otras, contribuye al ambiente de realismo mágico donde el hombre parece flotar en una atmósfera sujeto al capricho de los dioses. Cuando Gaspar muere de sed durante la sequía, los hombres de Itapé se sienten culpables: «—La muerte de Gaspar pesaba sobre nosotros» (p. 25). Cuando Nicanor Goiburú insiste que se queme la estatua de Cristo, el sacerdote se siente incapaz de cometer el sacrilegio, pero se lo pide al joven sacristán. Al malograrse el atentado, el sacristán «se dejó caer y reptó...» [17] hacia el campanario, donde se suicidó, reforzando la evocación de Judas. El papel desempeñado por Nicanor Goiburó se transmite a sus hijos gemelos, quienes tratan de ahogar a Miguel Vera cuando éste todavía se puede considerar una figura angélica. Su fe lo salva: «Me salvé porque sabía nadar y zambullir mejor que ellos. Pero, sobre todo, porque creía firmemente en algo... En el abombamiento de la asfixia sentí que la mano de madera de Gaspar me sacaba a la superficie» (p. 21).

---

[17] El uso del verbo *reptar* evoca imágenes de la serpiente como instrumento del diablo.

La traición, sin el tono religioso, también desempeña un papel muy importante en varios episodios militares. Atanasio Galván traiciona la sublevación agraria informando por telégrafo a las fuerzas del gobierno que los rebeldes estaban a punto de atacar. Su actuación subsiguiente como presidente municipal de Sapukai y el enorme cráter dejado por la bomba mantienen vivo el recuerdo de su traición.

La víctima más frecuente de la traición de sus prójimos es el redentor moderno Cristóbal Jara. El teniente Vera, que ayudaba a entrenar a los sublevados bajo Jara, los denuncia sin querer durante una borrachera. El escape de Jara realizado con la ayuda de los leprosos por poco se malogra dos veces de una manera algo fantástica. Gamarra, uno de los adictos de Jara, trata de despistar a un capitán de las tropas del gobierno con una historia inventada de que Jara estaba escondido dentro del tronco de un árbol. Afortunadamente el capitán no lo creyó porque lo que se contó como mentira fue en realidad la verdad. Después, Bruno Menoret, el ex patrón de Jara, lo reconoce en el baile y por poco lo delata. La gran importancia concedida por Roa a la casualidad concuerda con el realismo mágico de toda la novela; «El catalán dudó, echando los ojos muertos al cielo, como si de improviso hubiera visto abrirse una grieta muy profunda y llameante. Nadie supo, tal vez ni él mismo lo supiera si en ese momento iba a delatar a Cristóbal Jara o si, por el contrario, estaba tratando de urdir en su favor una loca patraña, alguna increíble y absurda coartada...» (p. 137).

Durante la Guerra del Chaco, mientras Cristóbal Jara lucha con el máximo valor, hay otros que se hieren en la mano para no tener que ir al frente. En la expedición final, Otazú y Rivas abandonan el convoy de camiones de agua después de saciarse la sed sin ni siquiera cerrar la llave. Cuando Cristóbal Jara, amarradas las manos deshechas al volante, acaba por manejar su camión hasta su destino después de un verdadero calvario, se encuentra con una ráfaga de balas disparadas por la ametralladora del delirante Miguel Vera. Como Cristo, Cristóbal muere a manos del hombre a quien quería salvar.

A pesar de la traición de Eva, Dalila y sus descendientes, las mujeres en *Hijo de hombre* son relativamente buenas. No hay más que dos excepciones, con personajes secundarios: la esposa de Jiménez, que comete adulterio, y Juana Rosa, cuya infidelidad a Crisanto también puede haber sido involuntaria.

De mayor importancia es la «traición» realizada por un hijo. Macario deshonra a su padre al dejarse seducir por la moneda de oro. Poco tiempo después, cuando éste pierde la gracia del doctor Francia, Macario se siente culpable. «Se murió por mi culpa, porque toda su desgracia salió de la llaga negra de mi ladronicio» (p. 16). El doctor Alexis tampoco puede resistir la tentación del dinero, y al perder su santidad, recuerda su intento malogrado de salvarle la vida a su padre: «Los ojos celestes estaban turbios, al borde de la capitulación, como la vez en que no pudo salvar a su padre...» (página 49). Cabe recordar aquí la deserción de Pesebre frente a su benefactor Vera, lo mismo que el primer intento de escaparse de Casiano y Natividad Jara, que no se lleva a cabo por sentir ésta los primeros dolores del parto.

En ninguna parte se desarrolla más el tema de la traición que en el protagonista alternativo, Miguel Vera, quien, como el Anciano Marinero de Coleridge, expía su culpa narrando sus traiciones en los capítulos impares de la novela. «Ahora mismo, mientras escribo estos recuerdos, siento que a la inocencia, a los asombros de mi infancia, se mezclan mis traiciones y olvidos de hombre, las repetidas muertes de mi vida. No estoy reviviendo estos recuerdos; tal vez los estoy expiando» (p. 13). Los sentimientos de culpa son aún más trágicos por el aspecto involuntario de las traiciones. Además de los dos episodios en que delata y luego mata a Cristóbal Jara, Miguel Vera tiene otras razones para sentirse culpable. Durante su estancia en el campamento militar, Vera se siente responsable por la muerte de su coprisionero Jiménez porque había rechazado la necesidad desesperada de Jiménez de comunicarse con alguien. «Yo pude ayudarlo, quizá. Ya estaba semiasfixiado y necesitaba algo semejante al tratamiento de respiración artificial. Una sola mirada de simpatía puede a veces salvar la vida de un hombre» (p. 145). En una de las pocas traiciones conscientes, Vera mata un armadillo, lo mete en el bolsillo y poco después lo tira a la tierra porque ya no puede soportar el peso [18]. «Húmeda la bolsa con su sangre y mi sudor» (p. 105). El sentido de este episodio se trasluce por medio de la mirada de Cristóbal Jara: «Cristóbal Jara giró sobre el rostro inescrutable y me miró por la rajita de los párpados, con esa leve mueca que no se podía definir si era de comprensión o de burla» (p. 105). Esos sentimientos de culpa que persiguen a Miguel Vera se remontan hasta su niñez. El tener que matar al enemigo anónimo durante el sitio de Boquerón evoca el recuerdo de cuando su padre lo obligó a matar un gato enfermo.

> De muchacho, un día mi padre me mandó sacrificar un gato enfermo y agusanado. Lleno de repugnancia, no supe sino meterlo en una bolsa y me puse a acuchillarlo ciegamente con un machete, hasta que se me durmieron los brazos. La bolsa se deshizo y el animal, destripado, salió dando saltos ante mi hipnotizado aturdimiento, perforándome el vientre con sus chillidos atroces (p. 158).

---

[18] El cazador parco, que no cobra sino las piezas necesarias para las necesidades de la vida, encuentra la protección espontánea del genio de la selva... Pero ¡infeliz del destructor impío del bosque, del que se complace en la inútil hecatombe de los animales! (González, p. 308).

Señalados y comentados ya los temas criollistas y universales, hay que constatar que la alta calidad artística de la obra no depende tanto de la presentación muralística de la tragedia paraguaya ni del sufrimiento de la humanidad en general como de la manera en que se funden estas dos visiones artísticas revistiéndose de un aire mágico.

El factor más importante en la creación del mundo real-fantástico es el manejo del tiempo. El contraste entre las luchas épicas de los protagonistas y el ritmo increíblemente lento produce un efecto sobrenatural muy extraño. Roa de veras ve girar el mundo como un trompo: cuanto más rápido gira, tanto más parece estar parado. «Todo igual, como si el tiempo no se moviera sobre el trompo inmenso y lento» (p. 62). «—¡Allá va el doctor! —dice la gente de la mañanita cuando, envuelto en tierra y rocío, Sapukai gira lentamente hacia la salida del sol con su caserío aborregado en torno a la iglesia mocha, a las ruinas de la estación» (p. 35). El mismo movimiento planetario se aplica al perro del doctor Alexis, cuyo paseo al pueblo, para comprar alimentos, marca el compás lentísimo de todo el capítulo II. «Sigue haciendo el mismo camino con una rara puntualidad; pequeño planeta lanudo dando vueltas en esa órbita misteriosa donde lo vivo y lo muerto se mezclan de tan extraña manera» (p. 37).

En otras situaciones, el movimiento imperceptible prolonga el tiempo cronológico hasta la eternidad. Cinco años han pasado desde la explosión del tren en Sapukai sin que se llene el cráter. Los leprosos tardan casi veinte años (1913?-1932?) en empujar al bosque el vagón abandonado. «Sólo el destrozado vagón parece seguir avanzando, cada vez un poco más, sin rieles, no se sabe cómo, sobre la llanura sedienta y agrietada. Tal vez el mismo vagón del que arrojaron años atrás al doctor, de rodillas, sobre el rojo andén de Sapukai, en medio de las ruinas» (p. 51). Durante la Guerra del Chaco, el camión de agua avanza seis millas en más de dos horas, pero después de que se revientan las llantas, su «velocidad» se reduce aún más. «Las ruedas adelantaban centímetro a centímetro sobre los cueros vacunos puestos como alfombra sobre la arena. Salu'í los iba colocando uno tras otro, a medida que se desplazaba el camión. Mogelós y Gamarra empujaban detrás y vigilaban el equilibrio del tanque que se bamboleaba peligrosamente al descompensarse en las ondulaciones» (p. 199). En la vida de los peones yerbaleros un año es el equivalente de un siglo: «Así transcurrió el primer año. Fue como un siglo» (p. 74). La carreta simbólica también se eterniza con una metáfora irónicamente acuática: «... el camino a Borja y Villarica, sobre cuya cinta polvorienta se eternizaba alguna carreta flotando en la llanura» (p. 12).

Además de la lentitud anormal del tiempo, el sentido cronológico está confundido, también de una manera fantástica. Los recuerdos de Macario Francia abarcan «un tiempo inmemorial, difuso y terrible como un sueño» (p. 18). El pasado y el futuro se integran eliminando el presente [19]. «Sí, la vida es eso, por muy atrás o muy adelante que se mire, y aún sobre el ciego presente» (p. 77); «entre un anciano muerto y un niño que aún no ha nacido» (p. 77); «Infancia y destino, el tiempo de la vida, lo que quedaba detrás y lo que ya no tenía futuro» (p. 188); «Pero para estos hombres sólo cuenta el futuro, que debe tener una antigüedad tan fascinadora como la del pasado» (p. 222); «en una región inaccesible, donde pasado y futuro mezclaban sus fronteras» (p. 135). Esta combinación del futuro con el pasado también sirve para insinuar al lector algo de lo que va a ocurrir después. «Iba a ser también la última [comida]. Pero aún no lo sabían» (p. 70). «No se había convertido aún en enfermera» (p. 174). «Lo arrastrábamos hacia el boliche para ayudarlo a olvidar por anticipado lo que acaso ignoraba todavía» (página 210).

Este tipo de oración, casi siempre con las palabras «aún» o «todavía», se encuentra a través de toda la novela, y cinco de los nueve capítulos se estructuran sobre la alternación entre el pasado-futuro y el presente habitual. Por ejemplo, tanto el capítulo II como el IV comienzan en el presente, luego describen en términos consuetudinarios —sea el imperfecto; los verbos frecuentativos en «-ear», o el presente junto con palabras como «siempre», «de costumbre», o «suele»— los seis últimos meses desde la desaparición del doctor (II) o la historia general del yerbal (IV); y luego narran en el pretérito los acontecimientos inmediatamente anteriores al presente. Esta técnica se simboliza en parte por el reloj de Sapukai, que marca la hora al revés. El teniente Vera utiliza la misma técnica a fines del capítulo VII al aludir en orden inverso a sus propias experiencias: su

---

[19] Este mismo concepto se observa en *Al filo del agua,* de Agustín Yáñez (México: Porrúa, 1947). Por la gran fama de esta novela mexicana, es posible que el Viejo Lucas haya influido en la creación de Macario Francia: «El olfato y la vista son los resortes de la memoria en el viejo Lucas: su gusto es apostar con los muchachos quién distingue las cosas desde más lejos, quién identifica más pronto a los que bajan de la Cruz. Vienen por los caminos de las lomas fronteras, quien —desde el camposanto— conoce a los que andan en el Calvario; y el viejo resulta casi siempre ganancioso. El presente y lo inmediato no hallan eco, sino por semejanza con el pasado y por indicio del futuro; Lucas parece insensible a lo actual; pero cuando lo actual fragua lo histórico, las imágenes volverán con fuerza viva en el fluir de la conversación» (p. 134). La base filosófica de este concepto puede provenir de Henri Bergson: «La durée est le progrès continu du passé qui ronge l'avenir et qui gonfle en avançant. Du moment que le passé s'acroît sans cesse, indefiniment aussi il se conserve.» Henri Bergson, citado en Guthrie and Diller, *Prose and Poetry of Modern France,* N. Y.: Charles Scribner's Sons, 1964, p. 42.

conversación con Jiménez en la isla penal, su salida de Itapé para la escuela militar y su asociación con Macario Francia (p. 163).

La dualidad cronológica de pasado-futuro, momento-eternidad encuentra eco en la dualidad espacial del punto de vista. Los nueve capítulos se narran alternativamente entre la tercera persona y la primera (Miguel Vera). Vera mismo explica esta técnica y nota sus efectos fantásticos. «Veo el vapor que mana de mi cuerpo mientras anoto estas cosas en mi libreta. ¿Por qué lo hago? Tal vez para releerlas más tarde, al azar. Tienen entonces un aire de divertida irrealidad, como si las hubiera escrito otro. Las releo en voz alta, como si conversara con alguien, como si alguien me contara cosas desconocidas por mí» (p. 141).

Así como se turba el orden cronológico para crear el ambiente fantástico, de la misma manera se le ponen trabas a la vista. Macario Francia, quien narra la historia de Gaspar Mora, sufre de cataratas. El calor y la sequía producen un polvo en el aire que todo lo ofusca. «Los ranchos y los árboles se esfumaban en la lechosa claridad que ponía sobre ellos una aureola polvorienta» (p. 20). Llama la atención a este respecto la frecuencia con que se usa la palabra «borrar» y sus derivados: «un puñado de polvo podía borrarlo» (p. 33); «el polvo los aguardaba en la marcha lenta y borrosa...» (p. 26); «las caras y las siluetas del andén se fueron borrando» (pp. 54-55); «la vi borronearse» (p. 62). Esa cortina de polvo hasta afecta la memoria: «la confusa, inestimable carga de sus recuerdos» (p. 17). Consecuencia lógica de esta imprecisión visual es la abundancia de palabras com «tal vez», «quizá», «acaso», «algún».

La conversión del mundo real en un mundo de ensueño se refleja también en el uso muy acertado de imágenes. El peón explotado del yerbal se compara con un insecto: «Detrás el fardo de troncos arrastrándose casi a flor de tierra, sobre las patas de una cucaracha» (p. 79). La situación de los soldados en el Chaco se representa con un símil más complejo: «multitud de hombres, uniformados de hoja seca, pululan diseminándose sobre el gran queso gris del desierto, como gusanillos engendrados por su fermentación» (p. 151). El uso de las imágenes acuáticas para describir la misión lentísima de los camiones de agua intensifica, por medio de la ironía, la sensación de la sequía: «en esos momentos cada camión navegaba...» (página 178); «entraron en un cañadón liso y ancho como un lago» (página 179); «... se abría la garganta boscosa ante la proa azufrada del camión» (p. 181). Las casas flotantes de la primera página del último capítulo recuerdan la carreta flotante del capítulo I: «las casas y los ranchos que flotaban en el polvo» (p. 205). El cráter cruzado por los rieles flotantes produce un cuadro grotesco digno de los surrealistas: «las encías de hierro flotan en el aire temblequeando peligrosamente sobre los pilotes provisionales, cada vez que pasa el tren sobre el cráter» (p. 35). La descripción aliterativa, algo humorística, de una de las figuras demoníacas —«El gran sombrero desmonta despacio con el hombre flaco debajo» (p. 94)— puede atribuirse al contacto de Roa con Miguel Ángel Asturias [20].

No sólo las palabras, sino también los mismos sonidos, contribuyen a reforzar el aspecto fantástico de la realidad paraguaya. La aliteración —sobre todo de la «s»— recalca el ritmo soñoliento del libro: «semejaban sombras suspendidas» (p. 24); «Itapé iba a desperezarse de su siesta de siglos» (p. 33); «allí solía solemnizarse la celebración del Viernes Santo» (p. 12); «él estaba vivo en el viejo vagabundo que vivía de la caridad...» (p. 19); «Sus cuerpos humean en el húmedo horno de la selva que les va chupando los últimos jugos en la huida sin rumbo» (p. 67). El mismo efecto se logra con la repetición de palabras: «ecos de otros ecos. Sombras de sombras. Reflejos de reflejos» (p. 14).

El ritmo monótono producido por esas frases caracteriza todo el estilo paraguayo de Roa. Digo «paraguayo» porque, como su patria, el estilo de Roa tiene una base dualística. He aquí unos cuantos ejemplos de la agrupación de varias series de dos elementos dentro de la misma oración.

> Los chillidos y las burlas no lo tocaban. Tembleque y terroso se perdía entre los reverberos, a la sombra de los paraísos y las ovenías que bordeaban la acera (p. 11).
>
> Toda la mañana estuve guerreando para meter en los zapatos mis pies encallecidos por los tropezones y las corridas, rajados por los espinos del monte, por los raigones del río, en todo ese tiempo de libertad y vagabundaje que ahora se acababa, como se acaban todas las cosas, sin que yo supiera todavía si debía alegrarme o entristeceme (p. 52).
>
> Los perifollos de Natí habían vuelto a su condición de andrajos. La paquetería masculina de Casiano y de los otros, también. La selva igualadora arrancaba a pedazos toda piel postiza, toda esperanza. Las puntas de las guascas trenzadas y duras como alambre, los primeros temblores de las fiebres, los primeros remezones del temor, los despertaron a esa realidad que los iba tragando lenta pero inexorablemente (p. 71).
>
> Era una procesión triste y silenciosa, a pesar de los gritos y las risas. El silencio iba por dentro. Llevábamos casi en peso a un hombre con tres cruces, una por cada año de combates y sacrificios,

---

[20] Tanto Asturias como Roa han vivido mucho tiempo en Buenos Aires en calidad de exiliados políticos. Asturias fue miembro del jurado que otorgó a Roa el primer premio del Concurso Internacional de Narrativa de la Editorial Losada. En *El señor Presidente,* de Asturias, el cartero borracho que va tirando las cartas por la calle es un hombre bajo y cabezudo, así es que el uniforme le queda muy grande y la gorra muy pequeña.

> de furiosos soles, de furiosas y estériles penurias en el infinito y furioso desierto boreal, en cuyo vientre hervía el furioso y negro petróleo (p. 210).

Al revisar los otros ejemplos de la dualidad, no podemos menos de asombrarnos ante la gran maestría con que Roa entreteje los varios hilos de su obra, de tal manera que esa dualidad nunca parece forzada ni artificial: fraseología bipartita; pasado-futuro; narración en primera persona y en tercera; agua-tierra; agua-fuego [21]; río-estero; carreta-tren; carreta-caballo; dos protagonistas: Cristóbal Jara y Miguel Vera; el redentor pasivo Gaspar Mora y el redentor activo Cristóbal Jara; dos generaciones de rebeldes: Cristóbal y Casiano Jara; el santo verdadero Gaspar Mora y el falso doctor Alexis; las dos adictas incondicionales, María Regalada y María Rosa; Bolivia y Paraguay en la Guerra del Chaco; Itapé-Sapukai; Dios-Diablo; Dios-hombre; Caín-Abel; el bien y el mal; vida-muerte; castellano-guaraní; criollismo-cosmopolitismo.

Para rematar este análisis del realismo mágico y de la dualidad en *Hijo de hombre* he guardado para el final mis comentarios sobre los dos epígrafes. Como reflejo de la dualidad cultural del Paraguay, un epígrafe proviene del profeta Ezequiel, mientras el otro proviene de un himno de muerte guaraní. Los dos están muy bien escogidos. Ezequiel, desterrado a Babilonia con los otros diez mil israelitas fue al principio un profeta pesimista, pero después mantuvo viva entre su pueblo la esperanza de la victoria final. Sus palabras indican el origen del título de la novela; reflejan su espíritu rebelde; previenen a los malos; y denuncian a los profetas falsos. La fraseología dualística de «pan-agua»; «come-bebe»; «estremecimiento-anhelo»; «pondré-pondré»; «señal-fábula» puede atribuirse a la casualidad, pero no deja de llamar poderosamente la atención.

> Hijo del hombre, tú habitas en medio de casa rebelde... (XII, 2).
> ... Come tu pan con temblor y bebe tu agua con estremecimiento y con anhelo... (XII, 18).
> Y pondré mi rostro contra aquel hombre, y le pondré por señal y por fábula, y yo lo contaré de entre mi pueblo... (XIV, 8).
>
> Ezequiel

En cambio, el tono plácido del himno de la muerte guaraní refleja la confianza tranquila pero segura en el futuro de la humanidad.

---

[21] González nota que durante la colonia, «el fuego figura entre las pasiones desaforadas de la época» (p. 295).

El uso metafórico de los verbos «fluir» y «encarnarse» y la idea de un ciclo continuo e interminable anticipan el aire fantástico de la novela y su filosofía básicamente optimista.

> ... He de hacer que la voz vuelva a fluir por los huesos...
> Y haré que vuelva a encarnarse el habla...
> Después que se pierda este tiempo y un nuevo tiempo amanezca.
>
> HIMNO DE LOS MUERTOS DE LOS GUARANÍES

El mismo hecho de que esta novela, *Hijo de hombre,* surgiera inesperadamente del Paraguay, un país con una tradición novelística insignificante [22], añade otro elemento fantástico al análisis. Aunque no pretendo que *Hijo de hombre* haya establecido la moda para el neorrealismo de la década de los 60, no cabe duda de que figura en el primer rango junto con las obras de Carlos Fuentes, Mario Vargas Llosa y Gabriel García Márquez, quienes manejan con confianza la técnica experimental de la década anterior a la vez que rechazan su escapismo. Son autores comprometidos que se sienten obligados a comentar artísticamente los problemas nacionales... pero en términos universales.

---

[22] Según Rubén Bareiro Saguier, la falta de una fuerte tradición novelística en el Paraguay puede atribuirse al gran interés nacional en la historia: «Quizá ese afán desmesurado por la historia, ya en las enconadas polémicas sobre determinados personajes o en el más noble propósito de defender el Chaco, absorbió toda la preocupación de los intelectuales consumiendo los talentos cultivadores de importancia» («Panorama de la literatura paraguaya: 1900-1959» en Joaquim de Montezuma de Carvalho, *Panorama das literaturas das Américas,* Angola, 1959, vol. III, p. 1276).

Jorge Luis Borges en «La excavación» de Augusto Roa Bastos

Hugo Rodríguez-Alcalá

El relato «La excavación», de Augusto Roa Bastos, es síntesis de una multiplicidad de fuentes e influencias. Aparecen en él dos túneles, uno cavado durante la Guerra del Chaco, en el sector Gondra, desde la trinchera paraguaya hasta un poco más allá de la trinchera boliviana; otro, desde la cárcel de Asunción hacia el barranco del río Paraguay. El primero de estos túneles tuvo realidad histórica. Su excavación, empezada el 28 de abril de 1933 y terminada el 9 del siguiente mes, constituye una hazaña memorable de la Guerra del Chaco. Así lo demuestra Alejo H. Guanes en un minucioso artículo publicado en *La Tribuna,* de Asunción, el 28 de abril de 1970, o sea, al cumplirse treinta y siete años desde el comienzo de los trabajos de zapa en Gondra. Roa Bastos se inspiró en este episodio bélico, que debió de haber oído contar a veteranos desterrados, como él, en la Argentina.

Ignoramos si el segundo túnel de *La excavación* tiene o no un antecedente tan rigurosamente histórico como el primero. Lo que nos interesa determinar, empero, no es una cuestión de fuentes de carácter histórico, sino de carácter literario y ver cómo Roa Bastos utiliza «elementos» que podríamos llamar extraños a los que habitualmente integran sus ficciones y los asimila adecuadamente a sus propósitos.

Aquí nos proponemos mostrar la influencia de Jorge Luis Borges en la elaboración del cuento arriba mencionado.

El argumento

Perucho Rodi, ex combatiente de la Guerra del Chaco, ha sido encerrado, a raíz de una guerra civil terminada hace seis meses, con casi un centenar de presos políticos, en una celda que, en tiempos normales, alojaba a sólo ocho presos por delitos comunes. De las ochenta y nueve víctimas de la prisión política en esta celda (la Celda 4) ya han muerto diecisiete: once de enfermedades, cuatro en la cámara de torturas y los demás por su propia mano. Uno de los suicidas se ha abierto las venas con una plato de hojalata, cuyo borde ha sido afilado contra la pared de la celda.

Al empezar el cuento, Perucho Rodi, que ha estudiado ingeniería y que, además, tiene experiencia anterior en excavaciones subterráneas, cava un túnel que ha de comunicar la Celda 4 con el barranco del río Paraguay. Cava este túnel con el mismo plato de borde afilado con que uno de sus camaradas, poco tiempo atrás, se quitó la vida.

Como se ve, Roa ha elegido una situación extremadamente dramática, con un cúmulo de detalles truculentos: prisión atroz, enfermedades, torturas, suicidios.

Faltan cinco metros de zapa para terminar el túnel. Esto significa veinticinco días de semiasfixia para llegar al barranco del río. Hay, pues, posibilidad de fuga. Durante cuatro meses Rodi y sus compañeros han cavado con método y cautela. Ahora, no obstante, al iniciarse el relato, se produce un desprendimiento de tierra. Poco después, un segundo desprendimiento. Esta vez el excavador queda enterrado desde la cintura hasta los pies. Perucho Rodi está perdido. No hay manera de volver a la celda; la distancia hasta el barranco es todavía muy larga. Pero esto deja de ser claro en la mente de Rodi porque, precisamente cuando comienza la asfixia, el ex combatiente del Chaco comienza a recordar:

Durante la Guerra del Chaco, en el frente de Gondra, paraguayos y bolivianos, en trincheras paralelas, combatían a cincuenta metros de distancia. Había que poner fin a este tipo de lucha. Entonces Rodi, con catorce voluntarios, cavó un túnel que de la trinchera paraguaya salió a la retaguardia del enemigo. Cavó un túnel de ochenta metros en dieciocho días. En la noche, en el silencio, en el sueño, la sorpresa fue total. Ametralladoras y granadas liquidaron al enemigo.

La recordación de Rodi pronto se convierte en alucinación. O, mejor, es a la vez, lúcida y delirante. Rodi sale del túnel de Gondra. Sale, sigiloso, con la automática lista. Ve a los enemigos dormidos. Ve a uno que se retuerce en una pesadilla. Y la matanza comienza. Cuando la ametralladora se le recalienta y atasca, la abandona. Ahora tira granadas de mano. Frenéticamente, hasta «que los dos brazos se le duermen en los costados».

Pero, ¿qué sucede, de pronto, en aquella noche azul de Gondra, no en esta negra, tenebrosa y húmeda del túnel de Asunción? Rodi ve con asombro que los enemigos que acaba de matar son ochenta y nueve, exactamente el número original de los presos políticos de la Celda 4. Y esos hombres de Gondra tienen las caras de sus compañeros de celda: las de los muertos y las de los vivos.

> Incluso los diecisiete muertos, a los cuales se había agregado uno más. Se soñó entre los muertos. Se vio retorcerse en una pesadilla, soñando que cavaba, que luchaba, que mataba.

Y ahora, aquel soldado a quien había abatido con su ametralladora, aquel soldado inmerso y convulso en la pesadilla, lo abate a él, con aquella misma ametralladora. Y este soldado se le parecía tanto a él, a Perucho Rodi, que se lo hubiera tomado por su hermano mellizo.

Rodi muere asfixiado. Los guardianes descubren el agujero en la Celda 4. Esto los inspira: a la noche siguiente, los presos hallan, asombrados, descorrido el cerrojo de la puerta. Salen. Desierto está el patio. Desiertos los corredores. Huyen entonces. Huyen todos por una puerta que, inexplicablemente entreabierta, da a una callejuela. En la calleja, un súbito fuego cruzado de ametralladoras los aniquila.

La explicación oficial de los hechos es satisfactoria. El túnel existe. Los periodistas lo examinan. La tentativa de evasión es irrefutable.

Claro está que, «la evidencia anulaba algunos detalles insignificantes: la inexistente salida que nadie pidió ver, las manchas de sangre aún frescas en la callejuela abandonada».

Cegaron luego el agujero del túnel. Y la Celda 4 «volvió a quedar abarrotada». [1]

Escenario. Situación extrema

La situación del protagonista no puede ser más angustiosa. El cuento es la historia de una asfixia. El escenario, un túnel. O, mejor (muy borgianamente), dos túneles que son uno sólo, como se verá

[1] Uso la primera edición de *El trueno entre las hojas* (Buenos Aires: Editorial Losada, S. A., 1953), en la cual «La excavación» se halla entre las páginas 72 y 77. *Op. cit.*, p. 77.

después. La historia de esta asfixia va tejida a una serie de horrores que destilan sangre, que hozan en excrementos, mientras el odio triunfa, en insaciable sadismo. «La excavación», es, pues, un relato epitomizador de la ficción de Roa.

La protesta, cuya ira se expresa en una minuciosa denuncia de atrocidades, logran una virulencia apenas tolerable. En este cuento, en suma, está todo Roa.

Ahora bien, esta protesta que, en otras ficciones suele adscribirse al ámbito nacional paraguayo, trasciende las fronteras, tiene por blanco un sistema de opresión internacional.

Cuando Perucho Rodi, atrapado en el túnel de Asunción, evoca el otro túnel, el del frente de Gondra, el que llevaría el exterminio de la trinchera paraguaya a la trichera boliviana, Roa escribe:

> En las pausas de ciertas noches que el melancólico olvido había hecho de pronto atrozmente memorables, en lugar de metralla [paraguayos y bolivianos] canjeaban música y canciones de sus respectivas tierras.
>
> El altiplano entero, pétreo y desolado, bajaba arrastrado por la quejumbre de sus cuecas; toda una raza hecha de cobre y castigo, desde su plataforma cósmica bajaba hasta el polvo voraz de las trincheras. Y hasta allí bajaban desde los grandes ríos, desde los grandes bosques paraguayos, desde el corazón de su gente también absurda y cruelmente perseguida, las polcas y guaranías, juntándose, hermanándose con aquel otro aliento melodioso que subía desde la muerte... [2].

Como se ve, tanto bolivianos como paraguayos aparecen como seres vejados, explotados, perseguidos. Mas estos pueblos hoy en lucha, que en horas de tregua se hermanan en la expresión melodiosa de sus vidas aciagas, no son los únicos pueblos perseguidos de este continente o aun de otros continentes. Sigamos leyendo:

> Y así sucedía —agrega Roa— porque era preciso que gente americana siguiese muriendo, matándose, para que ciertas cosas se expresaran correctamente en términos de estadística y mercado, de trueques y expoliaciones correctas, con cifras y números exactos, en boletines de la rapiña internacional [3].

La alusión a los intereses económicos de América y de Europa no puede ser más evidente.

Horror por un lado; protesta, por otro: he aquí las dos caras de la ficción de Roa. Son inseparables porque el horror es el lenguaje de la protesta, y la protesta arraiga en horror.

---

[2] *Op. cit.*, p. 74.
[3] *Op. cit.*, pp. 74-75.

En cuanto al horror mismo, destaquemos los detalles más escalofriantes que exacerban la truculencia del relato. Roa no escatima estos detalles porque su arte persigue la expresión más cabal posible de la angustia de sus criaturas en situaciones extremas.

Cuando se produce el segundo desprendimiento de tierra y el protagonista queda atrapado en el túnel, incapaz de volver a la horrible celda, leemos:

> No le quedaba más recurso que cavar hacia adelante. Cavar con todas sus fuerzas, sin respiro; cavar con el plato, con las uñas, hasta donde pudiese. Quizá no eran cinco metros los que le faltaban; quizá no eran veinticinco días de zapa los que aún lo separaban del boquete salvador en la barranca del río. Quizá eran menos; sólo unos cuantos centímetros, unos minutos más de arañazos profundos. Sintió cada vez más húmeda la tierra. A medida que le iba faltando el aire, se sentía más animado. Su esperanza crecía con la asfixia... [4].

¿Qué acontece ahora, cuando la muerte está más próxima? Roa no va a escatimar pormenores de horror. Explica:

> Un poco de barro tibio entre los dedos, lo hizo prorrumpir en un grito casi feliz. Pero estaba tan absorto en su emoción, la desesperante tiniebla del túnel lo envolvía de tal modo, que no podía darse cuenta de que no era la proximidad del río, de que no eran sus filtraciones las que hacían ese lodo tibio, sino su propia sangre brotando debajo de las uñas y en las yemas heridas por la tosca... [5].

No trataré de elucidar si lo que narra el autor es sicológicamente posible. Ni si un plato de hojalata puede excavar un túnel en la tosca. (El historiador Alejo H. Guanes enumera las herramientas que cavaron el túnel de Gondra: cuatro palas, cuatro machetes, dos hachas, dos zapapicos, cuchillos, bayonetas...) La verosimilitud o inverosimilitud no es problema que aquí interese. Lo que sí quiero destacar es lo horripilante de la descripción.

Roa, empero, no está aún satisfecho con lo ya dicho. No va a poner todavía un punto final y terminar el atroz episodio de la asfixia. El proceso de la asfixia debe coincidir en la mente del protagonista con la evocación del otro túnel: ha de ser, además, una alucinación.

---

[4] *Op. cit.*, p. 73.
[5] *Op. cit.*, pp. 73-74.

Volvamos ahora al protagonista:

> Ella, la tierra densa e impenetrable, era ahora la que, en el epílogo del duelo mortal comenzado hacía mucho tiempo, lo gastaba a él sin fatiga y lo empezaba a comer aún vivo y caliente. De pronto, pareció alejarse un poco. Manoteó en el vacío. Era él quien se estaba quedando atrás en el aire como piedra que empezaba a estrangularlo. Procuró avanzar, pero sus piernas ya irremediablemente formaban parte del bloque que se había desmoronado sobre ellas. Ya ni las sentía. Sólo sentía la asfixia. Se estaba ahogando en un río sólido y oscuro. Dejó de moverse, de pugnar inútilmente. La tortura se iba transformando en una inexplicable delicia. Empezóa recordar... [6].

Experimento borgiano

Así termina la segunda parte del cuento, el cual, dividido en siete partes señaladas por espacios en blanco, es, a partir de la cuarta, un experimento borgiano.

Trataré de definir en qué consiste este experimento. Antes, sin embargo, oigamos al mismo Roa hablar de Borges: «Admiro mucho a Borges y por eso soy capaz de llegar, como él dijo de Macedonio, hasta el plagio. Pero en ese cuento [«La excavación»] no creo que la influencia sea directa, *estilísticamente* al menos. Como es obvio, contenido y forma, tema y expresión son muy distintos y hasta contrarios al módulo borgiano. Probablemente, diría yo, haya más una mimesis de tipo sintáctico en algunos fragmentos, de mecanismos verbales similares en la progresión de la acción narrativa. Ten la seguridad de que si me hubiera apoyado más en Borges, el cuento de seguro hubiera sido mejor; y conste que también para mí una 'influencia' no es grave sino en los hurtos menores. El que roba en grande y a lo señor hace una buena acción» [7].

Roa, como se ve, profesa ser gran admirador de Borges. Roa ha leído a Borges y ha aprendido de Borges como el mismo Borges ha leído a Kafka, a Chesterton, a Wells, a Stevenson, y ha aprendido mucho de ellos y de tantos otros.

Es curioso, sin embargo, que en «La excavación» no recuerde Roa una influencia directa del maestro argentino. Subraya que «contenido y forma, tema y expresión, son muy distintos y hasta contrarios al módulo borgiano». Y Roa está en lo cierto en mucho de lo que afirma, bien que admita «una mimesis de tipo sintáctico en algunos fragmentos, de mecanismos verbales similares en la progresión de la acción narrativa». Esto sí es enteramente cierto.

Sin duda, el cuento es típico de Roa; en él, como se ha dicho, está todo Roa, por las razones ya anotadas y aun por otras más.

---

[6] *Op. cit.*, p. 74.
[7] Carta personal del autor firmada en Buenos Aires el 28 de enero de 1966.

Pero *La excavación,* en la cuarta, quinta y séptima parte, asimila no sólo mecanismos verbales, sino «ideas» que Borges ha llevado a su ficción con enorme eficacia poética. Tratemos ahora de elucidar en qué consiste lo borgiano del cuento en cuanto a estilo, por una parte, y en cuanto a «ideas», por otra.

I. ESTILO

A. *El uso de la anáfora*

Borges emplea la anáfora con sumo efecto expresivo. En el cuento «La escritura del dios», el sacerdote dice:

> ... soñé que en el piso de la cárcel había un grano de arena. Volví a dormir, indiferente; soñé que despertaba y que había dos granos de arena. Volví a dormir; soñé que los granos de arena eran tres [8].

Y más abajo, refiriéndose a su prisión, exclama:

> Bendije su humedad, bendije su tigre, bendije el agujero de luz, bendije mi viejo cuerpo doliente, bendije la tiniebla y la piedra [9].

Sin embargo, donde el anaforismo borgiano es mucho más abundante es en *El Aleph:* el protagonista —que es Borges mismo— cuenta lo que vio en el sótano de Carlos Argentino, primo hermano de su Beatriz:

> Vi el populoso mar, vi el alba y la tarde, vi las muchedumbres de América, vi una plateada telaraña en el centro de una negra pirámide, vi un laberinto roto... vi interminables ojos... vi todos los espejos del planeta... vi en un traspatio de la Calle Soler... [10].

Esta técnica enumerativa que Borges aprendió de Walt Whitman; este procedimiento anafórico que vemos en *El Aleph,* continúa a lo largo de tres páginas. «Vi... vi... vi...», dice Borges, y repite el verbo treinta y siete veces.

Demos un ejemplo más del anaforismo borgiano en que el verbo repetido es «recordó». Lo extraigo del cuento «Emma Zunz», y del

---

[8] J. L. B., *El Aleph* (Buenos Aires: Editorial Losada, S. A., 1949), p. 121.
[9] *Ibid.*, p. 122.
[10] *Ibid.*, pp. 139-140.

pasaje en que la protagonista, enterada de la muerte de su padre, evoca su vida con éste. Borges escribe:

> Recordó veraneos en una charca, cerca de Gualeguay, recordó (trató de recordar) a su madre, recordó la casita de Lanús que les remataron, recordó los amarillos losanges de una ventana, recordó el auto de prisión, el oprobio, recordó los anónimos [11].

Ahora bien: de modo parejamente anafórico, Roa hará recordar al personaje de «La excavación», momentos antes de morir en el túnel, su aventura en el otro túnel, el cavado en días de la Guerra del Chaco. En efecto, Perucho Rodi, en la cuarta parte del relato,

> Recordó en la noche azul, sin luna, el extraño silencio que había precedido a la masacre... Recordó un segundo antes del ataque, la visión de los enemigos sumidos en el tranquilo sueño del que no despertarían... Recordó que cuando la automática se le había finalmente recalentado... Recordó haber regresado... [12].

B. *Aclaraciones parentéticas*

Todo lector de Borges sabe que el uso de aclaraciones parentéticas es rasgo característico del estilo del maestro. Ya citamos un ejemplo de aclaración parentética en el párrafo de «Emma Zunz»: «Recordó (trató de recordar) a su madre.» Ana María Barrenechea cita muchos más y nos ofrece un admirable análisis de la función estilística de los paréntesis en Borges [13].

En la cuarta parte y también en la quinta de «La excavación» Roa emplea construcciones parejas, con insistencia semejante a la de las construcciones anafóricas.

Leemos que Perucho Rodi:

> Soñó (recordó) que volvía a salir por aquel cráter en erupción hacia la noche azulada, metálica, fragorosa... Soñó (recordó) que volvía a descargar ráfaga y ráfaga... [14].

Y en la misma página hay un uso de paréntesis no sólo borgiano como mecanismo estilístico, sino como, digamos, «ingrediente ideo-

---

[11] *Ibid.*, p. 62. Ver también el uso, que nos parece borgiano, del adverbio «inexplicablemente» —cuatro veces repetido— en la última parte del relato, p. 77.

[12] *El trueno entre las hojas,* p. 75.

[13] *La expresión de la irrealidad en la obra de Jorge Luis Borges* (México: Colegio de México, 1957), pp. 139-142.

[14] *El trueno...*, p. 76.

lógico»: Perucho Rodi, súbitamente advierte que los enemigos que ha masacrado son ochenta y nueve y los reconoció:

> esas ochenta y nueve caras *vivas* y terribles de sus víctimas *eran* (y seguirían siéndolo en un fogonazo fotográfico infinito) las de sus compañeros de prisión... [15].

Esa eternización de lo más instantáneo —el fogonazo fotográfico— es de estirpe borgiana. Pero no nos anticipemos ni mezclemos el análisis de procedimientos estilísticos con el de la influencia ideológica.

II. IDEAS BORGIANAS

A. *Identidad de lo diferente: hechos y lugares*

En Borges, afirma Ana María Barrenechea:

> La infinita multiplicidad de las acciones puede perder sus diferencias por diversos motivos y concentrarse en la unidad [16].

Y cita varios ejemplos de la obra borgiana en que muchos días eran uno solo, en que nueve años son «una sola tarde», y agrega:

> Estas fórmulas de lo múltiple igual a lo uno tienen la estructrura mental de la unidad estirada monstruosamente sin fin; también, en otras circunstancias, las presenta [Borges] como un repetido volver al mismo momento y al mismo lugar: «... es lícito inferir que para Joyce todos los días fueron de algún modo secreto el día irreparable del Juicio; todos los sitios, el Infierno o el Purgatorio» [17].

En «La excavación», de Roa, acontece algo muy parejo. El túnel del Chaco y el túnel de Asunción son un solo túnel. Toda la biografía de Rodi se reduce, por otra parte, al único hecho de haber estado *siempre* en esos dos túneles que son un solo túnel.

---

[15] *Ibid.*, pp. 76-77. En la quinta parte el protagonista piensa en cosas reales y ficticias. Roa las enumera y, según los casos, indica si son lo uno o lo otro, poniendo entre paréntesis la palabra «real» o «ficticio». (Ver p. 76.)
[16] A. M. Barrenechea, *op. cit.*, p. 91.
[17] *Ibid.* Ver lo que dice Roa al final de la cuarta parte, p. 76.

Veámoslo:

> Aquel túnel del Chaco y este túnel que él mismo había sugerido cavar en el suelo de la cárcel, que él personalmente había empezado a cavar y que, por último, sólo a él le había servido de trampa mortal; ese túnel y aquél eran el mismo túnel; un único agujero recto y negro con un boquete de entrada pero no de salida [18].

En suma, todos los sitios son para Rodi uno solo: el infierno, es decir, un túnel.

También los cuarenta años de vida que tiene Rodi son cuarenta años en ese único túnel:

> Un agujero negro recto —dice Roa— que a pesar de su rectitud le había rodeado desde que nació como un círculo subterráneo, irrevocable y fatal. Un túnel que tenía ahora para él cuarenta años, pero que en realidad era mucho más viejo, realmente inmemorial [19].

¿Cómo se explica que Rodi no haya salido nunca de ese túnel? (Olvidemos el hecho de que Rodi está delirando, es la agonía de la asfixia, y que en el delirio cualquier figuración es posible.) En Borges tenemos la explicación. Cuando él evoca sus primeras lecturas de niño en la biblioteca de una casa de Palermo, escribe:

> Han transcurrido más de treinta años, ha sido demolida la casa en que me fueron reveladas esas ficciones, he recorrido las ciudades de Europa, he olvidado miles de páginas, miles de insustituibles caras humanas, pero suelo pensar que, esencialmente, nunca he salido de esa biblioteca y de ese jardín [20].

---

[18] *El trueno...*, p. 76. Hay, además, la insinuación de la posibilidad de un tercer túnel en «La excavación». Muy borgianamente, escribe Roa que su héroe recuerda a una de sus víctimas, especialmente: «un soldado que se retorcía en el remolino de una pesadilla. Tal vez soñaba en ese momento en un túnel idéntico, pero inverso al que les estaba acercando el exterminio. En un pensamiento suficientemente extenso y flexible —añade Roa, con obvia entonación borgiana— esas distinciones en realidad carecían de importancia. Era despreciable la circunstancia de que uno fuese el exterminador y otro la víctima inminentemente. Pero en ese momento todavía no podía saberlo» (p. 75).

[19] *Ibid.,* p. 76.

[20] Ver discurso de J. L. B. Al agradecer el premio de la SADE, *Sur,* año XIV, núm. 129, pp. 120-121. Un soneto de Borges titulado «Lectores», aparecido en *Blanco sobre Negro* (núm. 29, agosto de 1963), y luego en *Obra poética* (Emecé Editores, 1964) vuelve al tema de la biblioteca. En él asegura Borges que Don Quijote nunca salió de su biblioteca y que él, Borges, puede

Comentando este párrafo afirma la profesora Barrenechea que ese no haber salido nunca de la biblioteca tiene «sugestiones de laberinto del que no se sale, de cárcel en la que se vive prisionero; también de hechos fundamentales que dan la clave de un destino, de actos que agotan la historia y el tiempo y que, por tanto, nos colocan fuera del tiempo, en la eternidad; siempre de algo mágico o como de sueño y de pesadilla cuyo encantamiento no se puede romper» [21].

Pues bien: al personaje de Roa le acontece no haber salido nunca de su único (aunque doble) túnel. Es más, ese túnel tiene una sugestión de laberinto. Muy claro lo dice Roa: Aunque recto, «lo había rodeado como un círculo subterráneo». Estaba en él preso; lo había estado desde siempre.

Si en Borges la insinuación panteísta «de que cualquier elemento del universo encierra a todos con la noción del círculo infinito donde cualquier punto es el centro» [22], en Roa acontece lo mismo. Allí está Perucho Rodi en su túnel-laberinto, allí está en su prisión inmemorial, descubriendo la clave de su trágico destino.

B. *Identidad de victimario y víctima*

En «Los teólogos» Borges dramatiza en forma ejemplar (a los efectos de este trabajo) uno de sus temas favoritos: el de la identidad del victimario y la víctima. Aureliano, el protagonista, ve el suplicio de su rival en la hoguera y el rostro de su víctima «le recordó el de alguien, pero no pudo precisar el de quién». Al final del cuento, donde el escenario es el cielo, y donde, por consiguiente, «no hay tiempo», tal vez conversó Aureliano con Dios mismo, y Dios creyó que el recién venido era Juan de Panonia, el teólogo sacrificado en la hoguera. Pero como esta suposición implicaría una imposible confusión en la mente divina, Borges remata el cuento diciendo:

---

decir lo mismo de sí: nunca salió de la biblioteca en que, siendo niño, leyó la historia del manchego:

> De aquel hidalgo de cetrina y seca
> tez y de heroico afán se conjetura
> que, en víspera perpetua de aventura,
> no salió nunca de su biblioteca...
> ....
> Tal es también mi suerte. Sé que hay algo
> inmortal y esencial que he sepultado
> en esa biblioteca del pasado
> en que leí la historia del hidalgo... (p. 227).

[21] *Op. cit.*, p. 93.
[22] *Ibid.*, pp. 92-93.

> Más correcto es decir que en el paraíso Aureliano supo que para la insondable divinidad, él y Juan de Panonia (el ortodoxo y el hereje, el aborrecedor y el aborrecido, el acusador y la víctima) formaban una sola persona[23].

En «La excavación» también hallamos una identidad de matador y de víctima. El boliviano dormido a quien da muerte Perucho Rodi en el frente de Gondra, resucita y mata, a su vez, a Rodi. Y, al ser muerto Rodi, advierte que la cara de su matador es la suya propia. Era, en efecto, tan parecido a Rodi el soldado boliviano que lo abatía con la ametralladora, «tan exactamente parecido a él mismo, que se hubiera dicho que era su hermano mellizo»[24].

Sentido de «La excavación»

Establecida la fuente borgiana del relato, cabe ahora elucidar cómo Roa incorpora a la economía de su arte esos «ingredientes», digamos, peculiares al arte del maestro argentino, y los hace desempeñar una función estética conforme a una manera personal de concebir la vida humana y la ficción artística.

Ya hemos visto que «La excavación» es un relato típico de Roa por el tema trágico y por la iracundia de la protesta social en él implícita y explícita. Este propósito denunciador de la injusticia nacional e internacional es ajeno al arte de Borges y esencial en el de Roa.

¿Cómo puede asimilar el paraguayo —en cuanto las ideas borgianas— un modo de ver la realidad arraigado, sí en una angustia metafísica y traducido siempre, no en un afán de mejorar el mundo, sino en el sutilísimo juego mágico que caracteriza la ficción borgiana?

Esto debemos verlo con algún detenimiento. Pero antes de hacerlo, consideremos cómo aprovecha Roa rasgos puramente estilísticos de Borges y los hace servir propósitos artísticos en el caso particular de «La excavación».

El anaforismo y el procedimiento de aclaraciones parentéticas utilizados en las partes cuarta y quinta del relato, son de gran eficacia estilística. Roa dramatiza la alucinada recordación de su personaje y, gracias a la anáfora, confiere al proceso mental de la evocación una potenciación patética, haciendo que las varias etapas del fenómeno síquico se organicen, se concatenen. En efecto, merced a la repetición de aquellos «recordó» y «recordó» se agrupan hechos e imágenes en una serie de progresiva intensidad trágica. El lenguaje así se hace más claro, más enérgico y hasta asume no se sabe qué efecto de *incantatio*.

[23] *El Aleph*, p. 48.
[24] *El trueno...*, p. 77.

Por otra parte, el uso de aclaraciones parentéticas facilita la fluencia de la narración, la cual no se detiene para «aclarar» aquí y allá, con una frase más o menos larga, lo que una palabra basta, entre paréntesis, para poner en claro.

Tocante a las ideas borgianas de la identidad de lugares y de la identidad de victimario y víctima, Roa las utiliza con acierto y las hace servir un propósito conforme a las exigencias dramáticas del cuento, por un lado, y a su actitud ideológica, por otro.

En efecto, el hecho de estar en un túnel que de pronto se convierte en otro túnel, exacerba la angustia del protagonista. Estos dos túneles resultan ser uno solo, pero cada uno de ellos ofrece sus horrores para sumarlos en la tremenda realidad alucinada de ese «laberinto subterráneo» en que deviene, a la postre, la trampa inmemorial en que ha caído el héroe.

Ahora, pensemos en éste, esto es, en Perucho Rodi y no en su «laberinto». Pensemos en lo que hizo Rodi tras cavar el primer túnel. E inmediatamente caemos en la cuenta de que Perucho Rodi ha sido un instrumento, un agente del mal. Él ha matado, él ha masacrado a esos hombres dormidos en el silencio azul de la noche inolvidable. Y si hoy, en el túnel de Asunción, es víctima del crimen de esa humanidad en que su atroz prisión consiste, ayer fue victimario, el que mató, el que masacró a los hombres cuya música triste solía hermanarse a las melodías paraguayas. En él, pues, se dan Caín y Abel en una misma persona. Él fue un traidor a la causa sagrada de la fraternidad humana. Por eso, oscuramente, en la negra tiniebla del túnel, se siente culpable [25]. La vieja culpa, acaso reprimida durante años en una zona crepuscular de la conciencia, asume abrumadora claridad y eficacia pungitiva. Es por esto por lo que él ve a la más inolvidable de sus víctimas resucitar y, con la ametralladora de Gondra, abatirlo con ráfaga fragorosa. La muerte, pues, en el segundo túnel, se nos aparece así, a la luz de esta interpretación, como reconocimiento de una culpa antigua y, también, como castigo, como expiación.

Pareja identificación de victimario y víctima hemos comentado en «Los teólogos», de Borges. Roa, en «La excavación», al utilizar el *tema* borgiano, lo amplía, si puede decirse así, haciendo que las supuestas ochenta y nueve víctimas bolivianas del primer túnel reaparezcan, en número igual, y con rostros paraguayos ahora, en el segundo. Y lo hace muy conforme al pensamiento y al sentimiento de protesta y rebeldía que anima su ficción, y no con ese ya aludido espíritu de juego mágico con que triunfa el arte refinado de Borges.

---

[25] Vale la pena citar aquí frases del comentario de A. M. Barrenechea a «La forma de la espada» de Borges: «...hay en este texto muchas cosas más... hay una sugestión mágica de complicidad y unión de todos los destinos humano sin explicación racional...» (*op. cit.*, p. 90).

«El trueno entre las hojas» *y el humanismo revolucionario*

Mabel Piccini

I

Desde un punto de vista general de la problemática de la literatura, la crítica hispanoamericana ha coincidido en ubicar a *El trueno entre las hojas,* del escritor paraguayo Augusto Roa Bastos, dentro de una de las posiciones más controvertidas en los últimos años: la de la literatura social o literatura de compromiso. No nos interesa aquí hacer un análisis de los distintos planteos con que se invalida o apoya una y otra concepción erigida en torno al oficio literario: evasión y compromiso, en tanto responden a esquemas apriorísticos son términos insuficientes y ambiguos. Lo que intentaremos probar es en qué medida esta obra, que en principio y a modo de aproximación podemos rotular como social, rebasa esta denominación y la simple militancia para convertirse en una experiencia que interesa «la totalidad de la vida y la totalidad del ser», para decirlo con palabras de Maurice Blanchot [1]. Es en este punto donde se anula la antinomia compromiso-evasión y surge con claridad el único objetivo legítimo, aquel que restalla con aguda precisión en el designio rimbaudiano: «hay que cambiar la vida». El soporte de esta intencionalidad no radica, por lo tanto, en una específica literatura comprometida (y usamos de este término la significación desvirtuante con que ha sido connotado *a posteriori* el sentido originario de la nomenclatura sastrena) donde el alegato se estrecha voluntaria y restringidamente sobre angostos focos de «injusticia social» (llámese populismo o panfleto). Aludimos, por el contrario, a la creación que procede a partir de un previo compromiso, en el que el escritor se empeña a sí mismo por entero, en relación con la circunstancia que lo cerca y determina. En el esfuerzo hacia la lucidez, en la lucha y el fracaso que se deriva del intento por la apropiación y expresión de lo «real», existe ya una convicción que es la que rige al artista genuino: la imposibilidad de renegamiento o de fuga. Con otras palabras, por encima del imperativo dogmático con que algunos artistas ratifican su voluntad de «cambio» y que en muchos de los casos no se trata de otra cosa que de un anegamiento ideológico, está la toma de conciencia que es conflicto y búsqueda, en la que se juega la totalidad de las instancias humanas del escritor. Y la imposibilidad de renegamiento está conectada con la autenticidad de una posición que, al definirse por un romper y acabar con los falsos ídolos y las mistificaciones que cubren la realidad, se revela en el artista como la asunción de la necesidad de mantenerse en pie, «de seguir viviendo *inteligentemente* en el interior de un mundo casi furioso que nos asalta por todas partes» [2]. La respuesta que sucede a este estado de alerta es, en casi todos los casos, la adhesión al hombre con todo lo que esto presupone de contribución a su causa y de apertura de su conciencia a través de la iluminación de nuevos contenidos y sentidos de existencia.

No proponer al hombre, sino a lo humano, es traicionar al hombre; las viejas palabras de Aristóteles no por ello son menos valederas. Y si ahora trataremos de precisar los rasgos de una corriente humanista de nuestra época, al menos lo haremos sobre la base de esta aseveración. No se trata de humanitarismo ni de teorías utópicas o abstractizantes, sino de una lucha emprendida a partir del hombre que somos, del hombre concreto «prisionero de un contorno inexorable». Con motivo de la entrega del premio Losada 1959 a su novela *Hijo de hombre,* Roa Bastos, entre otras cosas, hizo la siguiente afirmación: «... los escritores de hoy tra-

---

[1] Citado por Noé Jitrik en «Leopoldo Lugones. Mito Nacional» p. 54 (Editorial Palestra. Buenos Aires, 1960).

[2] Michel Butor: «Sobre literatura» p. 394 (Seix Barral, Barcelona, 1960).

> bajan sin reservas mentales de ninguna clase, atacan de frente los temas y problemas de nuestro mundo contemporáneo. Tratan, por encima de todo, de ser veraces, de dar sus obras como actos de afirmación; y cada uno contribuye con la nota profunda de vivencias colectivas e individuales, trazando el rasgo físico y espiritual característico de esta expresión deslumbrante que está amaneciendo en el viejo rostro del mundo en perenne metamorfosis [3].

Así, con esta profesión de fe y acción, la literatura se inserta dentro de la gran cruzada del pensamiento que intenta, en nuestros días, precisar los rasgos de un nuevo humanismo. Asistimos en nuestra época a la decadencia de la noción del hombre forjada por el humanismo greco-latino, cuya concepción estético-moral-clasicista, como ideal formativo de minorías no responde a la realidad histórico-social del siglo XX. En efecto, el paulatino ascenso de capas sociales preferidas al área histórica, descubre nuevos focos de necesidad. El problema de la justicia social, se convierte, consecuentemente, en una preocupación fundamental de diversas tendencias del pensamiento. Y el eje de este cuestionamiento se halla radicado en el progreso de la técnica y la industrialización, factores que a partir de 1800 inician una nueva era, no ya en zonas aisladas, sino en el mundo entero. Lo que importa destacar es que junto a la necesidad de redestribuir equitativamente las ventajas que aportan el maquinismo y el adelanto de la ciencia, ciertas corrientes del humanismo contemporáneo proponen una noción del hombre que reemplaza a la antigua imagen abstracta de un individuo desconectado de la naturaleza y la sociedad. En la misma medida en que el proceso capitalista incorpora a todos los hombres a la historia, el nuevo concepto erigido sobre esa base reivindica al ser humano en su condición de ente social e histórico. Veremos ahora, teniendo en cuenta lo dicho, cuáles son las razones que han posibilitado la llegada de los intelectuales al campo social.

Para Karl Mannheim [4], nuestra época se caracteriza por una apertura hacia la lucidez, que se traduce en el individuo como una forma de autoconciencia. Este signo que se da en los individuos aislados también pesa sobre los grupos humanos dentro de la sociedad. De tal manera, el autodescubrimiento de los grupos sociales, que comienza desde abajo con el despertar a la conciencia de clase del proletariado, alcanza distintos sectores, entre los cuales debemos incluir a la *intelligentsia.* Precisamente el perfeccionamiento de la concepción proletaria del mundo destituye al intelectual de su condición de único intérprete autorizado del mundo y al mismo tiempo lo obliga a reconocer su identidad social. Por otro lado el proceso de nivelación social que se inaugura en este momento, quiebra definitivamente el ca-

---

[3] *Negro sobre Blanco,* núm. 14. Agosto de 1960.
[4] Sociología de la Cultura. (Aguilar, 1962).

rácter de minoría ilustrada que se arrogara la *intelligentsia,* por lo general —como lo confirman los diversos períodos históricos— bajo el tutelaje directo de las clases dirigentes [5]. De tal manera el intelectual de nuestros días, sumergido en la inseguridad del momento histórico, comienza a perfilarse como parte activa dentro del mecanismo social. De ello se deriva su creciente sentimiento de responsabilidad frente a la realidad inmediata, el «aquí y ahora» postulado por Ortega, principio que a partir de Hegel inicia el imperio del hombre histórico. Este sentimiento presentista y militante se verifica dentro de la literatura en la traslación del plano estético al plano ético: testigo de la libertad como Sartre o agitador revolucionario como Malraux, cualquiera de las actitudes surgidas del espesor de la Historia, representan una preocupación angustiosa por el destino del hombre sumido en el caos de la época.

Este es el punto de confluencia de un amplio sector de la literatura europea y de la literatura hispanoamericana actual. A pesar de los distintos niveles en que se desarrolla el proceso histórico de Europa y América hispana (como asimismo de los distintos niveles artísticos en que este proceso es expresado), la lucha entablada por la libertad humana, a través de la superación dialéctica de las resistencias que se le oponen, se constituye en el común denominador de esfuerzos individuales y colectivos. Es por esta razón que Augusto Roa Bastos puede escribir que, si bien nuestra literatura está inmersa en «la pasión de lo americano, su proyección y su aliento es universalista (...), en tanto está comprometida hasta los huesos con el destino del hombre, no con consignas o intereses circunstanciales» [6]. Este hombre que una creciente y renovada literatura intenta expresar es, por encima de las contingencias geográficas e históricas (y sea el paraguayo, en estado semisalvaje, fatalista e inconsciente o el francés en el pináculo de una tradición y una cultura) el hombre enajenado por un sistema que mutilando su condición específica, transforma su existencia en la no-vida.

Hemos hablado de la nueva conciencia con que el intelectual enfrenta a su época. Lo que caracterizábamos en términos generales adquiere singular expresividad en el hecho concreto del intelectual y del artista hispanoamericano. Y en ese plano en el cual la lucha por la constitución de una cultura nacional entraña la necesidad de una revisión profunda de las estructuras sociales-políticas y económicas, hay casos de extrema tensión. Uno de ellos es el que comporta lo que podríamos denominar el «fenómeno paraguayo». La oscuridad y ese casi total silencio que lo rodean es la muralla con que se encu-

---

[5] No desconocemos con esto que siguen existiendo artistas e intelectuales «oficiales». Lo que se trata de señalar es la desaparición del mecenazgo y la estrecha subordinación del artista a las elites detentadoras del poder.

[6] *Negro sobre Blanco* (Losada núm. 8 noviembre de 1958).

bre uno de los más reaccionarios regímenes opresivos subsistentes en América. El imperialismo extranjero aliado con las oligarquías nativas han empujado al país a reiteradas guerras fratricidas y al desmoronamiento de las instituciones nacionales, quebrantadas por sucesivos gobiernos despóticos. «El terrorismo físico junto con el terrorismo moral administrados desde arriba, han despoblado el país en más de la mitad de su caudal humano que continúa emigrando en éxodo incesante. Han enajenado las fuentes de su riqueza material. Han desintegrado su cultura...» escribe Roa Bastos [7]. Tenemos, pues, que no hay opciones verdaderas para quienes, desde el fondo de este tembladeral, aspiran a promover mediante el ejercicio de la creación un nuevo orden. Lo «artístico» (entendiendo por tal el vacío esteticista) está desde ya, inevitablemente descartado como posibilidad. Un ejemplo de ello es el que nos proporciona Rafael Barrett, español convertido a la causa y agonista tremendo y enfebrecido del «dolor paraguayo». En la línea de su crónica «Lo que son los yerbales» están situados los cuentos de *El trueno entre las hojas,* encendida respuesta a una situación histórica caótica.

II

El libro de Augusto Roa Bastos es la alucinada visión de una tragedia colectiva. Más que de personajes podemos hablar de una comunidad que brota y procede como una indeterminada excrecencia telúrica regida por innominados dioses destructores. Y la naturaleza devora a sus propios hijos en ciclos de eternos retornos: los infectos lodazales, las tierras incendiadas por la sequía, la selva y su fauna que tiende a cada paso celadas mortales, se ciernen sobre el hombre con la violencia de ese trueno que la nutre desde sus más profundas entrañas. El hombre fagocitado por la naturaleza, por sus leyes inescrutables muchas veces ejecutadas por otros seres humanos, nos remite a la imagen de una sociedad primitiva y bárbara, sujeta a un fatalismo oscuro, cuya resolución, pareciera decirnos el autor, se finca en el sacrificio expiatorio de los inocentes. Las víctimas propiciatorias de este fantasmagórico ritual son preferentemente los niños: Gretchen, Poilu, Alicia Morel, Isabel Miscowsky. Pero estas piezas que se cobran un designio fatídico no son dispensadoras de la gracia, sino tan sólo el medio o el vehículo a través del cual se constata la presencia del mal o, de otra manera, de una maldición no detectable al nivel de una mentalidad primitiva.

El libro procede con una singular coherencia en la mostración de este universo mítico, en donde coexisten diversos estratos humanos dentro de los cuales el acento recae sobre una subhumanidad fluc-

[7] «Crónica Paraguaya». Revista *Sur,* núm. 293.

tuante entre los imperativos de violentos instintos primarios y los raptos iluminados y ¿por qué no, mágicos?, de una suerte de pureza esencial y dignificadora. En este último radica la única brecha abierta en ese circuito de miseria humana solidificada en el envilecimiento y la abyección. Además «eso era lo que nada ni nadie, ni siquiera la muerte, iba a poder destruir. Porque lo mejor de cada uno (...) tiene que reunirse y sobrevivir de alguna manera en lo mejor de los demás a través del temor, del odio, de las dificultades y de la misma muerte» («El regreso»). Esta es la esperanza, soporte sobre el que se asienta una mirada hacia adelante que despeja el aparente nudo trágico que rodea a los relatos, ese conjunto que ratificando una atmósfera general se cierra sobre el carácter irreductiblemente cíclico de algunos de los acontecimientos narrados: el regreso de Lacu, que es regreso hacia la vida lo conduce al fusilamiento del hermano («El regreso»), del soldado Saldívar, que en puesto de guardia nocturna entierra a un prisionero (su hermano, no reconocido) para que no huya («El prisionero»), el encuentro de dos guiñapos humanos, otrora unidos, y el enfrentamiento con la mutua destrucción y la muerte («Galopa en dos tiempos»). El absurdo que se deriva de un presunto azar actuante sobre los seres es acentuado con este procedimiento, porque se trata de la doble punición de una culpa inexistente. No obstante, ya lo dijimos, la carga de fatalismo no parte de una visión nihilista y desesperada. Aparte de la «bondad natural» como categoría más fuerte que la muerte y en otro plano, el aniquilamiento individual y colectivo está precedido por un instinto de vida, un ciego obstinarse en la sobrevivencia como el que ejemplifica la escalofriante alegoría de ese túnel que se va abriendo veinte centímetros por día hacia la libertad, en las entrañas de una cárcel repleta de prisioneros políticos («La excavación»). Sin embargo, junto al derrumbamiento y el consiguiente fracaso de su esfuerzo por la vida, el protagonista asoma a la lucidez, lucidez que en principio no es más que la constatación de un hecho irremediable. Ese túnel en el que encontraba la muerte no era otra cosa que «un agujero negro y recto que a pesar de su rectitud le había rodeado desde que nació como un círculo subterráneo, irrevocable y fatal. Ese túnel que tenía ahora para él cuarenta años, pero que en realidad era mucho más viejo, realmente inmemorial». Si bien la alegoría está connotada con los rasgos propios de ese mundo estático del que hemos hecho mención, aparentemente poblado por deidades inescrutables y devoradoras que le imponen su sello demoníaco (incluso la adjetivación visible en el párrafo citado, coadyuva a este fin), otros datos aportados por el cuento nos ubican en un nuevo orden. En un *racconto* patético el prisionero rescata del pasado otro túnel, excavado con igual ahinco, aquel que lo condujera a él y a sus compañeros de lucha a la masacre de un destacamento boliviano, el mismo con el que había compartido en momentos de tregua «la música y las canciones de sus respectivas tierras».

El mundo circular abre paso al mundo histórico y a su enjuiciamiento: en este caso la Guerra del Chaco y el fratricidio. La imagen del fatalismo y de los hombres como inútiles flores cobrizas cayendo sobre la tierra o resquebrajándola con sus alaridos de bestia, al mismo tiempo que desangran a «la hija del doctor» en una violación masiva («Esos rostros oscuros»), adquiere desde este ángulo de visión un nuevo sentido. La pesadilla ya está localizada. Y ese largo nocturno túnel de inalcanzable final representa el amurallamiento y la iluminación de la tragedia colectiva dentro de los límites de esa otra gran sangría que es la tierra paraguaya. Voluntariamente el libro enfrenta estos dos planos en el acontecer imaginativo: el mundo mágico, ritualístico y a veces brutal de un tiempo que gira sobre sí mismo, y el mundo organizado, institucional, donde se resuelve y se explica esa oscura vivencia popular de un destino aciago. De esta interrelación surgirá la síntesis que es, al mismo tiempo que conjuración de las «fuerzas innominadas», la pre-visión de un futuro donde «la bondad y la nobleza no sean una cosa inútil».

La dilucidación del proceso histórico que interviene como cualidad ordenadora de la destrucción y de la muerte, o, en otras palabras, de la tragedia multitudinaria del Paraguay, está dada en el libro de manera indirecta y con sólo algunos rasgos: vemos aparecer entre la madeja de los acaeceres individuales las huellas de interminables revoluciones, contrarrevolucionarios y guerras, y junto con ellas una galería de caricaturizados tiranuelos y testaferros de un régimen oprobioso. No obstante, la exigua movilidad de estos personajes, reducidos a su condición de fantoches, como así también la pintura estereotipada de terratenientes y dueños de ingenios y yerbatales, menos que a una limitación narrativa obedecen a una concepción más amplia del problema: los detentadores de la violencia oficial son al mismo tiempo verdugos y víctimas de un sistema: simples mediadores de una fuerza mucho mayor que también cobra en ellos su cuota de degradación y envilecimiento.

Veremos ahora cómo se da este mecanismo en el libro. La intencionalidad radica en un humanismo antropocéntrico e imanente (ya señalado anteriormente) por el cual se afirma al hombre en tanto se lo considera capaz de realizar todos los valores y de adueñarse del mundo y de la vida, moldeándolos a su servicio. El optimismo que se desprende de esta concepción constituye la fuerza motriz con que Roa Bastos enfrenta el fatalismo histórico de su tierra paraguaya. Es por ello que, si bien los personajes de *El trueno entre las hojas* —tanto individuales como colectivos— son mostrados en su enfrentamiento con situaciones —límites (la muerte, la lucha, el sufrimiento)— como única realidad radical y medida de su aniquilamiento, hay siempre una cuota de esperanza que trasciende la circunstancialidad concreta para proyectarse a un orden justo y armonioso. Una anticipación de este orden está bosquejado en el primer cuento «Carpincheros». La dimensión mitológica de los «hombres del río» confundidos con la vida de la naturaleza y ajenos a toda categoría temporal, tiene un valor simbólico. En efecto, a través del carpinchero se representa al hombre libre, en la plenitud de su potencia productiva y en el ejercicio cabal de la convivencia pacífica. En alguna medida ese carpinchero, precedido por sus ceremoniales ígnicos, puede ubicarse dentro de la tradición del «buen salvaje», que, como señala Mircea Eliade [8], inventaran los siglos XVI, XVII y XVIII a escala de sus preocupaciones sociales, morales y políticas. Su exención de la historia y sus rituales mágicos nos hablan de una «edad dorada», casi una reactualización secularizada del mito del paraíso terrestre. No obstante, este mito tiene connotaciones peculiares. Ya no se trata del «retorno a la naturaleza» propugnado por Rousseau, ni del «hombre natural», el individuo originario y pre-social sobre el que basa su concepción de la sociedad política. Lo que Roa Bastos intenta demostrar es la importancia de la libertad como realizadora de valores y al mismo tiempo, por contraposición, la falacia de un sistema que conduce irremediablemente a la enajenación del hombre: «porque los peones son esclavos en las fábricas. Y los carpincheros son libres en el río —dice Eugen, el inmigrante alemán, empleado del ingenio—. Los carpincheros son como las sombras vagabundas de los esclavos cautivos en el ingenio, en los cañaverales, en las máquinas (...) hombres prisioneros de otros hombres. Los carpincheros son los únicos que andan en libertad...». En este párrafo se confirma lo dicho anteriormente: el mundo natural del carpinchero ubicado en una dimensión cósmica, vale en tanto se lo contrapone a la circunstancia histórica-social concreta, pero no con un sentido pasatista, antes bien como denuncia de la degradación del hombre y de la actividad que lo autodefine: el trabajo.

La creación, mito del hombre natural —el carpinchero— como forma ilustrativa de una idea, se complementa con la creación de arquetipos; lo que Roa Bastos en alguna oportunidad ha caracterizado como «hombres del destino», dirigentes naturales que surgen providencialmente en momentos de quiebra y sacudimiento. Y si los conectamos con la potencia mítica que emana de los cuentos, podemos caracterizarlos como los magos de una sociedad primitiva, en tanto representan un nivel de mayor lucidez y dominio de los resortes que constituyen la realidad circundante. Estos magos o hechiceros actuantes no ya sobre la naturaleza sino sobre la historia, viven en una dimensión de ejemplaridad heroica. Entre ellos dos sobresalen nítidamente: el «señor obispo» y Solano Rojas. Tanto el uno

[8] «Mitos, sueños y misterios» (abril, 1961).

como el otro desempeñan un papel redentor en tanto se erigen en mensajeros del orden nuevo. Su condición de «elegidos», de auténticos revolucionarios, se manifiesta en la lucha permanente, en la asunción total del sufrimiento, en la entrega absoluta de sí mismos en favor de la causa de los oprimidos, la fuerza impulsora que los alienta es el amor, fundado en la hermandad con el sufrimiento y la desposesión de los pobres. Como ya lo hemos dicho, es en este mundo de los desvalidos y los martirizados donde Roa Bastos halla la verdadera expresión de la riqueza humana.

Allí están para atestiguarlo los mendigos, seres mutilados y ennegrecidos por la miseria pero dotados de una nobleza solidaria y humilde («El viejo señor obispo»), el pequeño y apenas viviente Sevo-i «... una pobre cosa sufrida y doliente, casi inútil, pero también un ser infinitamente puro y poderoso en su misma bondad natural...» («Regreso»). Este universo está contagiado del clamor evangélico: «... Bienaventurados los pobres, porque vuestro es el reino de Dios. Bienaventurados los que lloráis ahora, porque os reiréis... Mas ay de vosotros los ricos porque os tenéis vuestra consolación...!» Estos conceptos son retomados en el cuento del señor obispo: «(Éste) Sabía, además, que sólo en medio del infortunio la santidad es posible y que el verdadero templo de Cristo es el corazón de los martirizados. Por eso mismo odiaba a los ricos y poderosos como puede odiar un hombre justo y puro: con piedad irremediable, lo que no impedía que los juzgara con implacable severidad.» Pero el advenimiento del reino de Dios, que profetiza el Evangelio, está referido a un concepto sobrenatural de la salvación. En «El trueno entre las hojas», la piedad cristiana asume el concepto histórico de la salvación, el reino de Dios en la tierra, cuya consecución es el producto del esfuerzo, de la praxis revolucionaria. Es por eso que el señor obispo eleva su ministerio sacerdotal hasta la militancia activa y necesaria: «No se limitó a llevar el consuelo de la religión a los desesperados. Trató también de mostrarles la fuerza de su debilidad y de enseñarles cómo usarla.» El ejercicio subversivo está también reseñado en estas palabras de Solano Rojas (del cuento «El trueno entre las hojas»): «—No olviden kena, chera y-kuera, que siempre debemo ayudarno lo uno a lo jotro, que siempre debemo etar unido. El único hermano de verdá que tiene un pobre ko e otro pobre. Y junto todo nojotro formamo la mano, el puño humilde pero juerte de lo trabajadore...»

La acción revolucionaria está expresada reiteradamente y su justificación nace de una situación concreta que al expresarse en toda su magnitud torna evidente la necesidad de una transformación total de las estructuras vigentes; el paso hacia una colectivización, adquiere su punto culminante en la proclamación de un mundo nuevo: «... en el que todos podamos vivir sin sentirnos enemigos, en el que querer vivir como amigos sea la finalidad natural de todos...» («El prisionero»). El advenimiento de este mundo se logra mediante la praxis revolucionaria, que, al superar el dualismo de las fuerzas históricas en pugna —oprimidos y opresores— acabará para siempre con la explotación del hombre por el hombre. Dice el señor obispo: «... algún día los pobres estarán arriba y entonces el hermano no odiará al hermano...» Esta frase vista a la luz del pensamiento marxista significa que la nueva era, al acabar con la lucha de clases y su origen, la propiedad privada, posibilita el encuentro del hombre con el hombre, consigo mismo y con la naturaleza en una perfecta y cabal armonía. Este hecho tiene como base la supresión del trabajo enajenado. Escribe Marx en *El Capital:* «En efecto, el reino de la libertad sólo comienza allí donde termina el trabajo impuesto por la necesidad y por la coacción de los fines externos...», idea que tiene su explicación en aquella otra de origen hegeliano: «el trabajo es el acto de la autocreación del hombre». Dentro del humanismo marxista, el trabajo es, pues, una categoría antropológica, en tanto se manifiesta como una expresión de la vida, como actividad y no como mercancía. La idea de la alienación del hombre en el trabajo está desarrollada, con acentos trágicos en el cuento que da nombre al libro. Allí se patentiza en primer lugar la realidad del hombre paraguayo viviendo un ritmo natural hasta la llegada de la fábrica y de los intereses extranjeros que lo introduce al sistema civilizado de la violencia y la esclavitud: «...Vivían en estado semisalvaje de la caza, de la pesca, de sus rudimentarios cultivos, pero por lo menos vivían en libertad, de su propio esfuerzo (...) Vivían y morían insensiblemente como los venados, como las plantas, como las estaciones.» De la consubstanciación beatífica con la naturaleza, el hombre pasa abruptamente a la aberración del sistema social que lo destituye de su condición humana. La rapiña internacional sienta sus reales en la selva paraguaya y al reino del hombre sucede el reino de la producción. El trabajo, dentro de esta perspectiva, es vivido como actividad forzada y envilecedora: «Los nativos veían crecer el ingenio como un enorme quiste colorado. Lo sentían engordar con su esfuerzo, con su sudor, con su temor (...) El trabajo no era entonces una cosa buena y alegre. El trabajo era una maldición y había que soportarlo como una maldición.»

La rebelión de los obreros («El trueno entre las hojas») que acaba con el régimen opresivo, nos coloca frente a otra perspectiva. Al trabajo como mutilación y sacrificio, sucede un orden equitativo y armónico que descansa sobre el esfuerzo solidario de la pequeña comunidad: «Los trabajadores del ingenio recomenzaron la zafra por su cuenta después de haber hecho justicia por sus manos (...). Formaron un comisión de administración en la que se incluyó a los técnicos. Y cada uno se alineó en lo suyo; los peones en la fábrica, los plantadores en los plantíos, los hacheros en el monte, los carreros en los carros, los cuadrilleros en los caminos. Todos arrimaron el hombre, hasta las mujeres, los viejos y la mitá-i.» El hombre ya no explota al hombre y la actividad productiva es sentida como la expresión de la energía humana, libremente encauzada hacia la consecución de un destino pacífico. De ello se desprende que el trabajo dotado de sentido cumple un papel fundamental en el proceso de la dignificación humana: «Se pusieron a trabajar noche y día sin descanso. Lo hacían con gusto, porque al fin sabían que el trabajo es una cosa buena y alegre cuando no lo mancha ni el miedo ni el odio. El trabajo hecho en amistad y camaradería.»

A los efectos de ajustar el sentido final que tiene este desenlace en tanto es explicativo de la significación global de todos los cuentos, conviene señalar, aunque no precisamente por su valor, la crítica que le hace Rodríguez Alcalá [9]. Dice textualmente: «¿Se concibe una multitud de campesinos analfabetos, enfurecidos hasta el praroxismo por una larga y terrible tiranía, que, una vez saciada su sed de sangre y justa venganza, se ponga a trabajar ordenadamente en una fábrica, a cuyos dueños, aliados del poder público, acaban de linchar? Más verosímil sería que, en el furor de la venganza la multitud saqueara la fábrica, la prendiese fuego y, con el botín obtenido se dispersase.» Dejando de lado, porque no es esto lo que nos ocupa, la ceguera del crítico que lo inhabilita para trascender el plano meramente anecdótico y la muy aristotélica pretensión (pero aristotélica en el sentido más literal) de literatura igual calco e imitación de la vida, trataremos de dar una respuesta a esta objeción. A la luz de la totalidad de los cuentos, el sistema equitativo y pacífico que se instaura en la fábrica después de la rebelión, tiene un valor simbólico, que se finca en la esperanza de un futuro donde los eternos desterrados de la historia advengan a su total dignificación. Y esto en razón de que por encima del «campesino analfabeto y enfurecido» está el hombre potencialmente capacitado para realizar, en el pleno ejercicio de la libertad, sus cualidades más específicamente humanas.

Este es el mensaje, y en virtud de este fervor el enorme destierro de los personajes de *El trueno entre las hojas* adquiere otra cualidad. Es por ello que una vez sofocada la rebelión campesina sigue existiendo un obstinado porvenir que emana de todas las muertes anónimas corporeizadas en la muerte de Solano Rojas la figura-mito: «...Allí está él, en el cruce del río, como un guardián ciego e invisible a quien no es posible engañar porque lo ve todo. Monta guardia y espera. Y nada hay tan poderoso e invencible como cuando alguien, desde la muerte, monta guardia y espera.»

---

[9] «Korn, Romero, Güiraldes..., etc. (México, 1958).

Reflexiones sobre la temática de los cuentos de Augusto Roa Bastos [1]

Jaime Herszenhorn

---

[1] Las muchas facetas que los cuentos de Roa Bastos presentan permite que su obra pueda ser abordada desde distintos puntos de vista. Los límites espaciales que un artículo impone, me obligaron a elegir un muy determinado enfoque, como lo es el de la temática.

Pese a la enorme cantidad de puntos de vista contradictorios y malentendidos que existen en la actualidad con respecto a la leyes, tanto internas como externas, que rigen el cuento literario, la actual producción de este género en Hispanoamérica es asombrosamente abundante. En un artículo sobre los aspectos del cuento, el escritor argentino Julio Cortázar decía: «... hablar del cuento tiene un interés especial para nosotros, puesto que casi todos los países americanos de lengua española le están dando al cuento una importancia excepcional, que jamás había tenido en otros países latinos como Francia o España. Entre nosotros, como es natural en las literaturas jóvenes, la creación espontánea precede casi siempre al examen crítico...» [2] Esta prodigalidad del cuento hispanoamericano, por ser a la vez tan variada y personalísima, no ha permitido una clara y concreta delineación de sus características temáticas y formales. El

---

[2] Julio Cortázar, «Algunos aspectos del cuento», *Letras Bolivianas,* núm. 4 (agosto, 1969), p. 4.

cuento hispanoamericano carece de leyes reguladoras porque los mismos intentos de establecerlos difieren radicalmente uno de otro. Es más, hasta el presente la mayoría de los que han tratado de clasificar los rasgos esenciales del cuento, lo hicieron por contraposición con los de la novela y en términos abstractos, restringiendo así la definición del cuento a metáforas e imágenes. Inclusive Cortázar, quien se acerca mejor que nadie a presentar una definición comprehensiva del cuento no escapa a este fenómeno, y así para él «un cuento, en última instancia, se mueve en ese plano del hombre donde la vida y la expresión escrita de esa vida libran una batalla fraternal... y el resultado de esa batalla es el cuento mismo, una síntesis viviente a la vez que una vida sintetizada, algo así como un temblor de agua dentro de un cristal, una fugacidad en una permanencia» [3].

Aunque los juicios expresados por Cortázar no revelan del todo teorías innovadoras —varias de ellas ya fueron anunciadas previamente por críticos europeos como Lubbock, Bader, Payser Kempton o Brander Matthews— su importancia radica en que proviniendo de uno de los escritores más representativos de Hispanoamérica, señalan la dirección que siguen los cuentistas hispanoamericanos permitiendo, de este modo, una mejor perspectiva y apreciación de la temática y estructura de esos cuentos.

Si bien Cortázar rechaza la existencia de leyes determinantes en el cuento, admite, sin embargo, la presencia de ciertas constantes, de puntos de vista estrictamente personales. Así, según él, existen dos elementos indispensables en la construcción de un cuento: la temática y la técnica narrativa. El cuentista debe, por sobre todo, seleccionar cuidadosamente el tema que habrá de utilizar en sus cuentos. No importa que el tema sea una anécdota trivial o una historia extraordinaria, fantástica. Lo esencial es, en primer lugar, dar al cuento un alto nivel significativo a través de un correcto tratamiento del tema; «en literatura no hay temas buenos ni temas malos —dice Cortázar— hay solamente un buen o un mal tratamiento del tema» [4]. Mas el encontrar un tema y darle significación no garantiza por sí solo valores literarios al cuento. Al tratamiento del tema debe sumarse un hábil manejo de recursos técnicos literarios. La condensación de tiempo y espacio, la inyección de tensión a partir de las palabras iniciales y la captación de una atmósfera de intensidad son los elementos complementarios para la creación de un buen cuento literario. «La idea de significación no puede tener sentido —afirma Cortázar— si no lo relacionamos con las de intensidad y de tensión, que ya no se refieren solamente al tema sino al tratamiento literario

[3] Cortázar. *Op. cit.,* p. 5.
[4] Cortázar, *Op. cit.,* p. 5.

de ese tema, a la técnica empleada para desarrollar el tema» [5]. Son efectivamente estos recursos literarios los que en último análisis, establecen la diferencia entre la simple anécdota, el cuento popular y, por otro lado, el así llamado cuento literario. En cuanto a su extensión, el cuento debe limitarse a una rigurosa concentración de espacio físico, el suficiente para desarrollar los propósitos del autor directa y concisamente. El cuentista debe escribir «en profundidad, verticalmente, hacia arriba o hacia abajo del espacio literario». En suma, el autor precisa condensar y someter el cuento a una «alta presión espiritual».

El cuento como creación literaria, representa un vínculo de comunicación entre autor y lector. Si el impacto de la obra alcanza un vasto número de lectores, tal obra y tal autor habrán logrado, sin duda alguna, universalidad; pero para captar a ese público se requiere no tan sólo el deseo de comunicar un mensaje, ni, está por demás el decirlo, saber ejercer el oficio de escritor, sino una total identificación con la realidad literariamente concebida. Cortázar sintetiza su concepto del cuento literario afirmando que «se requiere hoy una fusión total de esas dos fuerzas, la del hombre plenamente comprometido con su realidad nacional y mundial, y la del escritor lúcidamente seguro de su oficio. En ese sentido no hay engaño posible. Por más veterano, por más experto que sea un cuentista, si le falta una motivación entrañable, si sus cuentos no nacen de una profunda vivencia, su obra no irá más allá del mero ejercicio estético» [6].

El escritor paraguayo Agusto Roa Bastos (1917) es uno de los pocos narradores hispanoamericanos que satisfacen, dentro del género del cuento, los requisitos apuntados por Cortázar, especialmente en cuanto al tratamiento de la temática se refiere. Su obra deriva de un apasionado y sensible deseo de reivindicar social y humanamente al hombre paraguayo. Los temas de Roa Bastos muestran una completa identificación con los sufrimientos y angustias del pueblo guaraní. Su obra es, según el mismo Roa Bastos, «una literatura de la acción, que partiendo de la realidad refluye sobre ella para modificarla y para afirmar el proceso de liberación en el plano de la sociedad y la cultura» [7]. Pero esto, dentro del ambiente,

---

[5] *Ibid.*, pp. 5 y 6.

[6] Cortázar, *op. cit.*, p. 7.

[7] Citado por Pedro Lastra en *Madera quemada* de A. Roa Bastos, (Santiago de Chile, Editorial Universitaria, 1967), p. 8.

de los límites de su condición de escritor. Roa Bastos lejos de escapar a la circunstancia histórica de su país, se aprovecha de ella para penetrar en los aspectos intrahistóricos de la misma. Muchos de sus mejores relatos versan sobre la Guerra de la Triple Alianza o la del Chaco. Sus personajes siempre representan a los sectores bajos de la sociedad y paraguaya, hombres humildes, derrotados por las mismas fuerzas a las que confían su destino. Este mundo trágico y sufriente no es únicamente el mundo paraguayo, sino que sobrepasando sus fronteras se convierte en el mundo hispanoamericano primitivo, aislado «en lucha con los enigmas centrales del individuo, con la caótica y oscura condición humana, pero también en lucha con la naturaleza física y con las fuerzas del mundo inhumano de las alienaciones» [8]. Partiendo de una existente realidad, Roa Bastos crea *su propia* realidad del mundo paraguayo, una realidad teñida de magia y maravillosa belleza a la vez que de una cruda y denigrante violencia.

Roa Bastos, que al igual que muchos otros escritores hispanoamericanos ha producido casi toda su obra literaria en el exilio, ha alcanzado notoriedad continental con su novela *Hijo de hombre* (Buenos Aires, Losada, 1960), obra estructurada en nueve relatos independientes uno del otro pero engarzados por la presencia de un personaje, Miguel Vera, que actúa tanto de narrador-protagonista como de narrador-testigo y una línea temática unificadora. Tal tema es, según Roa Bastos, «la crucifixión del hombre común en la búsqueda de solidaridad con sus semejantes; es decir el antiguo drama de la pasión del hombre en la lucha por su libertad» [9]. El enorme éxito de esta novela, facilitado en gran parte al obtener el primer premio del Concurso Internacional Losada, el primer premio Municipal de Buenos Aires y el primer premio de la Fundación Faulkner, acaparó la atención de la crítica literaria de manera tal que el resto de la obra de Roa Bastos —cuentos en su totalidad— apenas si es estudiada y, cuando se lo hace, lo es sólo como elemento de transición hacia su novelística. Esto causa extrañeza cuando se considera que Roa Bastos, en número de volúmenes, es más un cuentista que un novelista y, además, cuando se considera que sus cuentos a veces igualan y hasta sobrepasan en calidad a los relatos de su novela [10].

---

[8] Augusto Roa Bastos, «Imagen y perspectivas de la narrativa latinoamericana actual», en *La novela hispanoamericana,* ed. Juan Loveluck (Santiago de Chile, Editorial Universitaria, 1969), p. 209.

[9] *Negro sobre Blanco,* Buenos Aires, núm. 10 (diciembre 1959) p. 10.

[10] *Hijo de hombre,* aún poseyendo cierta estructura unificadora que redondea sus nueve relatos, no deja de ser un racimo de cuentos, completamente independientes entre sí. El referirse a esta obra como novela demanda mucha prudencia, ya que al así hacerlo se corre el riesgo de quitar más que atribuir méritos a tal obra. La falta de profundización en la sicología de los personajes

Roa Bastos ha publicado hasta el presente cuatro libros de cuentos: *El trueno entre las hojas* (1953), *El Baldío* (1966), *Los pies sobre el agua* (1967) y *Madera quemada* (1967). Las dos últimas obras contienen, en gran parte, cuentos que vieron la luz en las dos primeras y en *Hijo de hombre*. Por ello nos ocuparemos tan sólo de las citadas en primer término y de los nuevos cuentos que aparecen en sus dos últimos libros. El escritor uruguayo Mario Benedetti, señala al opinar sobre la novela de Roa Bastos que «el lector tiene la impresión de asistir a un gran fresco de la vida y la historia paraguaya, un fresco de exaltación y patetismo...» [11]. Esto mismo puede decirse con respecto a la cuentística de Roa Bastos.

En *El trueno entre las hojas,* Roa Bastos crea una realidad deprimente. Circula a través de las 17 narraciones que componen el libro, un aire atrabiliario y derrotista. El epígrafe del libro, sacado de una leyenda aborigen, proporciona el tema predominante en todos los cuentos del volumen: «El trueno cae y se queda entre las hojas. Los animales comen las hojas y se ponen violentos. Los hombres comen los animales y se ponen violentos. La tierra se come a los hombres y empieza a rugir como el trueno.» Este drama de la violencia se desenvuelve en un marco rural, en las villas y pueblos aisladamente apartados de la selva guaraní, donde la naturaleza se convierte en mudo testigo de las más violentas pasiones humanas. Cada cuento representa un tratamiento distinto del tema de la violencia.

En «El viejo señor obispo» como en «Audiencia privada» la violencia se presenta en términos de abusos políticos. En aquél, el obispo tras negarse a colaborar con los representantes del gobierno en el desalojo en masa de unos campesinos, queda virtualmente prisionero en su casa, preguntándose a sí mismo si «tal vez en lugar de amor debí enseñarles el odio y a responder con la violencia a la violencia» [12]. En éste, un arquitecto cleptómano es «dispensado» al

junto a una mínima interelación de los mismos —requisitos éstos no indispensables en el cuento, pero sí en la novela— retacean en mucho el carácter novelesco de la obra. Es más, una misma unidad temática se manifiesta a lo largo de *El trueno entre las hojas* sin que la obra pretenda ser una novela.

[11] Mario Benedetti, *Letras del continente mestizo,* 2.ª ed. (Montevideo, Arca, 1969), p. 117.

[12] A. Roa Bastos, *El trueno entre las hojas,* 3.ª ed. (Buenos Aires, Losada, 1968), p. 33. Todas las citas se hacen por esta edición.

intentar el robo de una bombilla de mate del domicilio del ministro de economía de quien confiaba obtener la aprobación de un proyecto de canalización.

En otros cuentos como «Cigarrillos Máuser», «Galopa en dos tiempos», «La rogativa», «Mano cruel» y «El ojo de la muerte», el tema de la violencia se manifiesta a través de otras múltiples formas. Así en este último, se muestra en la forma de un ciclón que arrasando con lo que encuentra por delante se apodera del personaje, lo succiona «hacia adentro para parirlo del otro lado de la muerte» (página 53). En «Galopa en dos tiempos» es el destino que encarna los poderes destructivos y en «La rogativa» la exaltación de los instintos animales en el hombre.

Los cuentos donde el tema de la violencia se manifiesta en toda su crudeza y explosión son los que versan sobre la guerra —civil o del Chaco—: «La excavación», «El prisionero». En cierto modo este mismo tema aparece también en «La gran solución» aunque aquí con tonos menos dramáticos y hasta podría decirse casi cómicos. En estos cuentos, Roa Bastos realiza un tratamiento muy personal del tema de la guerra. Lejos de enfocar los aspectos históricos y políticos de tal empresa, el escritor paraguayo se concentra en el impacto humano e intrahistórico de la misma. Las preocupaciones económicas, geográficas y políticas que ocasionaron la Guerra del Chaco, por ejemplo, no se vislumbran en los cuentos de Roa Bastos, pero sí el grado de afección que ésta y otras irracionales guerras han ocasionado en el hombre paraguayo. Así vemos en «El Caraguá» como Aparicio Ojeda regresa loco del Chaco y, sugestionado por un falso espíritu de redención, saquea, asalta y viola las poblaciones rurales y sus habitantes. En «El prisionero», el conscripto Hugo Saldívar durante la guerra civil, incapaz de desertar porque «la violencia lo sobrepasaba», se suicida al descubrir que el guerrillero a quien acaba de asesinar es su propio hermano. En «La excavación» Roa Bastos, por medio de su personaje, condena en forma irónica ese absurdo de la Guerra del Chaco, señalando que «así sucedía porque era preciso que gente americana siguiese muriendo, matándose, para que ciertas cosas se expresaran correctamente en términos de estadística y mercado, de trueques y expoliaciones correctas, con cifras y números exactos, en boletines de la rapiña internacional» (p. 82).

En «Esos rostros oscuros», Roa Bastos trae el tema de la sexualidad morbosa, otra forma de la violencia. Amelia Mendieta, hija de un diputado, va al campo por un par de semanas a descansar y allí es violada por quince peones enojados al descubrir que la muchacha incurría en un «monstruoso idilio» con su perro.

La violencia aunada a un sincero impulso de protesta social es lo que hallamos en el último cuento del libro, «El trueno entre las hojas». Por su extensión y compleja estructura esta narración es más novela corta que cuento. Roa Bastos encarna en la figura de Solano Rojas el elemento redentor de los oprimidos peones azucareros. Sus anhelos de reforma y justicia consiguen vencer el yugo de los capitalistas extranjeros y desalojarlos, pero la «borrachera de la esperanza iba a ser sólo como un soplo», ya que a la semana los escuadrones del gobierno vengan «póstumamente al capitalista extranjero». Y un poco más adelante: «El círculo se había cerrado y volvía a empezar» (pp. 246 y 247).

En efecto, los diecisiete cuentos que componen el libro describen, temáticamente, un círculo. «El trueno entre las hojas» enlaza con «Carpincheros», cuento inicial del libro con el que presenta puntos de semejanza en cuanto a personajes y escenario se refiere. Este enlace de cuentos se evidencia en otros cuatro. En «El Caraguá» reaparece el protagonista de «Mano cruel» y hay, en ambos, referencias cruzadas a personajes y acciones que ocurren en un cuento pero se recuerdan en el otro o viceversa. En ambos cuentos, además, aparece como subtema un tipo muy particular de violencia, la de la broma del nido de avispas bajo la silla del demente, violencia más bien contra la dignidad del ser que contra su cuerpo, como es la que, por lo general, presenta Roa. Lo mismo sucede entre «El ojo de la muerte» y «La rogativa» en que Timoteo Aldama, protagonista del primer cuento, aparece esporádicamente citado en el segundo. Esto parecería indicar una intención de mantener muy viva —en la mente del lector— la ligazón temática existente entre los diversos cuentos del libro. Además, es como si Roa Bastos quisiera tender un cordón umbilical para señalar el parentesco de todos sus personajes. Y esto aun en detrimento de la unidad y cohesión del relato, como bien lo ejemplifica la inclusión, muy poco justificada, de Timó Aldama, en «La rogativa», antes mencionado. Es decir que lo que se busca es subrayar así esa unidad que está dada por el tema único: la violencia.

Existe un elemento temático en los cuentos de esta obra que, por su importancia, no puede pasar inadvertido. Me refiero al tema de la muerte. En catorce de los diecisiete cuentos la muerte domina la narración con su presencia. Si bien es cierto que violencia y muerte van unidas en la mayoría de los casos, en el libro de Roa Bastos la muerte adquiere diversas tonalidades que la llevan a un primer plano. La más evidente y también la más reiterada es la que se manifiesta como una forma de escape, de liberación. El obispo, Hugo Saldívar, Perucho Rodi, Solano Rojas y muchos otros personajes encuentran en la muerte el término de su agónica existencia. Otras veces, como sucede con Pirulí, Amelia Mendieta o la negra de «Cigarrillos Máuser», la muerte representa una expiación de sus almas violentas. La muerte aparece también como un sacrificio en «La rogativa» y «Carpincheros»; pero sea cual fuere el significado atribuido a la muerte, su presencia acusa todavía más el tono cruel y trágico de estos relatos.

Si bien la fuerza temática y el eficaz estilo de Roa Bastos confieren una singular belleza a estos cuentos, algo de su intensidad queda disminuida a raíz de ciertos deslices en la estructura de los mismos. Volviendo a los juicios de Cortázar resumidos al principio de este trabajo, recordaremos que el cuentista debe, una vez iniciado el relato, avanzar en profundidad, concentrando y dando mayor tensión a la historia, sin desviarse del plan trazado ni agregar material al tema previamente establecido. En casi todos los cuentos de *El trueno entre las hojas,* Roa Bastos, después de iniciada la narración, se aparta del tema central y se concentra en otro plano de acción, relacionado con el primero y al cual vuelve después de concluido aquel segundo. Estos senderos laterales en los que Roa Bastos frecuentemente se adentra, rompen la tensión interna del cuento y constituyen un defecto de estructuración en la cuentística del autor paraguayo. Un relato particularmente sutil, en cuanto a su temática, pero cuya efectividad se ve disminuida por esta proclividad a la marcha zigzagueante, es «Pirulí». Aquí el hilo central del relato es interrumpido por el monólogo interior de Pirulí que revela su macabro carácter picaresco. Y si bien tal digresión robustece el significado del cuento, resta, sin embargo, intensidad al desenlace.

Es de advertir, igualmente, en la técnica de estos relatos el uso del recuerdo como vehículo que lleva por estos senderos laterales. (Tan sólo en cuatro de los cuentos que comprende el volumen, no se evidencia esta característica). Así en «Galopa en dos tiempos» la narración está dividida en siete partes. A partir de la segunda y hasta la quinta, el autor se aparta de la acción central para relatarnos los sucesos acaecidos quince años atrás. Este recurso, si bien ofrecería mayores posibilidades en la novela, en cambio en el cuento le quita intensidad y el ritmo particular que su forma de narración compacta demanda. Justo es, sin embargo, apuntar que Roa Bastos, en *El trueno entre las hojas,* se muestra diestro en el manejo de recursos literarios modernos como el *flashback,* uso de elementos oníricos, multiplicidad de puntos de vista, etc., con lo que su narrativa supera los marcos habituales del relato sociológico o regionalista.

En 1966 publica Roa Bastos su segundo libro de cuentos: *El baldío* [13]. En él aparecen once cuentos fechados a partir de 1955 y hasta 1961, vale decir que muchos de ellos debieron ser concebidos al mismo tiempo que la novela *Hijo de hombre*.

Afirma Fernando Ainsa que Roa Bastos se propone acercar a esta obra otro sentido de la realidad, y que va hacia ello «algo titubeante, algo torpemente, pero en la misma dirección hacia la que van, algo titubeante, y algo torpemente el resto de los escritores...» [14]. Este «otro sentido de la realidad» a que se refiere Ainsa, está expresado por Roa Bastos en el segundo cuento del volumen. Allí dice el personaje principal:

> Para mí, la realidad es lo que queda cuando ha desaparecido toda la realidad, cuando se ha quemado la memoria de la costumbre, el bosque que nos impide ver el árbol. Sólo podemos aludirla vagamente, o soñarla, o imaginarla [15].

Esta es, pues, la consigna que Roa Bastos se impone en estos relatos: buscar en el ser paraguayo «lo real de lo que no se ve y hasta de lo que no existe todavía» [16], o sea, lo más interno del ser paraguayo que habrá de revelar la esencial idiosincracia de ese hombre.

Aunque tenue, el tema del exilio es el hilo unificador de estos once cuentos. Aparece en «El pájaro mosca», «La flecha y la manzana», «Encuentro con el traidor» y «Contar un cuento», pero no es abordado desde un ángulo político sino más bien cotidiano. A diferencia de *El trueno entre las hojas* los cuentos aquí tienen por escenario la ciudad (muchas veces Buenos Aires, otras pocas Asunción) y los personajes no provienen exclusivamente de las capas más humildes de la sociedad.

A pesar de que cierta intención morbosa, cierto aire trágico y fatal envuelve al libro, los cuentos poseen un carácter menos épico que los de *El trueno entre las hojas.* La violencia irracional casi desaparece pero la crueldad y el horror siguen vigentes, a la par que un sentimiento de ternura hacia los seres oprimidos, nota esta distinta con respecto a la producción anterior de Roa Bastos, en la que «el principal valor de [esas] historias radica en el testimonio que encierran». El tema del fratricidio —tratado ya previamente en «El

---

[13] A. Roa Bastos, *El baldío* (Buenos Aires, Losada, 1966). Todas las citas se hacen de acuerdo a esta edición.

[14] F. Ainsa, «Un realismo de la imaginación», *Mundo Nuevo,* núm. 11 (mayo, 1967), p. 79.

[15] *El baldío,* p. 15.

[16] *Ibid.,* p. 15.

prisionero» de *El trueno entre las hojas*— reaparece ahora en dos cuentos: «Hermano» (1961) y «La flecha y la manzana» (1959). Narrado en un fuerte estilo naturalista, «Hermanos» levanta una protesta contra las atrocidades de la guerra civil, pero con una insistencia nueva: los verdaderos culpables son siempre aquellos que se hallan lejos del campo de batalla, los que «duermen limpios y tranquilos en sus camas, mientras ustedes los hermanos hacen el trabajo sucio y dan sus vidas para que ellos puedan seguir durmiendo limpios y tranquilos allá lejos (p. 107).

En «La flecha y la manzana» Roa Bastos imita el estilo realista de Horacio Quiroga en «La gallina degollada» al hacer recrear fatalmente a dos hermanos la hazaña de Guillermo Tell. De corte político son «La rebelión» (1960) y «Borrador de un informe (1958). En el primero de estos dos cuentos, dos telegrafistas presencian una deserción en masa por parte de los soldados gubernamentales, quienes se resisten a obedecer órdenes superiores de disparar contra un grupo de mujeres reunidas en el centro de la ciudad quienes instan a sus hijos, hermanos y esposos a abandonar las armas. En «Borrador de un informe» [17], Roa Bastos construye un filoso cuento satírico en contra de la burocracia y el caciquismo político paraguayo, empleando con habilidad el procedimiento del desdoblamiento de los personajes y la narración llevada a cabo en dos niveles paralelos.

«La tijera», «El pájaro mosca» y «Contar un cuento» enfocan de distintas maneras la vida del paraguayo en el exilio, a veces haciendo resaltar los ímpetus violentos del hombre y otras subrayando el encogimiento de la vida del exiliado. Un curioso ejemplo de ejercicio estilístico se da en «Él y el otro» (1958). Roa Bastos relata aquí tres cuentos distintos confusamente entremezclados y desconcertadamente abstractos por el intencionado abandono de la puntuación. El tema que enlaza las tres partes del relato es aún el de la violencia con los respectivos subtemas de los celos, el incesto y el robo. Si bien desde este aspecto temático Roa Bastos no ofrece nada nuevo, la intención estilística demuestra por primera vez en el escritor paraguayo, un latente interés de renovación y modernidad.

El baldío muestra indicios de crecimiento en la cuentística de Roa Bastos. Sus relatos están mucho mejor estructurados y el hilo de la narración no se desvía por senderos secundarios, sino que avanza concisa y sobriamente hacia un desenlace súbito, explosivo casi siempre. Inclusive, aun dentro de las limitaciones impuestas por el cuento, los personajes se hallan mejor definidos.

---

[17] Para un estudio a fondo de este cuento véase Hugo Rodríguez-Alcalá, «Verdad oficial y verdad verdadera: 'Borrador de un informe' de Augusto Roa Bastos», *Cuadernos Americanos,* XXVII, núm. 1 (enero-febrero 1968), páginas 251-267.

Al año de publicarse *El baldío,* Roa Bastos publica dos libros de cuentos: *Los pies sobre el agua* y *Madera quemada,* en los cuales, si bien se repiten los predominantes temas de la muerte y la violencia, se acusan, asimismo, nuevas matizaciones en cuanto al tratamiento temático. De los diez cuentos que comprenden el primer volumen mencionado, tres son nuevos: «Nonato», «Ajuste de cuentas» y «Niño-azoté». Los siete restantes son producciones aparecidas en sus libros anteriores. De entre éstos, dos, «Macario» —cuyo título original es «Hijo de hombre»— y «Hogar» son extractos íntegros del primero y quinto capítulos de la novela *Hijo de hombre.* En *Madera quemada,* que también contiene diez cuentos, sólo dos son novedades: «Bajo el puente» y «Kurupí». Mas éste, tanto en la temática como en la construcción de los personajes ya había asomado en el último capítulo de *Hijo de hombre:* «Ex combatientes», con la salvedad de que ahora en el cuento, el argumento se ha expandido.

Tanto «Nonato» como «Ajuste de cuentas» presentan afinidades con los cuentos que integran *El baldío.* En «Nonato» (1967) Roa Bastos se adentra en la búsqueda de esa realidad «de lo que no se ve y hasta de lo que no existe todavía» iniciada en «Contar un cuento». La violencia, parte integral de esa realidad, aparece ahora por primera vez, acompañada de insinuaciones edípicas: «Y yo sólo sé que un muerto, a quien llaman mi padre, ha entrado a compartir conmigo un lugar donde no cabemos los dos. Y sé que tarde o temprano él va a acabar sacándome de ahí» [18]. Es decir, robará al niño el cariño de la madre. De gran originalidad en este cuento resulta ser la nota existencialista que Roa Bastos inyecta en la sicología del personaje. Nonato personifica en el relato los dos grandes temas del existencialismo: la incomunicabilidad y la soledad del hombre. Esto se ilustra ya desde el párrafo inicial en que Nonato exclama: «Sin nadie a quien hablar de estas cosas, ya que usted tampoco quiere escucharme, me quedo hablando conmigo mismo, para adentro» (p. 5). Y más adelante: «Ah, tristeza de no poder querer lo que usted quiere, de no poder hacerle entender lo que yo quiero» (p. 10). La imposibilidad de comunicación con la madre (el «usted» del cuento), el rechazo violento de los muchachos del pueblo «malos de una maldad que yo no entiendo...» (p. 7) y la consecuente tremenda sole-

[18] *Los pies sobre el agua* (Buenos Aires, Centro Editor de América Latina, 1967), p. 12 Las citas subsiguientes pertenecen a esta edición.

dad, empujan al muchacho al suicidio [19]. Este excelente relato, narrado por medio de la técnica introspectiva, representa en su totalidad un discurso silencioso por medio del cual Nonato trata de comunicarse «extra-verbalmente» con su madre. («Puedo malgastar mis palabras, a qué voy a malgastar mi silencio», p. 5.) Si recordamos ahora las palabras de Roa Bastos expresadas en *El baldío* «Se habla demasiado. El mundo está envenenado por las palabras... Habría que encontrar un nuevo lenguaje, y mejor todavía un lenguaje de silencio en el que nos podamos comunicar por levísimos estremecimientos...» (p. 16) vemos que ahora el autor paraguayo ha corporizado en este cuento una realidad distinta, pero realidad no obstante de su visión del drama del hombre.

«Ajuste de cuentas» (1967) trae consigo una temática y una argumentación evidenciadas ya en *El baldío:* el tema de la violencia trasladado al ámbito del exilio con el asesinato de un embajador paraguayo en Buenos Aires. Este argumento aparece ligeramente mencionado en «Contar un cuento» de *El baldío* en el que se acusa, asimismo, la presencia de personajes pertenecientes al presente relato. Aquí el desarrollo del tema está más ampliado y revela la obsesión en Roa Bastos de la violenta naturaleza del hombre paraguayo que aún en el exilio es incapaz de inhibir sus ímpetus de venganza. Pero «Ajuste de cuentas» es algo más que una ampliación del tema de la violencia. Es el testimonio de la ruptura de los ideales comunes a los paraguayos en el exilio: «Es cierto que ya estábamos podridos de recorrer sábados y domingos los tugurios de chapa y cartón donde se amontonan nuestros emigrados, para predicarles la esperanza del regreso, que la mayoría está contenta de haber perdido, ya que no tenían otra cosa que perder» [20] exclama el protagonista. Roa Bastos crea así un ambiente de derrotismo e insatisfacción, manifestando que el hombre paraguayo no tan sólo se ve acosado dentro de su país, sino que inclusive en el exilio se ve sometido a «algo como una enfermedad no declarada todavía» (p. 91).

En «Niño-azoté» Roa Bastos testifica la vital existencia del mito en la vida cotidiana del paraguayo. Tomando como tema la leyenda

[19] Esta nota existencialista de Roa Bastos no es accidental. Ya en 1965 había afirmado el autor que «esta dimensión dramática y trágica de la *condición existencial* del hombre contemporáneo es la que modula en el repertorio de la narrativa de las últimas décadas los temas y problemas más significativos», en Loveluck, *La novela hispanoamericana,* p. 209. (El subrayado es mío).

[20] *Los pies sobre el agua,* p. 90.

del niño-azoté [21], rara mezcla de mitología e historicidad paraguayas, el autor subraya nuevamente la trágica presencia de lo violento y lo fatal en la idiosincracia guaraní. Tanto por la fecha como por la estructura del cuento, «Niño-azoté» pertenece a la serie de *El trueno entre las hojas,* y aquí como en aquél, el presente y el pasado se funden a través del rito mitológico. Roa Bastos, aparte de pintar uno de los cuadros más autóctonos y representativos de la vida rural paraguaya, presenta testimonio de la fusión en ese su país, de la tradición cristiana y el paganismo guaraní [22].

En «Kurupí» Roa Bastos realiza un estudio sicológico del carácter violento de Melitón Isasí, y a través de él, hace hincapié nuevamente en la injusticia del politiquero paraguayo que dispone de la vida de sus súbditos. El tema de la violencia se patentiza en el maltrato de Melitón hacia su esposa, Ña Brígida, y en su insaciable apetito sexual para con las mujeres de Itapé. Aunque probablemente se deba a causas fortuitas, éste es el primer cuento donde se observa la transformación de un personaje, es decir que se concibe lo que William Forster ha dado en llamar «personaje redondo» [23]. Al comenzar la historia, Roa Bastos nos confronta con un personaje huraño, autoritario, corrompido moral y sexualmente. Sin embargo, por medio del amor, Melitón Isasí se humaniza, su odio se convierte en ternura: «Su voz se puso grave y pausada. Ya no gritaba, no se enojaba... De su autoridad no le quedó más que esa rebaba áspera, que Felicita suavizaría por las tardes...» [24]. Poco después Melitón Isasí es muerto y colgado en la cruz del Cristo de Tupa-Rapé, el Cristo leproso. Desenlace que parece significar que mejorarse, humanizarse en ese medio salvaje, no conduce a nada, que la única manera posible de sobrevivir es la abonada por la violencia. Paralelamente al ataque que Roa Bastos dirige contra los jefes políticos, se

---

[21] La leyenda del «Niño-azoté» se origina en las navidades del año 1743 en el pueblito de Tavapy, según la cual doña Rosalía, una mujer del pueblo, había perdido a su hijito. Durante el entierro, la mujer escapa bruscamente a su casa de donde saca en sus brazos la imagen del niño Dios. Al salir, es capturada por los indios que habían saqueado y asaltado el pueblo. En el trayecto hacia el campamento indio, la imagen de madera que guarda cerca del seno comienza a sollozar, «a ablandarse, palpitar y vivir 'como si el hijo hubiera resucitado en los brazos'» (p. 139).

[22] Tanto en este cuento como en muchos otros, el uso de la lengua guaraní adquiere enorme importancia, especialmente en aquellos cuentos que se adentran en la sicología y el carácter del pueblo paraguayo. La utilización de la lengua regional expande, a la vez que sintetiza, la razón de ser del hombre paraguayo. Así para la construcción de imágenes como para lograr la autenticidad de los personajes, Roa Bastos utiliza la lengua guaraní. Pero éste es tema que demandaría análisis especial.

[23] E. M. Forster, *Aspects of the novel* (New York, Harcourt, Brace & World Inc., 1954).

[24] A. Roa Bastos, *Madera quemada* (Santiago de Chile, Editorial Universitaria, 1967), p. 36.

evidencia también la condena hacia el prelado que en este cuento iguala en corrupción y vicio al politiquero.

«Bajo el puente» visualiza nuevamente el ambiente violento en que crece el niño paraguayo. En este caso, el padre del protagonista, carnicero, maltrata al muchacho por permanecer constantemente dormido a lo cual el niño responde con un primitivo y salvaje intento de autodestrucción.

Como se ve, Roa Bastos no se aparta de su preocupación iniciada en sus primeros cuentos. La denuncia —insinuada más que declarada abiertamente— de la violencia, la indagación de la auténtica realidad paraguaya a través de la lengua, el mito y el carácter de las gentes, se hallan presentes en toda su obra narrativa.

Es evidente que Roa Bastos vive obsesionado por esa realidad tan única que es *su* realidad paraguaya, en la que o se sufre o hay que exiliarse como ha sido el caso de Roa. Pero ahora que se ha incorporado a ese mundo suyo, luego de un rico periplo cumplido en Hispanoamérica y en Europa, es igualmente claro que su temática se ha ensanchado, que su visión se ha ahondado y que ha afilado su técnica de «contar cuentos» aunque la permanencia, en libros escritos a trece y más años de distancia, de los temas arriba analizados indica su completo compromiso con su patria y los problemas que la postran y una mayor lucidez en el ejercicio de su *métier*.

La introspección auto-crítica en «Contar un cuento»

Mario E. Ruiz

En el prólogo a la última edición de *Los jefes* de Vargas Llosa, Nelson Osorio hace ver, en forma muy acertada, lo que tal vez es la característica más sobresaliente de la narrativa hispanoamericana contemporánea: «Los nuevos narradores [hispanoamericanos] exigen cada vez más la presencia de un lector cuya actividad haga posible la actualización de niveles más hondos de experiencia, que sean copartícipes de la aventura humana de la creación que el autor ha vivido. Es también característico de esta narrativa la existencia de lo que podríamos llamar, forzando algo los términos, distintos niveles de intelección estética: los diversos elementos que conforman el universo poético de la obra pueden funcionar de modo distinto según el grado de participación que logre alcanzar el lector» (Santiago de Chile: Editorial Universitaria, 1970, p. 9). Debido a este esfuerzo por hacer del lector, abiertamente y sin reservas, coartífice de la obra, el autor tiene que diseñar nuevos y apropiados moldes estilísticos.

Por otra parte, es indudable que aunque ésta sea «la hora del lector», como Castellet dice (citado por Osorio, p. 9), el autor traza sus líneas creadoras iniciales en la dirección en que él quiere que el lector complete el plan poético; aunque la imaginación de éste sea intensa y resuelle el instinto de libertad onírica, su desemboque está controlado por la tenue rienda simbólica inicialmente establecida por el autor. Tal control indirecto no disminuye, sin embargo, la importancia innegable de que en la nueva narrativa hispanoamericana existe «cada vez más la exigencia de una especial complicidad —como diría Cortázar— por parte del lector, complicidad y actividad que lo lleve a superar los primeros niveles obvios de intelección para pasar a otros, más profundos, que serían los verdaderamente reveladores» (Osorio, p. 10). Así, pues, autor y lector se unen en la actividad poética de hombres inquietos, «soñadores», en la que ambos tratan de actualizar lo que aquél ha sentido y presentado a través de símbolos que, aunque sensorialmente ambiguos, transportan significados definidos.

En resumidas cuentas, el papel activo del lector se concreta a reconocer e interpretar el significado de significantes contemporáneos en abierta oposición al simbolismo tradicional. Esta es la conspiración consciente autor-lector contra la ya trillada y anémica metáfora de épocas pasadas: el líder e instigador es el autor, el lector justifica y concretiza el atentado por medio del esfuerzo por trascender los límites difusos del nuevo símbolo. Tal es la situación que Cortázar explica a su manera: «[El lector recibe] las cosas en bruto: conductas, resultantes, rupturas, catástrofes, irrisiones. Allí donde debería haber una despedida hay un dibujo en la pared; en vez de un grito, una caña de pescar; una muerte se resuelve en un trío para mandolinas. Y eso es despedida, grito, muerte, pero, ¿quién está dispuesto a desplazarse, a desaforarse, a descentrarse, a descubrirse?» (Osorio, p. 10). El lector comprometido —el único que puede salvar los símbolos contemporáneos de un rechazo y olvido mal entendidos— está dispuesto a desplazarse, desaforarse, descentrarse y descubrirse. Sin embargo, la índole de ese desplazamiento depende de la clase de materia prima que el autor ofrece en su obra: a pesar de la flexibilidad inherente en todo libre albedrío, el lector está limitado en su descentramiento por la índole y calidad de las «cosas brutas» (o «en bruto») que el autor le presenta.

«Contar un cuento» es un bosquejo de narración, más que un detallado cuento, en que Augusto Roa Bastos ofrece, en fusión de estilo y contenido, las «cosas en bruto» que el lector investiga, ordena y transciende en proceso interpretativo personal —semejante tendencia de Roa Bastos de hacer al lector creador parcial de su obra ha sido comentada por Hugo Rodríguez Alcalá en relación a «Borrador de un informe» (*Studies in Short Fiction,* VIII, 1, pp. 141-54). Un breve análisis de «Contar un cuento» mostrará el proceso excelentemente delineado inicialmente por Roa Bastos, y subsecuentemente cerrado por el lector.

El símbolo unificante del cuento es la cebolla, centro de emanaciones e impresiones sensoriales que determina, a su imagen y semejanza, el proceso estilístico y conceptual de la narración. Al principio del cuento «el gordo», único personaje identificable, dice: «¿Pero qué es la realidad? Porque hay lo real de lo que no se ve hasta de lo que no existe todavía. Para mí la realidad es lo que queda cuando ha desaparecido toda la realidad, cuando se ha quemado la memoria de la costumbre, el bosque que nos impide ver el árbol. Sólo podemos aludirla vagamente, o soñarla, o imaginarla. Una cebolla. Usted le saca una capa tras otra, y ¿qué es lo que queda? Nada, pero esa nada es todo, o por lo menos un tufo picante que nos hace lagrimear los ojos» (*Moriencia.* Caracas: Monte Ávila Editores, 1969, pp. 63-64). La cebolla, con sus múltiples capas, encierra un secreto que al deshojarla resulta ser una impresión, «un tufo picante». El significado de tal símbolo sensorial sólo puede ser captado y descifrado a través de la intuición o aserción emotiva del lector. El corazón del cuento es, pues, un objeto concreto que, al disolverse en lo sensorial de su simbolismo, contrapone a la «realidad» que la cebolla como objeto tangible ofrece, la «irrealidad» de su centro invisible pero latente. Lo importante de esta situación es que la centralización simbólica se le impone a un objeto ante el cual se reacciona afectivamente para llegar al concepto central del símbolo; por tanto, el concepto es únicamente un derivado del esfuerzo por darle sentido a la imagen central. Esta línea seguida por el autor es esencial para inducir al lector a que coopere en la búsqueda de los niveles trascendentales a la historia: la «cosa [tangible] en bruto» estimula, con la intensidad de sus impresiones, la afectividad del lector; por otra parte, la ideología que se deriva de esa absorción inconsciente es intuitivamente postulada por el lector mismo una vez que el símbolo apacigua sus vibraciones emotivas iniciales.

Esta sola cita no establece la cebolla como símbolo caracterizante del cuento. Sin embargo, un poco más adelante el gordo agrega: «¿Saben lo que pasa? Se habla demasiado... La palabra es la gran trampa, la palabra vieja, la palabra usada. Es muy cierto eso de que empezamos a morir por la boca como los peces. Yo mismo hablo y hablo. ¿Para qué? Para sacar nuevas capas a la cebolla. Por ahí no se va a ningún lado. Habría que encontrar un nuevo lenguaje, y mejor todavía un lenguaje de silencio en el que nos podamos comunicar por levísimos estremecimientos, como los animales —¿no se dan cuenta qué libres son ellos?—, por leves alteraciones de esta acumulación de ondas congestionadas que hay en nosotros como un forúnculo a punto de reventar» (*Moriencia,* p. 64). La cebolla refuerza su poder simbólico al caracterizar también el conflicto entre el lenguaje y su contraparte, el silencio. Así como en la primera metáfora ya citada la cebolla entera representa la realidad concreta del objeto y lo que queda de ella al sacarle todas las capas representa la realidad sensorial intuida, así en esta segunda metáfora la cebolla entera representa el uso excesivo del lenguaje convencional y lo que queda al despellejar las capas de tal lenguaje representa el silencio intuido sensorialmente a través de «levísimos estremecimientos». Tanto el «tufo picante» como el silencio son expresiones emotivas en que el inconsciente extiende su instinto hasta las etapas primordiales de la mitología, etapas esas en que el hombre, sin darse cuenta, era tan libre «como los animales». Esa «realidad-silencio» que queda al sacarle todas las capas a la cebolla constituye en sí un medio de comunicación surrealista en el que lo sensorial, inyectándole esencia emotiva a la lógica, reafirma la intemporalidad del espíritu: «Un pestañeo apenas visible resumiría todos los cantos de la *Iliada,* incluso los que se perdieron. Un pliegue de labios, todo Dante, Shakespeare, Goethe, Cervantes, tan aburridos e inentendibles ya. Los gestos más largos expresarían los hechos más simples: el hambre, el odio, la indiferencia. El amor sería aún más simple: una mirada y en esa mirada, un hombre y una mujer desnudos, pero desnudos de veras, por dentro y por fuera, pero conservando todo su misterio...» (pp. 64-65, *Moriencia)* La «nada-todo» que queda al desnudar la cebolla es la existencia onírica en la que la realidad es el misterio del inconsciente. Tal misterio se conserva siempre niño a través de la contraposición dinámica de los opuestos y del acercamiento a la abstracción ontológica por medio de la inocencia primordial de los sentidos en vez de los trillados sofismas de la historia.

Por otra parte hay que hacer ver que la cebolla es escogida como símbolo central no porque ocupe un lugar imprescindible en el detalle espacial de la trama, sino porque su constitución física se asemeja a la superimposición de capas estilísticas que encierran el sentido primordial del cuento. El escoger un símbolo central por las características análogas entre el significante y el significado sin hacer del significante un elemento esencial del detalle espacial-temporal, da a la estructura del cuento una consistencia volátil. La estructura debe pues condensarse, o bien a través de metáforas análogas al símbolo central que lo conecten al desenvolvimiento de la acción concreta, o bien haciendo de la narrativa total una extensión metafórica del símbolo central. En el caso de «Contar un cuento» ambas alternativas están presentes:

El carácter sensorial ya analizado del símbolo central de la cebolla está relacionado al detalle narrativo por medio de varias metáforas de índole igualmente sensorial. Al principio del cuento el gordo exclama: «¿Alguien ha vivido demasiado para saber todo lo que hay que saber? ¿Y qué es lo que al final le queda al que más sabe? *Esto...* —dijo haciendo sonar las uñas con el gesto irrisorio de matar una pulga—» *(Moriencia,* p. 63). El sentido onomatopéyico dado al *esto* impone la pauta sensorial que el lector puede relacionar al sentido olfatorio del «tufo picante» de la cebolla. Ambos significados sensoriales llevan en sí la presencia definida de la «nada» racional y del «todo» intuitivo. Luego un poco más adelante el gordo expresa, en palabras y acciones, lo siguiente: «¿Hay algo más fantástico que el tacto de la madera en la yema de un dedo, que ese sonido que vibra un momento y se apaga? —se puso los dedos sobre los labios para desinflar despacito la pompa de un eructo—. ¿Y la vida de un hombre?... —el picor de la acidez se le demoró un instante en el fruncimiento del ceño, en la comisura de los labios» *(Moriencia,* p. 64). El tacto y el sonido de «la pompa de un eructo» no sólo se agrupan sensorial y connotativamente con el «esto» y el «tufo picante» ya discutidos, sino que se relacionan paralelamente con «el tacto» y el «sonido» del monólogo interrumpido por el eructo. Además, un poco más adelante el gordo propone la comunicación «por leves alteraciones de esta acumulación de ondas congestionadas que hay en nosotros como un forúnculo a punto de reventar» *(Moriencia,* p. 64). Esta frase sirve no sólo literalmente para describir el nuevo lenguaje propagado por el gordo, sino también, figurativamente, para sintetizar sensorialmente las metáforas ya descritas, sobre todo la que lleva en sí el origen latente de un eructo como «acumulación de ondas congestionadas... a punto de reventar». El sonido, sabor y olor de gases estomacales como detalles tangibles en la acción del personaje, hacen de la cebolla, condimento alimenticio, un símbolo sensorial en el nivel orgánico. Se ha establecido, pues, la relación y simultaneidad de los niveles físicos y síquicos.

A mitad del cuento no es el gordo, sino el narrador el que dice, refiriéndose al gordo, que «nunca se sabía cuando decía un chiste o recordaba una anécdota, en qué momento concluía un cuento o empezaba otro sacándolo del anterior, 'despellejando la cebolla' *(Moriencia,* p. 66). Es muy curioso, e importante, que el narrador al usar en la caracterización del gordo la frase «'despellejando la cebolla'», la encierre en comillas. Tal proceder indica que el narrador se ha apropiado el símbolo y el concepto iniciados por el gordo, extendiendo el proceso metafórico más allá de las palabras del personaje a la narración misma. El uso de las comillas indica una transición entre niveles narrativos que al final del cuento queda ya bien establecida cuando el narrador usa el símbolo central de la cebolla ya sin las comillas, como expresión propia: «Contó varios cuentos. Quizá fueran uno solo, como siempre, desdoblado en hechos contradictorios, desgajado capa tras capa y emitiendo su picante y fantástico sabor» (*Moriencia,* p. 67). Los cuentos del gordo criticados por el narrador son el equivalente literal y símbolo de las «palabras viejas y usadas» de la humanidad criticadas por el gordo: el narrador adopta el elemento de crítica iniciado por el gordo a través del símbolo de la cebolla, símbolo igualmente aceptado y usado por el narrador. La cebolla y su significado son ya propiedad común y simultánea del personaje y del narrador. Además, éste, con su disimulada prerrogativa de narrador omnisciente, y ateniéndose a la autocrítica de aquél, establece con la descripción del gordo y de su muerte las bases sobre las que el lector ampliará, a su vez, el símbolo central.

El narrador describe al gordo así: «El mismo tenía un aire de apacible, inerte, fofa irrealidad... Obeso y enorme, desbordaba el sillón en que se había arrellenado. Su cuerpo estaba anclado en algo más que en el peso de la carne y su invencible molicie. El mismo aire que se cernía sobre él parecía aplastarlo, deformarlo, hinchándolo y deshinchándolo desde adentro en la respiración» (*Moriencia,* p. 65). La combinación de materia y de ambigüedad, y las capas de gordura y aire que le rodean, hacen del gordo un prototipo (o casi arquetipo) de la realidad-irrealidad que la cebolla representa al ser despellejada. Y no sólo la apariencia física favorece esta analogía, sino también las funciones sensoriales paralelas del gordo y de la cebolla: ésta tiene un «tufo picante», el gordo eructa y siente el «picor de la acidez»; luego la descripción que el gordo hace de la realidad como cebolla que al ser despellejada sólo deja un tufo, y la descripción que el narrador hace de los cuentos del gordo como cebolla que al despellejarse sólo deja «su picante y fantástico sabor». La fusión de estos paralelismos hacen del gordo «la cebolla» del narrador.

El cuento empieza con la siguiente pregunta formulada por el gordo: «¿Quién me puede decir que eso no sea cierto?» (*Moriencia,* p. 63). Dentro de la estructura de «Contar un cuento» no se aclara lo que es el «eso» misterioso. Así, pues, lo importante de la narración no es la causa que la origina, sino la sensación de que tal cuento es el centro de muchas capas despellejadas anteriormente. El gordo continúa su esfuerzo por vislumbrar el centro final de la acumulación de capas narrativas. Su búsqueda la sigue muy despacio, hasta que, creyendo haber hallado el centro, final del cuento mismo, actúa con inquieta e inusitada rapidez: «empezó a relatarnos la historia del hombre que había soñado el lugar de su muerte. La contó de un tirón, sin más interrupciones y digresiones» (*Moriencia,* p. 67). Ese final que el gordo entrevé en sueños es el presentimiento de su propia muerte. El despellejo final de este hombre-cebolla termina en la realidad sensorial de la «muerte» racional: el gordo parece haber encontrado la entrada al lengauje del silencio y al nivel del inconsciente, la región de los sueños. La preocupación por las capas lógicas que expliquen la realidad del «eso» inicial se disuelve en el sensorialismo primordial de la intuición onírica. El cuento mismo es, para el lector, la cebolla que, parcialmente despellejada, presenta sólo las capas centrales que definen, convencionalmente, la realidad de las cosas, y que esconden, intuitivamente, la irrealidad «real», la nada del «todo» anímico. Nuestra introspección como lectores —valiéndonos del símbolo ya universalizado de la cebolla— agrega a la estructura del cuento el nivel metafísico y el sentido mitológico por medio de los cuales buscamos nuestra integración surrealista con las fuerzas del universo.

Así, pues, el cuento encierra varias cebollas cada una dentro de las otras: el cuento entero, despellejado por el lector, se concentra en la realidad de la palabra, despellejada por el gordo; a la vez el gordo, despellejado por el narrador, se sumerge en su inconsciente autónomo y desafiante. Sin embargo, esta gradación de realidades expone la relatividad y los conflictos inherentes en la experiencia humana. El mismo símbolo encierra las contradicciones que lo vivifican. La palabra se opone al silencio; la razón a la emoción; la convención a la intuición; lo intelectualizado a lo soñado; lo cubierto por capas tradicionales a lo desnudo sensorial. Estas contradicciones son las que el gordo encierra dentro de su propio irrealismo: «Encerrados en la masa del tejido adiposo parecía haber dos hombres que no querían saber nada entre sí. Habían crecido juntos, se habían fundido finalmente, pero aún trataban de contradecirse, de ignorarse, y ya ninguno de los dos tenía remedio, al menos el uno en el otro. La ronca y monótona voz servía, sin embargo, a uno y a otro, por igual, sin favoritismos (*Moriencia,* p. 65).

Aunque ambos opuestos se rechazan y en la búsqueda de uno se trata de eliminar al otro, la justificación del conflicto no está clara. La misma ambigüedad sensorial del simbolismo oscurece, como es natural en toda perspectiva surrealista, la actuación del fluir existencial. Por otra parte, el que los opuestos permanezcan en pie hacen del conflicto una manifestación irónica de la identidad humana: cada uno de los «dos hombres, en el gordo, cree en su victoria final, y sólo el humano completo sabe que no es así. El cuento se cierra, solidificando sus capas antes de que sean totalmente despellejadas, cuando el gordo al morir nos ve con «los ojillos vidriosos... clavados en nosotros con una burlona sonrisa» (*Moriencia,* p. 68). Parece que las regiones de la «muerte» onírica no resuelven la realidad del «eso» inicial. Por tanto, el cuento termina como empezó, y lo único que se resuelve es la relatividad del conflicto mismo.

La participación del lector en el desenvolvimiento de tema tan ambiguo e inalcanzable se facilita a través del humor satírico que sirve de subsuelo al cuento. La comparación de los hombres a «moscas friolentas» *(Moriencia,* p. 63), y la analogía del «esto» con el gesto y sonido de las uñas al «matar una pulga» *(Moriencia,* p. 63) deshumanizan al ser humano. El juego sarcástico constante a base de olores picantes y sabores ácidos de la cebolla-símbolo, de eructos y forúnculos a punto de reventar, sirve de marco a la crítica del tradicionalismo dogmático de una sociedad ciega y sorda. Tal crítica hecha con el «habitual tono entre sarcástico y circunspecto» *(Moriencia,* p. 63) genera el tono y la actitud satírica inherente en toda campaña antisocial con miras a una reforma total, como la que el gordo predica.

Sin embargo, la sátira en «Contar un cuento», a pesar del negativismo innato a toda crítica, no es nihilista. El hecho de que la muerte es el desenlace final del cuento no nos lleva al absurdo o a la negación total de la existencia. Al contrario, «la muerte» del gordo es la transición simbólica, en vida, del nivel racional al onírico, nivel surrealista este último en el que «el silencio» de los sentidos y del fluir primordial es tan o más real que el nivel convencional del racionalismo. Así, pues, el pesimismo de la sátira, que sólo existe temporalmente al juzgar la vida de las «moscas friolentas», se convierte en inconsciencia —ni triste ni alegre, sino positiva, «cómica»— al trascender a los campos del misterio mítico. La «burlona sonrisa» del gordo al morir, reitera la dualidad del hombre que ni es sólo conciencia ni sólo inconsciencia, sino una amalgama en la que el conflicto de las partes se refleja en la relatividad oscura del hombre contemporáneo. La sátira le facilita a este hombre el desarrollo sensorial de su ontología a través de símbolos surrealistas tiernos, frescos, nuevos.

En resumen, «Contar un cuento» es una narración en la que, pidiéndose del lector el sacrificio de la introspección auto-crítica y el esfuerzo de una trascendencia ontológica, se le impone la obligación de reconocer la contraposición emotiva-racional humana y de equilibrar en sí mismo lo inconsciente mitológico y lo consciente histórico. Este equilibrio, sin embargo, sólo podrá establecerse al resucitar el consciente histórico, haciendo de él una actitud primordial parca en teorías e intensa en sus acciones.

Verdad oficial y verdad verdadera: «Borrador de un informe» de Augusto Roa Bastos *

Hugo Rodríguez-Alcalá

* Capítulo de un libro aún inédito titulado *El arte visionario de Augusto Roa Bastos.*

Uno de los cuentos en que culmina la maestría narrativa de Roa Bastos es «Borrador de un informe». Roa parece que se hubiera propuesto una serie de dificultades técnicas para exhibir la mencionada maestría, tal como un atleta que, en una carrera de obstáculos, multiplicara el número de éstos a fin de hacer gala de la agilidad muscular con que los ha de ir salvando y suscitar el aplauso de los espectadores.

La técnica de «Borrador de un informe» es muy compleja. Hay un solo narrador, pero su narración es doble: una versión de los hechos la destina para un informe oficial, y esta versión es falsa o parcialmente falsa; la otra versión es la verdadera. Hay dos crímenes. Del primero se hace una relación exacta y, del segundo, una relación falsa. En la versión oficial, el autor del segundo crimen no parece ser ninguno de los dos posibles culpables, sino una víbora, una «yarará criminal». Pero, en rigor, el culpable es el narrador mismo, según se desprende de manera intencionalmente oscura de la segunda versión de los hechos, esto es, de la no oficial.

Basta lo dicho para sugerir que la técnica de este cuento constituye un experimento de modernidad narrativa. Roa, en efecto, pugna por lograr aquí un tipo de narración en que el lector intervenga activamente para entender los hechos, para interpretárselos merced a un esfuerzo imaginativo mucho más «creador» que el exigido por la narrativa tradicional. El narrador-protagonista se desdobla, como queda dicho, para ofrecernos las dos versiones diferentes de los hechos y suscitar, al mismo tiempo, entre una y otra, algo como una zona penumbrosa de ambigüedad y de equívoco. Con el desdoblamiento del narrador, Roa obtiene así efectos muy sugestivos. Se puede decir que nos cuenta su cuento merced no a uno, sino a dos narradores: por una parte, el funcionario que emplea para su «informe» un lenguaje oficial y hasta medio jurídico; por otra, el hombre enfermo y perverso que se desnuda ante el lector como en una confesión sin destinatario identificable. Porque, si nos preguntamos a quién habla el narrador en la versión no oficial no podemos hallar respuesta. Roa no nos lo dice. Nunca nos enteraremos de si el narrador, al contar la verdad verdadera, está poniendo acotaciones al borrador del informe en que redacta la verdad oficial, o si solamente está leyendo ante uno o más oyentes aquel borrador y, aquí y allí, agregando párrafos no destinados al superior jerárquico. Tampoco sabemos si el narrador está solo, al componer su informe, y, en un soliloquio secreto, se dice a sí mismo la verdad verdadera.

Desde el punto de vista de la modernidad de la técnica, nos interesa subrayar que el desdoblamiento del narrador resulta en una intrigadora relativización de los hechos, en una querida ambigüedad de lo narrado que el lector debe iluminar con sus propias luces de obligado «coautor». Porque Roa se cuida de que los sucesos no resulten claros y en todo el relato hay como un sutil escamoteo de explicaciones directas e inequívocas de lo que ha pasado o está pasando.

Otro rasgo de modernidad en la técnica que emplea Roa se advierte en el intermitente avance del relato: hay retrospecciones que interrumpen el progreso lineal de lo narrado. Y este recurso narrativo desempeña una función artística muy hábilmente lograda. No se advierte en Roa, como en más de un autor, el prurito, a veces demasiado obvio, de «estar a la moda» con un a menudo arbitrario saltar hacia atrás y luego hacia adelante, o viceversa.

Lo dicho y lo insinuado más arriba tiene por objeto subrayar aquellas «dificultades» técnicas que indicamos. Roa se ha puesto a sí propio para convertir su relato en un verdadero *tour de force* de maestría narrativa.

El análisis que paso a hacer en seguida apunta a elucidar el propósito del relato, el «mensaje» que éste encierra, y a determinar si tal propósito se logra plenamente o no. También me interesa hacer hincapié en los aciertos estilísticos más notables de «Borrador de un informe».

II

El propósito de Roa es, sin duda, satirizar una vez más el régimen político de su país. Este régimen político aparece en el cuento como injusto, arbitrario, corrompido.

El narrador es un funcionario subalterno a quien su jefe, el delegado civil de Caacupé, nombra interventor con plenos poderes para mantener el orden durante las fiestas de la Virgen de Caacupé, patrona del Paraguay.

Ya al comienzo mismo del cuento se nos revela el desprecio que el interventor siente por el pueblo humilde que va peregrinando hasta el altar de la Virgen. Esta actitud despectiva es simbólica de las de los de arriba hacia los de abajo:

> ... a estos haraganes cualquier pretexto les cuadra para estarse mano sobre mano papando moscas y pensando en cualquier cosa menos en trabajar... Después se quejan de su suerte. Y así es como también toda esta sangre estancada en la desidia y que va fermentando como las aguas de un pantano, les cría bajo el pellejo malos humores que luego revientan en hechos que ya no se pueden remediar... [1].

El país, según el narrador protagonista, se halla en plena prosperidad y progreso. Pero el gobierno tiene enemigos que tratan de derribarlo formando montoneras de agitadores y bandidos. Por eso el interventor ha tomado enérgicas medidas para evitar disturbios durante la fiesta: no sea que los montoneros aparezcan de súbito y hagan de las suyas.

Ahora bien, ¿quién representa a ese «gobierno progresista» en la región de Caacupé? Estamos lejos de la capital y de los ministros del Poder Ejecutivo. Roa entonces debe encarnar en el delegado civil del gobierno el símbolo del poder arbitrario y despótico que desde Asunción desgobierna el país. Este delegado civil, además, ha de ser militar, porque los militares son las *bêtes noires* contra las cuales el escritor dispara sus más iracundos dardos. Por esto, el delegado civil es un coronel, a quien sólo se llama en el «informe», simplemente, «el señor Coronel».

En la primera «acotación» el borrador del informe —llamémosla así— el interventor nos cuenta cómo el delegado civil le

---

[1] Ver *El baldío* (Buenos Aires: Editorial Losada, S. A., 1966), p. 61.

ha conferido plenos poderes: «Lo he designado interventor con plenos poderes. Vaya y tome de inmediato cartas en el asunto, insistió hincándome la punta de la fusta en el pecho» [2].

(Esta fusta del «señor Coronel» será mencionada dos veces por el interventor en el relato de la escena de la delegación de poderes. Así Roa no escatima detalle para la figuración más cabal del militarismo mandón que satiriza.)

A renglón seguido el coronel ordena a su interventor que se incaute de todas las urnas de los donativos que en dinero y en especie han de hacer los peregrinos de la Virgen. El lector inmediatamente supone, pues, que lo que iba a ir a la iglesia, va tener diferente destino.

Si el coronel es un mandón sin escrúpulos, el interventor es un funcionario adulón y rastrero. El mismo nos revela su indigna condición en esa especie de soliloquio en que consiste la versión no oficial de los hechos que narra: cuando el delegado civil da sus órdenes fusta en mano, el subordinado dice que él murmura... «algo, alguna rastrera objeción respecto al procedimiento procesal». Y es entonces cuando la arbitrariedad del sistema satirizado se manifiesta en todo su cinismo:

> «Usted va representándome a mí» [contestó el Coronel] apuntándome otra vez con la fusta. «Va como delegado del delegado del gobierno.» Y después, para alentarme: «Vaya y no se preocupe. Le voy a dar la tropa que necesite para que me restablezca el orden» [3].

No se respeta, pues, procedimiento judicial alguno: es la fuerza bruta la que impone su voluntad con absoluto desprecio de las leyes. Y es ella la encargada de restablecer un orden no turbado todavía. La tropa que va a necesitar el interventor consistirá en doscientos hombres armados hasta los dientes, distribuidos en diez carros de asalto.

Roa, sin duda, recarga las tintas en este como en otros relatos. No parece verosímil que un delegado civil necesite, para el logro de sus fines, humillar así a un subordinado que, por otra parte, no es un soldado raso.

Pero aquí no acaba todavía la «sátira al régimen» que trae «Borrador de un informe»; hay algo más aún contra ese régimen, simbolizado ahora en el juez y en el alcalde de Caacupé, respectivamente. No ha de quedar títere con cabeza. Es lo que sigue:

Dos enmascarados, a altas horas de la noche, entran en la casa del párroco del pueblo para robar las urnas de los donativos

---

[2] *Ibid.*, p. 63.
[3] *Ibid.*, pp. 63-64.

antes que éstas sean incautadas según las instrucciones que ha recibido el interventor. El cura párroco, sorprendido a medianoche por los ladrones en la lectura del breviario, coge un rifle y dispara contra ellos. Estos, que apenas han logrado entreabrir lentamente la puerta de la alcoba del cura, caen muertos fuera de la habitación. Cuando, tras el tumulto que sigue a los disparos, se descubren los dos cadáveres enmascarados, nadie puede tocarlos hasta que llegue el alcalde, cuya presencia es legalmente necesaria en estos casos. Por consiguiente, bajo sus máscaras, los dos cadáveres quedan sin identificar.

¡Hay que esperar al alcalde! Pero el alcalde no aparece por ningún lado. Entonces hay que ir a llamar al juez. Pero nadie puede encontrar al juez. Pasan varias horas. Por fin, ya en pleno día, el sargento de la policía interviene: arranca los antifaces y todo el mundo ve que nada menos que la autoridad del pueblo, en la jurisdicción municipal y judicial, respectivamente, ha intentado el robo «en la Casa Parroquial, que es como la prolongación de la misma iglesia...» [4].

Ahora bien, si todo el mundo se entera hasta de los detalles de la escandalosa intentona que resultó en dos muertes, algo en cierto modo más grave quedará secreto: me refiero a una tercera muerte que ocurre durante las solemnidades de la fiesta patronal ¿Quién es el homicida? Nadie lo ha de saber, ni el mismo señor coronel. Insistamos aquí que el criminal es el propio interventor, es decir, el «delegado del delegado del gobierno».

Sinteticemos ahora el relato del segundo de los dos sucesos principales que integran el argumento de «Borrador de un informe»:

Entre los peregrinos de la Virgen se destaca dramáticamente una mujer que, vestida de harapos y cargando una cruz tan grande como una de las tres que un día fueron plantadas en el Calvario, llega a Caacupé. El interventor la ve avanzar por el camino, deteniéndose a trechos, como si lo hiciera en las estaciones de un nuevo viacrucis. Al observar de cerca las desnudeces de la mujer, visibles tras los desgarrones de los harapos, el narrador siente un malestar morboso cuya causa específica no se aclara nunca «clínicamente» en el cuento.

La peregrina acontece ser una famosa prostituta. (Nunca Roa nos dirá taxativamente que es ciega, pero varias veces insinúa en forma cada vez más comprensible que es completamente ciega: ver pp. 65, 73 y 74.)

He dicho al comienzo de este análisis que la técnica de «Borrador de un informe» es muy compleja. Cabe ahora indicar que el argumento es uno de los más complejos que ha concebido Roa a lo largo de toda su carrera literaria. Veámoslo:

---

[4] *Ibid.*, p. 70.

Ya hemos visto que el «informe» versa sobre dos homicidios impremeditados y ya hemos anunciado un tercer homicidio de que es culpable secreto el mismo narrador.

Los dos primeros homicidios no son esenciales en la economía del relato. El tercero, el asesinato de la prostituta ciega, sí lo es. Este homicidio hubiera bastado para argumento del cuento, porque constituye, en rigor, el cuento. Inversamente, los dos primeros homicidios hubieran dado materia suficiente para *otro* cuento.

Ahora bien: la habilidad narrativa de Roa hace posible, no obstante, que dos cuentos formen uno solo y que la unidad de éste se logre cabalmente.

La ficción de un «informe», en efecto, posibilita que dos *o más sucesos* asuman la categoría de relatos autónomos según el énfasis que se les dé. Roa aprovecha el «género informe», como género literario capaz de abarcar una multiplicidad de «argumentos» a fin de dar mayor contundencia a su sátira. Visto así, este cuento nos resulta muy *sui generis* en su rica complejidad. Pero, sin duda, es el arte del cuentista el que convierte en obra de arte, «en género literario» de unidad lograda lo que en un «informe» pueda ser solamente multiplicidad pura, enumeración de hechos inconexos en estilo jurídico-burocrático.

Bien: la historia de la prostituta ciega y su ulterior asesinato exhiben a su vez una complejidad que requiere una síntesis nada breve:

Un vendedor ambulante siriolibanés comparece ante el delegado del delegado del gobierno para denunciar el robo de una víbora amaestrada gracias a la cual su oficio de mercachifle se hacía antes lucrativo. El interventor se desentiende con fastidio de la denuncia, aconseja al mercachifle que se busque otra víbora y que lo deje en paz. En vista de la indiferencia de la autoridad ante el hurto denunciado, el siriolibanés sigue aquel consejo y se consigue otra víbora, una venenosa yarará del monte vecino al pueblo.

Todo esto está narrado conforme al procedimiento doble que ha escogido el escritor: una versión oficial para el coronel, y otra, mucho más reveladora, que no ha de incluirse en el «informe».

Efectivamente, hay algo que el coronel no ha de saber nunca, y es que el interventor y el mercachifle se hicieron amigos al poco tiempo y, luego, cómplices. El interventor confiará más de una misión al sioriolibanés. La primera de ellas será traer a la prostituta a la alcoba de aquél...

Hacia el final del cuento muchas cosas oscuras se aclaran casi del todo: el lector cae en la cuenta de que el interventor es impotente aunque se ve poderosamente atraído por la meretriz. Una perversión inconfesable (y no explicada) le exige las caricias de la mujer perdida. Esta, por su parte, al descubrir el secreto del impotente, no le oculta su desprecio. El interventor, humillado por la risa burlona de la mujer ciega, decide que ésta muera [5]. En la penúltima página del cuento nos enteramos de que durante varias noches la prostituta y su futuro asesino tuvieron citas secretas, no en la carpa donde aquélla acostumbraba ejercer su antiquísimo oficio, sino —colegimos— en el edificio mismo de la Delegación, en la alcoba del interventor.

La última cita fue una trampa: llega la ciega, tropieza con muebles puestos exprofeso, camino de la cama, en el dormitorio y, finalmente, cerca de ésta, es mordida por la yarará que en una urna ha sido colocada para que le hienda sus colmilos letales [6].

Roa no nos cuenta inequívocamente cómo han sucedido las cosas. Es el lector mismo quien debe reconstruir los hechos interpretando alusiones a ellos hábilmente diseminados aquí y allá. Se comprende, sin embargo, que el crimen ha sido una obra de arte tan extraordinaria de previsión y de astucia, que apenas parece verosímil.

He aquí mi interpretación de lo que debió de haber pasado: Mordida la prostituta por la yarará, y acallados los gritos y los golpes y los estertores que el interventor oyera tras la puerta de la alcoba que él había cerrado con llave, el cuerpo ya exánime de la mujer fue llevado a la carpa. ¿Quién lo llevó? ¿El interventor en persona? No lo sabemos. Lo cierto es que el pueblo entero debe de haber creído que la prostituta murió en su propia cama, bajo la carpa.

¿A quién se atribuyó el crimen? A dos sospechosos: al hombre que había robado la víbora al siriolibanés, y al propio siriolibanés. Ambos sospechosos niegan su culpabilidad y se acusan recíprocamente del homicidio.

El informe oficial, por otra parte, no incrimina ni al mercachifle ni al ladrón de la víbora. Es la víbora misma —la segunda víbora, porque hay dos víboras, como se recordará: una amaestrada, inofensiva, y otra, la hallada en el monte, con todo su veneno— la verdadera causante de la muerte.

¿Cómo se explica que la víbora pudiera llegar a la carpa de la prostituta? La versión oficial del interventor asegura que el la-

---

[5] Tocante a la enfermedad del protagonista, Roa Bastos ha manifestado lo siguiente al autor de este análisis: «Supongo que sería algo así como un síndrome epiléptico, pero no creo que eso sea importante en el cuadro 'clínico' fetichista o monomaníaco del personaje y, si se trata de epilepsia, pienso que es más de carácter sicológico o moral, como la de esos paralíticos en los que la causa de su baldamiento es alguna represeión síquica no concienzializada». (De una carta fechada en Buenos Aires, el 17 de noviembre de 1966).

[6] No parece muy verosímil la hábil trampa en que el protagonista hace caer a su víctima. Acaso Roa no se haya dado cuenta cabal de la inverosimilitud en que incurre. Roa «ve» lo que relata y lo que «ve» con su poderosa fantasía, le parece rigurosamente «histórico».

drón creyó llevar a la carpa de la meretriz la víbora amaestrada, pero que en rigor no fue así: el mercachifle había cambiado las víboras antes que el ladrón de la sierpe amaestrada tuviera comercio carnal con la ciega en la carpa de ésta.

Como se ve, las cosas son muy complicadas. El lector puede imaginarse que no sólo hubo dos cómplices en el asesinato de la prostituta, sino tres, el interventor, el siriolibanés y el supuesto ladrón de la primera de las víboras. Éstos —según ha de leer el coronel en el informe oficial— no merecen más que penas por delitos comunes. No son culpables del asesinato. La culpable es la víbora. Y, la víbora criminal, resulta que no puede ser hallada como «cuerpo del delito» porque ha desaparecido... La justicia, pues, está más ciega que nunca con respecto al crimen de la meretriz ciega.

¿Qué ha acontecido, en realidad, de verdad? Este cuento de Roa es tan misterioso o más aún que muchos cuentos misteriosos de la nueva narrativa hispanoamericana. Más misterioso que algunos de, por ejemplo, Juan Rulfo. Lo único indubitable es que el interventor, el asesino, es un enfermo, un degenerado. Y esto es esencial en el relato como tal y, especialmente, como sátira.

El estilo

En la segunda parte de «Borrador de un informe» se hallan algunos de los mejores cuadros logrados por el estilo de Roa Bastos. Vale la pena llamar la atención del lector, muy especialmente, sobre la visión que el escritor nos ofrece de María Dominga Otazú. (Tal es el nombre de la prostituta ciega.)

Recordemos que ella aparece, por primera vez en el cuento, como contrita penitente. El lector, en la segunda parte aludida arriba, no sabe todavía ni quién es ni qué es la peregrina que ha de ir a postrarse a los pies de la Virgen. El narrador nos la describe así:

> Por la cuesta del cerro bajaba la mujer cargando una cruz tan grande como la del Calvario. Avanzaba despacio como una sonámbula en pleno día, despegando con esfuerzo los pies del bleque que el sol derretía sobre el balasto de la ruta en construcción. La negra cabellera, encanecida de polvo, se le derramaba por la espalda hasta las caderas. Vista de atrás y encorvada bajo el peso de la cruz en el opaco resplandor, su silueta golpeaba a primera impresión con una inquietante semejanza al crucificado. La desgarrada túnica se le pegaba al cuerpo en un barro rojizo, especialmente del lado que cargaba la cruz, dejando ver las magulladuras y escoriaciones del hombro y del cuello, los senos grandes y desnudos zangoloteando bajo los andrajos. De trecho en trecho se detenía un breve instante, los ojos siempre fijos delante de sí, para

tomar aliento y borronearse con el antebrazo el sudor sanguinolento de la cara, pero también como si esas detenciones formaran parte de su espasmódica marcha, las estaciones en el extraño viacrucis de ese Cristo hembra... [7].

Así comienza a pintar Roa el cuadro que pronto se va a convertir en el blanco de todas las miradas de los peregrinos de la Virgen, especialmente cuando aparezcan por la carretera los diez carros de asalto al mando del interventor, con los doscientos hombres armados hasta los dientes.

> Era algo cercano a un sacrilegio —comenta el narrador— sin duda, pero la gente igual se paraba a mirarla; sobre todo, los hombres que pasaban en los coches de lujo y aminoraban la marcha para observar en detalle a la penitente que descendía en el camino como dormida, abrazada a la cruz, dejando tras ella esa estría brillante y sinuosa en el alquitrán recalentado... [8].

¡Qué poder expresivo el del pintor de este cuadro! Todo, o casi todo lo que hasta el último párrafo nos hace intuir Roa es de la más extremada piedad religiosa. ¿Es ésta una Magdelana que trae a las solemnidades de la Virgen una edificación sin precedentes en la historia del santuario de Caacupé? El lector familiarizado con la obra de Roa no sabe a qué atenerse. Está, sí, dominado por la potencia sugestiva del cuadro: ve a la penitente, ve la cruz que la agobia, ve el sudor de sangre de este martirio autoimpuesto, ve la estría que el extremo del madero deja en la superficie ardiente de la carretera.

De pronto, la escena cambia ante sus ojos con la llegada del coche de la delegación seguido por los carros de asalto erizados de hombres de armas. (En este via crucis faltaban soldados, ahora éstos llenan el camino.) Las bocinas de los once vehículos atruenan bajo el sol de fuego, entre la muchedumbre sudorosa: es una orden perentoria de despejar la carretera, y la multitud obedece, menos la mujer:

> La única que siguió impávida en la calzada fue ella, como si no oyera nada, como si nada le importara, los ojos mortecinos, volcados para adentro, absortos en la pesadilla o la visión de su fe, que tenía el poder de galvanizarla por entero en esa especie de trance de loca o de iluminada. Sólo esto podía explicar que por momentos su marcha se desviara hacia la banquina o, en las cur-

---

[7] *Ibid.*, p. 64.
[8] *Ibid.*, pp. 64-65.

> vas, avanzara en línea recta como si en realidad *no viese* la ruta, o tal vez porque en la exaltación que la poseía sintiera que iba caminando a un palmo del suelo, en esa especie de levitación cataléptica de los hipnotizados...[9].

En el párrafo recién transcrito se insinúa por primera vez, aunque de manera tan vaga que apenas puede llamarse ello insinuación, que la peregrina es ciega. En rigor, lo que se suscita en el lector es la visión de una penitente sincera, trágicamente sincera, agobiada más que por el peso de la cruz, por la compunción de sus culpas.

¿Ha querido Roa dramatizar un paradójico episodio de religiosidad verdadera, o una sacrílega parodia de la marcha al Calvario que ha de servir de reclamo al más infame de los oficios? Hay, de todos modos, en la escena, una genuina emoción religiosa que sobrecoge a la multitud de los romeros si no a la ramera:

> Las bocinas volvieron a atropellar el aire caldeado, pero ella no pareció darse por enterada; simplemente siguió avanzando, encorvada, rígida, bajo la cruz, perseguida por los trazos fulgurantes de los tábanos y moscardones que revoloteaban a su alrededor. Cada tantos pasos, la paradita consabida, alguien se acercaba a darle de beber de una cantimplora, a hacerle rectificar la desviación de su marcha, y otra vez el extremo de la cruz continuaba rayando la estela zigzagueante entre los dos plastos de las sandalias sobre el asfalto...

Como se ve, surgen entre la muchedumbre nuevos Cirineos y Verónicas, porque el pueblo siente el espectáculo en el sentido sublime de su evocación. Entretanto, el interventor se llena de alarma porque teme que la peregrina, cerrando el paso a la autoridad y al escuadrón motorizado, suscite una reacción hostil para su persona y sus hombres detenidos en la carretera. Teme el interventor, como el procurador de Judea, un posible furor multitudinario, aunque por razones diferentes. Entonces ordena que callen las bocinas y que el coche y los diez carros de asalto avancen «por el costado aún no pavimentado del terraplén»:

> En el silencio que siguió no se oyó más que el *plaf... plaf...* de las sandalias despegándose una tras otra, sin apuro; y no diré del zumbido de los moscones, pero sí ese otro bordoneo constante, un tono más bajo, que después comprendí era producido por el arrastrarse del palo... [10].

---

[9] *Ibid.*, p. 65.
[10] *Ibid.*

Obsérvese cuán hábilmente Roa insiste en mencionar cruz, túnica y sandalias para conferir a su cuadro un patetismo inequívocamente bíblico.

Hasta aquí hemos leído transcripciones de párrafos del «informe». Esto es, de la versión oficial de los hechos, como queda dicho. La versión oficial, por otra parte, debe de estar de acuerdo en casi su totalidad con la otra versión, con la verdadera, pues el interventor no puede menos de ser fiel cronista de sucesos que contemplaron miles de testigos. Hay algo, sin embargo, que sólo el narrador sabe y que nadie más debe saber. Por eso, al llegar este *algo* secreto, el interventor suspende el relato oficial y, entre paréntesis, cuenta lo que aconteció en su intimidad cuando pasó él muy cerca de la peregrina. (El coche en que iba avanzó por el terraplén casi rozando el cuerpo de la meretriz):

> (Fue entonces, al ver moverse las corvas gruesas, las ancas ampulosas bajo el hábito rotoso y empapado que las dibujaba como a pincel cuando comencé a sentir en la boca del estómago algo como un golpe de sed que todavía me vuelve por momentos, me seca y me llena la boca de saliva caliente. Era la primera vez que sentía una cosa así, y ya estaba temiendo que me viniera el ataque, que habitualmente me avisa con otra clase de síntomas. No quería hacer el ridículo delante de toda esa gente. Cuando me di cuenta tenía las uñas clavadas en el tapizado y las rodillas completamente mojadas [11].)

¡Ahora, sólo caemos en la cuenta de que el interventor es un enfermo! Al producirse esta revelación, Roa hace que en el cuadro la peregrina de súbito pierda su prestigio bíblico, y aparezca en toda su animalidad carnal: «las corvas gruesas, las ancas ampulosas...».

Y ahora veremos cómo el cuadro que nos pinta el escritor, se dinamiza cinematográficamente, digamos. Esto sucede en el momento en que el automóvil del interventor, evitando la carretera misma y marchando sobre el terraplén, pasa junto a la mujer y la deja atrás. El coche, sobre el terreno no pavimentado, da bruscos barquinazos y, entonces,

> en los barquinazos, era la mujer la que parecía ahora encabritarse y avanzar a los brincos con la cruz; unos brincos que aumentaban aún más el obsceno zangoloteo de sus senos, de sus nalgas, y desparramaban la cabellera larguísima hasta taparle toda la cara con un manchón oscuro... [12].

---

[11] *Ibid.*, p. 66.
[12] *Ibid.*, p. 66.

La escena de la mujer que de pronto parece dar en su avance brincos violentos con la cruz al hombro está vista desde el automóvil. Está vista, repetimos, como en sucesión vertiginosa de imágenes cinematográficas. ¡Admirable detalle de técnica descriptiva! Roa se identifica con su personaje y desde él nos hace ver lo que pasa en el mundo exterior y en la intimidad de aquél. Porque es el caso que no son sólo los barquinazos los que producen la ilusión de que la mujer marcha «a los brincos». En rigor, contribuye a la visión de estos extraños esguinces en la ramera, la turbación morbosa del narrador, cuya mente anticipa con temor el ataque epiléptico mientras el zangoloteo de senos y nalgas se le vuelve más y más obsceno.

Detengámonos ahora un instante para comentar el estilo de lo que hemos llamado uno de los mejores «cuadros» que ha pintado Roa:

Hemos subrayado lo vívida que es la descripción de la peregrina. No obstante, notemos que el escritor no ha recurrido a complicados efectos de lenguaje para lograr su propósito pictórico. En otros relatos Roa acumula comparaciones, metáforas y gran variedad de recursos estilísticos que su conocimiento de las posibilidades expresivas del idioma pone a disposición. Aquí no moviliza más que un mínimum de recursos retóricos. En el «cuadro» de la peregrina sobre la carretera y bajo la cruz, lo decisivo es el poder de sugestión de la índole misma de la escena descrita.

Esto y, además, el muy hábil enfoque sobre ciertos *elementos* constitutivos del cuadro: la cruz, la túnica, las sandalias, por un lado, evocadoras de otro «cuadro» de sublime prestigio; y, por otro, lo que contrasta con la santidad: las obscenas desnudeces de la meretriz.

La «sustancia» misma del cuadro que ha elegido pintar Roa se impone en sí con toda su energía expresiva, evocativa, sugeridora, y le permite prescindir al escritor de sus habituales alardes estilísticos. Sólo de vez en cuando el virtuoso del lenguaje que es Roa da aquí y allí una pincelada, algún toque de gran originalidad estilística, con que enriquece nuestra intuición de la escena:

Recordemos que la mujer se detenía para tomar aliento y para —agrega el escritor— «borronearse con el antebrazo el sudor sanguinolento de la cara». En otra parte, «Las bocinas —leemos— volvieron a atropellar el aire caldeado.»

Y poco después se nos hace ver a la peregrina «avanzando, encorvada, rígida, bajo la cruz, perseguida *por los trazos fulgurantes de los tábanos y moscones*».

Ahora bien: recordemos que el narrador no es Roa, sino el interventor, su rastrero protagonista. Veamos cómo el escritor le hace cambiar de lenguaje y tono, según las necesidades de la historia. El interventor nos ha dicho ya que la mujer se detenía de vez en vez como marcando las estaciones de un nuevo via crucis. En la página 65 se refiere otra vez a esas detenciones. Pero lo hace ahora de manera distinta. «Cada tantos pasos, la paradita consabida, alguien que se acercaba a darle de beber.»

«¡La paradita consabida!» ¡Qué expresivo y revelador resulta ese diminutivo, que minimiza ahora el sentido de lo antes manifestado! Roa hizo hablar a su personaje con otro lenguaje y tono en la página 64 cuando «las detenciones» eran como «estaciones». El lector, entonces, captó una visión impresionante de la escena: no sabía él aún que la penitente es una prostituta, ni que iba exhibiendo obscenamente sus desnudeces. El lenguaje del narrador era «oportuno» en la página 64: había de crear un efecto que muy luego sería destruido en la mente del lector. Produjo una intuición bien calculada por el autor del relato. Mas, como en la página 65 el relato ya ha avanzado bastante, y ya ha caído el lector en la cuenta de que las apariencias engañaban, ya es también oportuno llamar «paradita consabida» a cada detención de la supuesta penitente. El diminutivo, por otra parte, con la carga afectiva que aquí lleva, prepara lo que vendrá después.

El cuento, como queda dicho, narra dos sucesos, cada uno de los cuales hubiera podido constituir la materia propia de un cuento autónomo. Los dos sucesos han sido inventados para elaborar una acerba sátira. Efectivamente, los dos enmascarados que tratan de robar las ofrendas de los peregrinos en la casa del párroco, son nada menos que el alcalde y el juez de Caacupé. Y la mujer, cuya muerte se relata en el «informe» es víctima nada menos que del «delegado del delegado del gobierno...».

Roa, no obstante, ha querido infundir al segundo suceso un dramatismo más intenso. Los enmascarados aparecen como ladrones y como tales reciben inesperado castigo. Alcalde de monterilla el uno, y mero juez de paz el otro, no tienen la jerarquía del alto funcionario que es el interventor. Aquéllos querían robar el dinero y demás ofrendas protegidos por el antifaz y por la noche; éste va a robar a plena luz del día lo que los otros no pudieron, y llevará a cabo su propósito por orden expresa del coronel, y en forma «legal». Aquellos fueron ladrones; este será, además, asesino.

De aquí que Roa haga del interventor y de la prostituta los personajes verdaderamente centrales del cuento. De aquí que dramatice *la penitencia* de la peregrina en forma que va mucho más allá de todo costumbrismo y que la escena se cargue de no se sabe qué misteriosos equívocos.

El via crucis, la multitud que socorre a la peregrina, la expectativa que ésta suscita cuando hace detener el convoy del interventor y sus diez carros de asalto: todo esto se llena de un sentido que el lector no alcanza a penetrar a fondo, pero que le intriga, le interesa, le obliga a concentrar la atención a fin de descifrar un mensaje difícil.

Bien: en las dos últimas partes del cuento, la peregrina aparece como lo que realmente es: «una famosa rea del Guairá». Y es entonces cuando el lector se lleva todas las sorpresas que Roa le ha estado preparando desde el comienzo.

Volvamos al argumento:

El interventor hace una tarde su recorrido habitual por el pueblo y topa con la carpa en que la meretriz ejerce su oficio. (Hemos llegado a la página 73; el cuento comienza en la 61.) Y sólo ahora el narrador nos informa de que la penitente ejerce el oficio que ejerce y sólo ahora caemos en la cuenta de que es ciega.

Esa misma noche la prostituta visita al interventor. Viene vistiendo un vestido negro y tocada de un manto también negro. Viene, también, al parecer, llorando. De pronto, ante los ojos atónitos del hombre

> entreabrió el manto y con un hábil meneo dejó caer a sus pies el liviano vestido y apareció ante mí completamente desnuda, inundando el despacho con su olor a mujer pública, a hediondez de pecado, a esos pantanos que en ciertas noches nos atraen con su sombría pero irresistible pestilencia... [13].

(Hay en Roa un católico que sobrevive a la pérdida de la fe. Es muy posible que el autor de «El viejo señor obispo» —personaje inspirado por el tío (muy real) del escritor, monseñor Hermenegildo Roa—, es muy posible digo, que siga siendo católico en el sentido de haberlo sido antes entrañablemente [14]. Esto explica en Roa Bastos un sentir profundo de cosas cristianas que en forma sacrílega, para más de un detractor, cristaliza en *Hijo de hombre,* por ejemplo. También el «cuadro» que hemos estado comentando, con su «Cristo hembra» y su genuino patetismo arraiga en un sentimiento cristiano. Que el escritor de pronto nos convierta el *cuadro religioso* en sacrílega farsa, no desmiente lo afirmado. En «Borrador de un informe» y otras ficciones de Roa, parece que descubrimos, a pesar de todos los pesares, el cristiano que sobrevive hoy en el escritor rebelde, humanitarista y predicador...) [15].

---

[13] *Ibid.,* p. 74.

[14] Sobre eso de seguir siendo lo que se ha sido una vez, ver Ortega y Gasset, «En torno a Galileo» (Madrid: *Revista de Occidente,* 1956), pp. 219-224.

[15] Véase la interesante reflexión que hace François Mauriac sobre André Gide en el libro *Mes grands hommes,* (Monaco: Éditions de Rocher, 1949) páginas 234-236. Mauriac ve en Gide un «homme prédestiné à l'apostolat», como a nosotros nos parece ver en Roa un predicador, fuera del cristianismo, sí, pero, todavía *cristiano.*

Conviene ahora transcribir dos pasajes más para considerar, en sus momentos más felizmente expresivos, el estilo de «Borrador de un informe».

En el primero leeremos el relato de la reacción del interventor ante la súbita desnudez de la meretriz, y calaremos hondo en su sique enferma:

> El mareo del ataque de seguro ya me estaba viniendo porque del resto sólo me acuerdo borrosamente. En medio del retumbo que me ponía hueco y de las primeras pataletas, lo último que sentí es que caía a mi vez [como el liviano vestido], que ahora caigo, que seguiré cayendo ante ella, que mi cara golpea contra su vientre, contra sus muslos, como contra una pared, pero infinitamente suave y cálida, que la atravieso de cabeza con un sabor ácido en la boca, que caigo como sobre una blanda telaraña, que me deslizo por un conducto cada vez más estrecho hasta perder la respiración y el sentido...
>
> Lástima que sobre esto no pueda decirle una sola palabra a *Taguató* [el Coronel, su jefe]; no lo comprendería tampoco, aunque le aclararía muchas cosas y de paso le divertiría mucho. Lo haría reír a carcajadas con esa manera que tiene de reírse de los demás, metiendo la mano entre las piernas y expectorando sus graznidos [16].

Esta cita, como es obvio, no pertenece al «informe». Es parte, sí, de lo que el narrador se dice a sí mismo.

Ahora leemos otro pasaje. Éste también pertenece al «soliloquio» del narrador. Cuenta en él lo que pasó después que la prostituta fue mordida por la yarará junto a la cama en que él y ella solían yacer noche tras noche. (La yarará estaba metida en una de las urnas de las ofertas. El mercachifle se había llevado, en pago de su complicidad, lo que había en ella, y dejando en su lugar la víbora, conforme al siniestro plan de venganza.)

Bien: el interventor espera a que la víbora muerda a la mujer y estalle el grito de ésta:

> Las sordas interjecciones reventaron por fin en un grito, en el estrépito de su caída; escuché su despavorido arrastrarse a tientas rebotando de una pared a otra, los golpes de sus puños en la puerta a la que yo había echado llave, mientras la oía gritar, tal vez más aterrado que ella, pero por primera vez lleno también de una extraña felicidad; sentí que a través de esa pared, de esa puerta, de esos gritos, la poseía ahora de verdad y me encontraba a mí mismo... Pero cómo se puede recordar lo que nunca se tuvo,

---

[16] *El baldío,* pp. 74-75.

> lo que ha estado muerto en uno desde antes de nacer... Mientras sus quejidos van decreciendo, la veo otra vez avanzando, encorvada, rígida, bajo la cruz, con el manchón de su cabellera tapándole la cara, siento de nuevo llenárseme la boca de este regusto agrio y caliente a cosa quemada, en el relámpago de un ansia que vuelve a crecer, que ocupó a mi alrededor como la materia de mi propia ponzoña... [17].

Así termina el cuento. O, mejor dicho, la versión no oficial del cuento, lo que no ha de aparecer en el «informe» al coronel. Las siete últimas líneas, por otra parte, son «oficiales», se destinan al coronel. En ellas el interventor anuncia a su jefe algo que a la codicia de éste (y acaso de otros cómplices aún más encumbrados) interesa muy especialmente: el envío de un total de 132 urnas y siete cajones con las ofrendas de los peregrinos de Caacupé. Todo bien sellado y lacrado.

Resumen

Tal como se ha dicho, «Borrador de un informe» es un *tour de force* narrativo. Y, como sátira, de lo más acerbo que ha escrito Roa Bastos. Admiramos en el cuento la sabia elección de lo que hemos llamado el *género informe.* En efecto, como «informe» el cuento puede contener varios sucesos conexos o inconexos, capaces de convertirse en «argumentos» de relatos autónomos. Los que en éste nos ha narrado el escritor proveen la materia de la sátira. Roa Bastos les confiere *unidad* adecuada merced al hincapié que hace en uno de ellos.

La unicidad del relato, por otra parte, resulta del carácter *sui generis* que éste exhibe, con el desdoblamiento del narrador en dos personajes: 1) el funcionario mendaz; y 2) el individuo cínicamente veraz, cada uno con una versión diferente de los hechos. Y, debe agregarse, con un lenguaje y tono diversos: el lenguaje «burocrático» del primero y el lenguaje cínico del segundo. La unicidad del relato reside, pues, en lo que podríamos llamar la elección de un *género especial* y en la técnica narrativa con el protagonista narrador dualmente presentado.

Con lo múltiple, con lo complejo y con *lo no claro* —en enfoque, estilo y argumento—, Roa ha logrado una obra de unidad artística y ha pintado uno de los cuadros más impresionantes de toda su ficción.

---

[17] *Ibid.*, p. 76.